UNE HISTOIRE DE L'INDE

Éric Paul Meyer

UNE HISTOIRE DE L'INDE

Les Indiens face à leur passé

Albin Michel

Collection « Planète Inde »
dirigée par Ysé Tardan-Masquelier
et Jean Mouttapa

Une Inde temporelle ouverte sur le monde

L'image d'une Inde intemporelle, immobile, éternelle, fermée sur elle-même, secrète, a longtemps prévalu en Europe. Elle reproduisait celle que les lettrés brahmanes se faisaient de leur propre civilisation, image embellie par les romantiques et par les orientalistes européens, puis entretenue par certains nationalistes indiens et par les défenseurs d'une identité hindoue exclusive. L'Inde éternelle n'aurait pas eu d'histoire, la dimension spirituelle de sa civilisation ne laissant aucune place à une dimension temporelle[1]. Selon une version plus critique et distanciée du même thème, les Indiens auraient refusé de se penser dans un temps linéaire, concevant tout changement comme insignifiant ou négatif, dans une vision du monde fondamentalement conservatrice et reposant sur une conception cyclique du temps. Ils auraient aussi refusé de se penser dans un espace mondial, limitant au minimum les échanges avec l'extérieur et opposant à toutes les tentatives de pénétration une résistance passive ancrée dans la conscience d'une supériorité culturelle jalousement préservée.

Le public européen est longtemps resté marqué par cette utopie d'une Inde hors du temps et de l'espace. Mais l'émergence de l'Inde dans le monde à partir du milieu du XXe siècle, et sa visibilité médiatique depuis le début du XXIe siècle, sont venues brouiller cette image convenue. Le moment est venu d'en montrer l'artificialité et d'en expliquer les origines et la puissance. Ce livre propose au public français une approche générale de l'histoire de l'Inde, mettant l'accent sur un certain nombre d'épisodes et de thèmes significatifs pour les Indiens eux-mêmes, et par conséquent importants pour la compréhension de l'Inde actuelle et des pays qui l'entourent. Il fera une large place aux controverses historiques : les interprétations du passé sont l'objet de débats véhéments en Inde depuis plus d'un siècle ; la passion de l'histoire s'y est développée avec le mouvement national, comme en Europe. Désormais les Indiens, ou plutôt les Sud-Asiatiques dans leur ensemble, sont face à leur histoire : ce livre vise à faire prendre conscience de l'importance de ces enjeux au public désireux de se familiariser avec l'Inde. Il ne s'agit pas de proposer une histoire exhaustive de l'Inde, mais d'en retracer les grandes étapes et aussi d'éclairer ce qui est à l'œuvre dans le travail de mémoire entrepris par les Indiens d'aujourd'hui, en montrant en quoi il diffère des représentations du temps formulées par les Indiens de jadis[2].

Pour le lecteur francophone du début du XXIe siècle, Inde est synonyme d'Union indienne. Pour celui du début du XXe siècle, le terme, volontiers employé au pluriel (« les Indes »), englobait l'ensemble des zones dominées directement ou indirectement par l'empire britannique, et incluait donc les actuels Pakistan et Bangladesh, et même, dans un sens moins strict, la Birmanie (rattachée à l'Inde impériale), Ceylan (administré directement par Londres), voire le Népal (indépendant mais protectorat de fait), et les enclaves portugaises et françaises. Pour un Français du début du XVIIIe siècle, l'expression, sous la forme d'Indes orientales (pour les distinguer des Indes occidentales, c'est-à-dire américaines), incluait tous les pays d'Asie concernés par le commerce maritime des grandes compagnies à monopole. Aujourd'hui, il n'existe pas en français d'expression reconnue pour désigner cette partie du monde qui rassemble plus d'un cinquième de l'humanité. « Monde indien » est jugé politiquement incorrect par les Pakistanais, « Asie du Sud », expression très courante sous sa forme anglaise South Asia, est fréquemment confondue par le public francophone avec « Asie du Sud-Est », « sous-continent » (un autre anglicisme), parfois retraduit en « quasi-continent », n'est pas assez explicite. Quant au terme d'« Orient », ambigu et eurocentrique[3], l'Inde n'y trouve guère sa place, entre un Moyen-Orient qu'on arrête arbitrairement à la frontière afghane ou qu'on porte parfois jusqu'à la frontière indo-pakistanaise (dans beaucoup de publications à caractère géopolitique), et un Extrême-Orient qu'on fait commencer à la péninsule indochinoise mais dont on étend parfois le domaine à l'Inde (qui fait par exemple partie du champ d'activités de l'École française d'Extrême-Orient). On conviendra d'utiliser les expressions « Inde » et « monde indien », au sens large du terme, dans la mesure où ce livre porte sur les périodes qui ont précédé le partage de 1947, tout en gardant à l'esprit que les options terminologiques, tout comme les options chronologiques, risquent toujours de piéger leurs auteurs.

On a choisi d'arrêter le récit au milieu du XXe siècle, à l'issue du partage de l'Asie du Sud, jusqu'alors dominée par les Britanniques, en deux États indépendants, l'Union indienne et le Pakistan (août 1947). Cette césure chronologique ne va pas de soi : elle semble privilégier une image dramatique, et donne un caractère de nécessité à un événement que beaucoup d'historiens analysent comme le fruit de circonstances fortuites. Mais cette « vivisection », pour reprendre le terme employé par Gandhi, inscrit durablement dans l'histoire la victoire d'une conception politique – celle de l'État-nation, sur l'idéal politique irénique de Gandhi, qui meurt assassiné en janvier 1948. La « Partition » (c'est le terme que chacun emploie dans le monde indien) représente pour les habitants des régions septentrionales du monde indien un traumatisme qui marque durablement leur mémoire collective. Elle représente aussi un tournant majeur dans l'histoire de l'Asie et de l'ensemble du monde, dont les effets n'ont pas fini de se faire sentir. Elle est à peu près contemporaine du partage de la Palestine, où les facteurs ethno-religieux ont aussi joué un rôle décisif, ainsi que du partage de l'Allemagne et plus généralement de l'Europe – sans parler de la Corée et du Vietnam.

Remontons le fil du temps. Le thème qui domine l'histoire de l'Inde moderne est celui de la lutte contre la domination britannique, menée très tôt par une élite nationaliste animée par un projet de renaissance culturelle et morale conçue comme un préalable à la libération politique. Longtemps glorifiée dans l'histoire officielle de l'Inde indépendante, cette « invention de la nation » est depuis quelques décennies l'objet de relectures critiques issues de tous les horizons politiques : du côté des nostalgiques de l'empire britannique et des historiens qui cherchent à réhabiliter les apports de la colonisation ; du côté des chercheurs indiens radicaux inspirés par l'approche « déconstructiviste » qui domine les milieux universitaires américains, et par les théories néomarxistes inspirées de Gramsci ; du côté des partisans d'un exclusivisme hindou (*hindutva*) qui dénient l'authenticité de l'action du parti

10

du Congrès et du leadership de Jawaharlal Nehru. Il n'en reste pas moins que le mouvement national indien s'inscrit dans l'histoire mondiale au côté des mouvements nationaux italien, allemand, irlandais, qui lui sont à peine antérieurs, et qui concernent des pays d'une bien moindre dimension. L'échelle de comparaison est celle de l'Europe, chacune des régions de l'Inde a la taille et bien des attributs d'une nation européenne, et ce qui mérite de retenir l'attention est qu'un nationalisme panindien ait pu voir le jour aussi tôt et mener aussi loin son projet.

La domination britannique (le *Raj*, expression anglo-indienne d'usage courant) est un épisode politique et culturel surprenant à bien des égards. D'intensité et de durée variables (un à deux siècles) selon les régions, cette entreprise de contrôle politique a été lancée par une compagnie privée de marchands londoniens soucieuse de s'assurer le monopole du commerce mondial des textiles indiens, très profitable dès la fin du XVIIe siècle. Appuyée sur une force navale supérieure, menée à l'aide d'une armée de mercenaires principalement recrutée parmi les Indiens eux-mêmes, l'entreprise marchande s'est transformée en projet impérial dans le cadre des rivalités de grandes puissances qui ont dominé l'histoire du XIXe siècle : l'Inde est ainsi devenue le joyau de la Couronne – en d'autres termes, la première des colonies de la première puissance mondiale. Du point de vue indien, pour la première fois de son histoire, le pays a été conquis par des marins et des marchands et non par des cavaliers venus d'Iran ou d'Asie centrale par les passes du nord-ouest : les mégalopoles de Calcutta (Kolkata), Bombay (Mumbai), Madras (Chennai) en Inde, et de Karachi au Pakistan, sont le produit de ce décentrement historiquement décisif. Ces nouveaux maîtres ont réduit au silence non sans mal (la grande rébellion

11

dite des cipayes l'atteste) tous les pouvoirs militaires « féodaux », imposant une *Pax britannica* dont ils ont tiré orgueil. Singularité supplémentaire, ils se sont gardés de faire souche dans le pays, tout en y diffusant l'usage de leur langue et d'autres traits culturels et politiques (y compris leur idéal démocratique), que les Indiens se sont parfaitement appropriés et qui ont contribué à l'émergence de l'Inde contemporaine. Ils ont enfin intégré l'Inde dans un système d'exploitation mondiale, utilisant sa main-d'œuvre dans d'autres colonies et imposant sur ses marchés les produits de l'industrie de la métropole.

C'était l'excellence des produits indiens qui avait attiré les marchands européens, dès avant Vasco de Gama, à commercer directement avec l'Inde. Les artisans des villes, notamment ceux des métiers des métaux et des textiles, d'abord au service des cours princières, produisirent très tôt pour l'exportation, à la demande de marchands entreprenants. La puissance manufacturière du pays aurait pu promouvoir son développement, comme l'industrie de la laine avait fait la fortune des cités marchandes de l'Europe occidentale. Et de fait, les hommes d'affaires indiens du « Moyen Âge » (on tentera dans le prochain chapitre de justifier l'usage de ce terme) sont bien proches de leurs confrères européens, et l'esprit d'entreprise qui les animait s'est transmis jusqu'à nos jours ; leurs héritiers sont les Tata, Birla, Ambani, Hinduja ou Mittal, pour ne citer que les plus célèbres. Alors pourquoi cette éclipse prolongée après la fin du XVIIIe siècle ? Quand, pourquoi, comment s'est creusé l'écart entre l'Inde et l'Europe occidentale ? Le débat est ancien, il remonte à Karl Marx et à Max Weber, mais il est toujours d'actualité.

Ce dynamisme économique avait certainement contribué à une affirmation identitaire chez le peuple des villes. Un « beau Moyen Âge » à l'instar de celui qu'a admirablement dépeint Georges Duby ? Sur le plan culturel, on a trop fréquemment sous-estimé l'épanouissement des cultures populaires régionales en langues vernaculaires, œuvre le plus souvent des milieux artisanaux d'humble origine. Tout comme au Moyen Âge européen la culture latine se maintient sous forme ecclésiastique pendant que naissent les cultures nationales européennes, la culture sanskrite se perpétue, s'assouplissant et s'enrichissant à certains égards. La différence essentielle réside dans la présence de l'islam, religion des conquérants, mais aussi religion populaire diffusée à travers l'action des confréries soufies dans une société réceptive à toute forme nouvelle de spiritualité, et religion de marchands venus d'Arabie pour commercer sur les côtes occidentales de l'Inde. Les poètes mystiques Kabir, Nanak, Toukaram ou Sour Das sont les témoins d'une profonde mutation culturelle, qui libère la créativité populaire. Quel est le rôle de l'islam dans cette histoire ? le débat aux arguments sommaires qui se poursuit de nos jours dans le contexte de l'affrontement entre les extrémistes hindous et musulmans passe à côté de ce phénomène. Il ne faut pas pour autant idéaliser les relations interreligieuses de l'époque.

C'est en effet au Moyen Âge que se mettent en place dans la violence de nouveaux types d'États, dans une société militarisée et qui le restera jusqu'à l'imposition de la *Pax britannica*. L'aboutissement de cette évolution, c'est l'empire moghol, État militaire stabilisé, assis sur une fiscalité perfectionnée, sur une administration efficace, et sur des liens établis avec les seigneuries locales, capable de résister deux siècles à ses tensions internes, du début du XVIe au début du XVIIIe siècle. L'empire, marqué par la personnalité d'Akbar, est un État moderne au même titre que l'empire Habsbourg ou l'empire ottoman aux yeux de certains historiens ; pour d'autres, il est le simple héritier du modèle des sultanats résultant de la conquête turque trois siècles plus tôt. En tout cas, il s'agit là de constructions politiques très nouvelles en Inde, où la légitimité n'est plus garantie par les rituels brahmaniques comme dans les anciens royaumes, mais par la lointaine reconnaissance du califat et par la loi du plus fort. En face se constituent des États fonctionnant de façon assez identique mais se référant au modèle ancien de la royauté brahmanique, dans le sud et l'ouest de l'Inde. Ils servent de pôles de résistance à l'absolutisme, à distance des pouvoirs centrés sur les vallées de l'Indus et du Gange : ainsi le royaume du Carnatic (Vijayanagar), du milieu du XIVe au milieu du XVIe siècle, et plus tardivement la confédération marathe de la fin du XVIIe à la fin du XVIIIe siècle.

La coupure entre Antiquité et Moyen Âge est un artifice en Inde plus qu'en Europe : ce n'est qu'au XIXe siècle qu'on a commencé à considérer la période de l'empire gupta (début IVe-début VIe siècle) comme l'apogée d'une civilisation classique définie par le rayonnement des belles lettres sanskrites, le raffinement de la culture aristocratique des cours princières, et la prédominance des brahmanes dans l'ordre social et religieux. Phénomène de plus longue durée, la diffusion pacifique des modèles culturels nord-indiens vers le Deccan, puis au Moyen-Orient, en Asie centrale et orientale, témoigne aussi du prestige dont jouissent les lettrés indiens, et du dynamisme des marchands qui contribuent à faire connaître l'Inde à ses voisins. Mais plus encore que le brahmanisme, c'est le bouddhisme dont les valeurs s'exportent hors d'Inde durant le Ier millénaire

14

de l'ère chrétienne, donnant ainsi à la pensée religieuse indienne une audience mondiale durable. La grande confrontation qui a débuté au milieu du Ier millénaire avant l'ère chrétienne entre le modèle brahmanique d'ordre religieux, social et politique (qui fait songer à certains égards au confucianisme), et le modèle contestataire des sectes shramaniques* dont le bouddhisme et le jaïnisme sont les plus fécondes, s'achève à l'avantage du premier en Inde, du second hors d'Inde. Mais dans ce processus historique décisif, le brahmanisme s'est profondément transformé, dépassant tout en le conservant son aspect ritualiste et philosophique pour développer une dimension de dévotion personnelle à des divinités incarnées : l'histoire religieuse de l'Inde fait écho à la grande mutation religieuse de l'Ancien Monde marquée par l'essor du christianisme.

L'histoire sociale et politique du Ier millénaire de l'ère chrétienne est souvent difficile à reconstituer. Elle est marquée, dans le nord de l'Inde, par une succession de mouvements de population : les immigrants shaka (scythes), kushana, huna (huns), et bien d'autres, y ont précédé les Turcs. L'Inde les a assimilés progressivement et n'a jamais cherché à construire comme la Chine une Grande Muraille pour s'en protéger. Si ces invasions de « barbares » (en sanskrit, *mlechcha*) n'ont pas détruit la civilisation indienne, c'est que l'Inde était depuis les temps les plus reculés un creuset où se fondaient apports nouveaux et groupes plus anciennement autochtones. Ces mouvements de population s'accompagnaient d'échanges commerciaux intenses avec les pays traversés par les routes terrestres de la soie. Le sud de l'Inde durant ce même millénaire

---

* Le lecteur trouvera un glossaire en fin d'ouvrage, p. 341.

connaissait un puissant essor économique et culturel, dynamisé par les échanges avec les pays riverains de l'océan Indien et, au-delà, avec les empires chinois et romain. Échappant au contrôle politique du nord, conservant ses langues et ses structures sociales dravidiennes, mais adoptant le système de valeurs brahmanique après avoir été fortement marqué par le bouddhisme et le jaïnisme, le sud devint ainsi le second pôle de la civilisation indienne dont l'influence devait rejaillir sur le nord. Dans cette émergence, l'on peut voir l'antique préfiguration du dynamisme actuel du triangle Bangalore-Hyderabad-Madras.

Le Ier millénaire avant l'ère chrétienne est une période d'une extrême créativité, contemporaine de celle qui anime le monde gréco-romain. On en devine les tenants et les aboutissants, mais comme ses mécanismes nous échappent fréquemment, on est tenté de parler de miracle indien comme on a parlé de miracle grec. C'est une période de conquête de l'espace, et d'exploration de l'esprit, où l'homme repousse toujours plus loin ses limites. Ces essais pionniers se manifestent dans tous les domaines : entreprise de mise en culture de la vallée du Gange, premières grandes opérations hydrauliques, construction de routes et de villes, avancées décisives dans la métallurgie du fer ; formation de royaumes, puis tentative avortée de création d'un grand empire sous le règne d'Ashoka (IIIe siècle avant l'ère chrétienne) ; essai de comprendre et d'organiser la société des hommes et celle des dieux ; effort pour décrypter l'origine du pouvoir, le légitimer, ou en changer les règles ; effort pour comprendre l'origine de la souffrance et du mal-être et y porter remède ; essais de maîtrise du corps dans sa relation à ce qui l'entoure ; tentative d'analyser la nature du langage et d'en dégager les règles ; élabora-

16

tion d'un système d'écriture simple et rationnel ; naissance de la réflexion philosophique et de l'anthropologie.

Se pose alors la question des origines de cette civilisation, soulevée par les orientalistes européens du XIXᵉ siècle qui ont transmis leur obsession aux Indiens du siècle suivant. Cette quête soulève une série de problèmes insolubles dans l'état actuel des recherches, ce qui laisse la place à une profusion de théories où la fantaisie l'emporte sur la rigueur. Ce thème occupera une place importante dans les premiers chapitres de ce livre, car c'est dans le miroir de cette protohistoire que les Indiens d'aujourd'hui se regardent avec le plus de passion. Schématiquement, la difficulté vient d'une série de discontinuités. En premier lieu, la nature des sources accessibles est disparate : d'un côté, un corpus de textes sanskrits archaïques généralement datés de la seconde moitié du IIᵉ millénaire avant l'ère chrétienne, les Védas, textes de nature rituelle et poétique, produits dans une société mobile d'éleveurs et de guerriers, dont l'aristocratie se qualifie d'*ârya*, que sa langue et ses pratiques apparentent aux anciens Iraniens et plus lointainement aux cultures de l'Europe antique ; de l'autre, des vestiges archéologiques de grande ampleur attestant de la présence durant plus d'un millénaire (environ de 3000 à 1700 avant l'ère chrétienne) d'une civilisation urbaine et marchande homogène étendant ses activités du nord de l'Iran au nord du Deccan et commerçant avec la Mésopotamie sumérienne, mais dont on ne sait toujours pas déchiffrer l'écriture. En second lieu, la chronologie comporte un apparent hiatus et les conditions du déclin de cette civilisation urbaine et de l'établissement de la prépondérance des Ârya ne sont pas élucidées. La seule certitude, renforcée par les fouilles menées aux confins de l'Afghanistan et du Pakistan, est l'ancienneté comparable de l'évolution de l'Inde du nord-ouest et des régions du Croissant fertile, de l'invention de l'agriculture et de l'élevage aux alentours du VIIIe millénaire à l'invention de la ville marchande aux alentours du IIIe millénaire.

L'histoire de l'Inde a longtemps eu une place infime dans le paysage intellectuel, universitaire et éditorial français. L'effacement de l'Inde, comparé à sa présence parfois obsédante chez nos voisins allemands et britanniques, s'expliquait en partie par l'expérience historique de la France moderne : les entreprises coloniales ou missionnaires, la politique tiers-mondiste, les passions intellectuelles hexagonales avaient orienté le regard français vers l'Afrique, l'Asie occidentale, l'Indochine, la Chine et le Japon depuis la fin du XIXe siècle. Cet « oubli de l'Inde », pour reprendre l'expression forgée par Roger-Pol Droit à propos de la philosophie indienne[4], faisait suite à une mode de l'Inde qui avait envahi les milieux intellectuels européens un siècle plus tôt. Le début du XXIe siècle semble celui d'un retour de mode. Et le retard commence à être comblé : au cours de la dernière décennie se sont multipliées des publications à caractère scientifique, qui contrastent heureusement avec nombre d'ouvrages plus anciens souvent écrits par des auteurs ayant une connaissance intuitive de la civilisation indienne mais peu au fait de l'état de la recherche[5].

CHAPITRE 1

L'Inde et sa mémoire

La relation des Indiens à leur passé, de l'Antiquité jusqu'à nos jours, présente des traits particuliers, qui jouent un rôle considérable dans leur vision du monde et d'eux-mêmes. Cette relation au passé diffère de celle des Européens ou des Chinois, et a évolué de façon suffisamment sensible pour qu'on puisse construire une périodisation en fonction de ce critère, qui va donc nous servir de fil directeur dans l'exploration de l'histoire de l'Inde.

Les Indiens d'avant l'an mil se représentaient généralement leur propre passé dans le langage du mythe et de l'épopée, et n'ont laissé que peu de témoignages volontaires de leur existence à l'usage de leurs successeurs, à l'exception de rares inscriptions et de chroniques monastiques. En revanche, les traces datant de cette époque sont nombreuses et variées – vestiges archéologiques, trésors monétaires, récits de voyage, reflets dans des textes d'autres civilisations, et surtout œuvres littéraires (épopées, poésies, théâtre), philosophiques, religieuses et juridiques, composées pour la plupart en sanskrit. Restituer l'histoire de cette époque à partir de ces traces est une entreprise semée d'embûches, à laquelle les Européens puis les Indiens ont consacré depuis le début du XIXe siècle des trésors d'ingéniosité et d'imagination.

À partir du XIe siècle de l'ère chrétienne, les Indiens ont laissé de nombreux témoignages conscients de leur vécu, sous forme de chroniques, d'inscriptions, de monuments, plus rarement d'archives, sans pour autant chercher à reconstituer eux-mêmes de façon systématique l'histoire des périodes antérieures à la leur. C'est aussi un moment de leur histoire durant lequel émerge une culture populaire vernaculaire, et où l'islam s'implante durablement, ce qui contribue à donner un caractère moins intemporel aux textes qui en émanent. C'est enfin une époque où les témoignages d'observateurs extérieurs à la culture indienne se multiplient. Reconstruire cette histoire est apparemment plus aisé, mais nécessite la mise en œuvre de méthodes critiques exigeantes, et suscite de nos jours des débats concernant le rôle de l'islam dans la culture indienne.

Dès le début du XIXe siècle, l'impact culturel de la présence britannique s'est traduit par une volonté systématique de reconstituer le passé de l'Inde, projet d'abord entrepris par les orientalistes européens, et que les intellectuels indiens se sont approprié vers la fin du siècle dans le cadre d'un mouvement que les historiens des idées qualifient souvent de Renaissance culturelle. La recherche et l'écriture de l'histoire sont devenues des enjeux politiques de la plus grande importance dans la perspective de l'affirmation d'une nation indienne contre la domination britannique, puis de la séparation entre deux États – Union indienne et Pakistan –, justifiée par ses promoteurs à l'aide d'arguments historiques. La montée en puissance de mouvements identitaires dans l'Inde de la fin du XXe siècle renforce encore cette tendance à la banalisation du discours historique, que l'essor de l'instruction et des médias met à la portée de tous.

Ces mutations profondes dans la représentation du temps permettent de définir une « Antiquité indienne » (fort différente de l'Antiquité méditerranéenne si marquée par le discours de l'histoire), caractérisée par un système de représentations qui privilégie la norme et accorde peu d'importance aux faits. L'on se refusera à qualifier cette Antiquité de « période hindoue », comme le font depuis deux siècles beaucoup d'historiens indiens et occidentaux : l'emploi de ce terme au demeurant anachronique soulève des difficultés considérables. De même, on peut à la rigueur justifier l'emploi du terme « Moyen Âge indien » (et non pas de période « musulmane », terme tout aussi contestable que celui de période « hindoue »), en se référant à cette mutation qui introduit un nouveau rapport au passé – la période médiévale indienne débutant et se terminant environ trois siècles après la période médiévale européenne. Quant à l'« ère moderne », elle peut se définir comme celle du triomphe de l'histoire et de son « instrumentalisation » par différents acteurs que sont les Britanniques, puis les Indiens nationalistes de toutes obédiences, ces derniers y introduisant un projet de Renaissance, c'est-à-dire de retour à une Antiquité idéalisée. La représentation historique du passé devient finalement l'aliment essentiel de l'affirmation d'identités nationales divergentes, les promoteurs du Pakistan prétendant que musulmans et hindous n'ont pas d'histoire commune. Il est donc logique que ce livre consacré à l'Inde face à son histoire se referme sur la Partition, qui concrétise cette volonté de modeler le présent à l'image d'un passé réinventé.

L'Inde antique : mythes et traces

« L'Inde n'a pas d'histoire » : ce constat sans appel de James Mill, le plus influent des historiens coloniaux de l'Inde (*History of British India*, 1re édition, 1817), ne fait que systématiser une remarque de Biruni, lettré persan du XIe siècle, auteur de la première somme encyclopédique sur l'Inde (*Tahqîq mâ li-l-hind*), selon lequel les Indiens étaient négligents en matière de chronologie et se référaient à leurs légendes quand on leur posait des questions précises. On retrouve cette thèse sous une forme philosophique dans l'enseignement de Hegel (*Leçons sur la philosophie de l'histoire*, données à partir de 1822), et plus récemment dans l'œuvre de Mircea Eliade (*Le Mythe de l'éternel retour*, 1re édition en 1949), qui oppose au temps européen, linéaire et profane, la conception indienne d'un temps cyclique, éternel et sacré. Les Européens des deux siècles passés, nourris de culture grecque, ont d'emblée comparé les deux grandes épopées indiennes, le *Mahâbhârata* et le *Râmâyana*, dont la composition date vraisemblablement des derniers siècles du Ier millénaire avant l'ère chrétienne, aux deux grandes épopées homériques, l'*Iliade* et l'*Odyssée*, qui leur sont antérieures de quelques siècles, et ont affirmé que l'évolution de la pensée indienne s'était arrêtée au stade du mythe et de l'épopée. Les Britanniques ont ensuite utilisé dans leur argumentaire colonial cette image d'une Inde immobile, passive et sans histoire, à laquelle ils prétendaient apporter le progrès[1].

Les textes anciens forment une masse exceptionnelle de documents en sanskrit – la langue sacrée des brahmanes, utilisée aussi par les jaïns et les bouddhistes du Grand Véhicule (*mahayana*), et en pâli – une langue plus simple que le sanskrit utilisée par les bouddhistes de la tradition *theravada*). Ils ont été conçus, mémorisés et transmis par voie orale par les brahmanes et par les moines jaïns et bouddhistes, l'écrit servant plutôt d'aide-mémoire. Les textes produits par les bouddhistes et les jaïns ont été couchés par écrit dès le début de l'ère chrétienne. Quant aux textes brahmaniques, il est possible qu'ils n'aient pris leur forme écrite définitive que beaucoup plus tard et ils sont généralement difficiles à dater : par exemple, l'*Arthashâstra*, traité de la politique attribué au brahmane Kautilya, conseiller d'un roi nommé Chandragupta, peut aussi bien dater de l'empire maurya (fondé en -321) que de l'empire gupta (fondé en 319). Cette œuvre, selon Charles Malamoud, « réussit le tour de force de ne pas être datable par la langue, et ne contient pratiquement aucun nom propre, aucun toponyme, aucun exemple historique, alors qu'il traite d'administration, d'économie, de diplomatie, de stratégie ». Le texte lui-même était tombé dans l'oubli et ne fut édité qu'au début du XXe siècle sur la base d'un manuscrit conservé en Inde du sud.

Les thèses orientalistes qui dénient aux Indiens de l'Antiquité toute conscience historique, du fait de l'absence de production obéissant aux règles d'un genre créé dans la Grèce antique par Hérodote et Thucydide, ont été critiquées par les historiens indiens. Certains ont prétendu que le *Mahâbhârata* et le *Râmâyana* rapportaient sur le mode épique des faits histo. iques réels et de grande ampleur : à l'instar des archéologues découvreurs de Troie, ils continuent de rechercher les traces de la grande guerre des Bhârat dans la région de Delhi, les vestiges du lieu de naissance mythique du dieu-héros Râma à Ayodhya, et du séjour forcé de son épouse Sîtâ à Sri Lanka. D'autres, au nom d'une conception universaliste de la culture, se sont

23

efforcés de prouver que la conscience historique prenait d'autres formes en Inde qu'en Occident. Ainsi Romila Thapar, la meilleure historienne de l'Inde ancienne, montre que le genre qualifié de *itihâsa purâna* – les « récits des temps anciens » – reflète une conception linéaire du temps : il s'agit de compilations de mythes d'origines des dynasties indiennes (qui se réfèrent souvent à un Déluge analogue à celui de la tradition mésopotamienne), de généalogies, de panégyriques royaux, de légendes régionales. Ces textes, dont la composition s'échelonne au cours du Ier millénaire de l'ère chrétienne, sont insérés dans des recueils destinés à l'édification des dévots de divinités telles que Vishnou, dont le culte s'est imposé à cette époque. Mais il n'y a chez leurs auteurs aucun souci de distinguer le mythe de la réalité, ni de rechercher les causes et les effets des événements.

Ce souci n'est guère plus présent dans deux genres, les biographies et les chroniques monastiques, qui se développent dans la seconde moitié du Ier millénaire ; mais comme ils témoignent d'une volonté d'établir des corrélations chronologiques et de situer leur récit dans le temps, ils peuvent dans une certaine mesure être qualifiés d'historiques. Le genre de la biographie (*charita*), illustré par le panégyrique du roi Harsha (VIIe siècle) par le poète courtisan Bana, son contemporain, reflète le désir de certains souverains de laisser à la postérité le souvenir de leurs exploits. Les chroniques bouddhiques répondent au souci des monastères de conserver une trace écrite des donations dont ils bénéficiaient : la plupart ont disparu ; la seule œuvre conservée intégralement, le *Mahâvamsa*, a été rédigée au VIe siècle par des moines bouddhistes de Sri Lanka, soucieux d'affirmer la primauté de leur tradition du *hinayana* (le bouddhisme dit du Petit Véhicule) et de célébrer les règnes des rois qui les avaient comblés de bienfaits. Le texte met sur le même plan un ensemble de légendes concernant la vie du Bouddha historique et les origines de la dynastie des Sinhala (Cingalais) ; et des informations précises concernant les règnes de l'empereur indien Ashoka (IIIᵉ siècle avant l'ère chrétienne) et des rois qui ont régné à Sri Lanka durant les siècles ultérieurs. On peut être tenté de prêter aux moines bouddhistes une conscience historique plus développée qu'aux brahmanes, dans la mesure où ils sont très sensibles au caractère périssable de leur doctrine, prêchée par un personnage historique, et dépendant pour sa transmission de la survie de la communauté monastique et de l'appui de généreux laïcs ; alors que les brahmanes, insérés dans la société et moins dépendants des aléas de l'histoire, considèrent que leur savoir est impérissable.

Si l'histoire est une pratique qui a une fonction sociale et culturelle, il faut en conclure qu'il n'existe pas dans l'Inde ancienne de demande sociale qui en motive la production. Un raisonnement simpliste consisterait à dire que l'absence de grands empires durables en Inde explique l'absence d'historiographie, tandis que les empires romain et chinois ont suscité une activité historiographique soutenue. Toutefois certains chercheurs remettent en cause ce genre d'approche mécaniste, tel Paul Veyne, qui affirme à propos de l'Antiquité méditerranéenne que « la naissance de l'historiographie est un accident sans nécessité : elle ne découle pas essentiellement de la conscience de soi des groupes humains, n'accompagne pas comme son ombre l'apparition de l'État ou la prise de conscience politique[2] ». Plus subtilement, l'historien Burton Stein[3] rappelle que les brahmanes ne pouvaient accomplir valablement l'une de leurs fonctions, qui consistait à légitimer le pouvoir des rois, qu'en leur inventant des généalogies, en occultant leurs origines souvent plébéiennes, en les rattachant fictivement aux grandes dynasties du passé épique : ils n'avaient aucun intérêt à voir se développer une recherche critique. Beaucoup de fondateurs de dynasties étaient en effet issus de populations aborigènes, qu'on appelle aujourd'hui en Inde *Âdivâsi* (« ceux qui étaient là en premier »), et beaucoup d'autres étaient issus de groupes d'immigrants récents. On voit encore à l'œuvre ce phénomène au milieu du XIVe siècle, à propos du flou entretenu sur les origines de la dynastie fondatrice du royaume de Vijayanagar, dans le sud du Deccan. Ce processus de légitimation ne pouvait donc pas s'exercer par un acte d'écriture de l'histoire, mais par une activité rituelle fondée sur des cérémonies de purification et de renaissance.

Plus généralement, dans la conception du monde des lettrés de l'Inde ancienne, la préoccupation intellectuelle dominante est de comprendre comment s'agencent les parties pour former un ensemble, et non comment se forment des chaînes causales. L'événement n'a pas de statut significatif, l'écriture de l'histoire n'a pas de fonction culturelle : elle ne sert littéralement à rien. L'ordre social et politique est légitimé par référence à un code de valeurs intemporel, l'action d'un roi est évaluée en fonction de sa conformité à des règles et non à la mesure d'un projet historique, et le changement est perçu comme contraire à l'harmonie des mondes.

Bien plus, le statut de l'écrit est entaché de suspicion dans les milieux brahmaniques, comme l'a montré Charles Malamoud[4] : selon le célèbre penseur Shankara (VIIe ou VIIIe siècle), l'écriture est du domaine de l'irréel, par contraste avec la parole : seul un son émis et entendu entre dans un système de sens. Plus prosaïquement, par opposition au brahmane dont la parole fait foi et qui se targue de connaître par cœur les textes sacrés, le scribe est représenté dans la littérature sanskrite comme menteur et voleur par nature. L'écrit est en quelque sorte une triste nécessité, c'est une technique de marchands et de publicains : le contrat qui lie le débiteur au créancier en est l'archétype. L'absence de calligraphie en Inde, qui contraste avec la place éminente qu'elle occupe en Chine et dans le monde arabo-persan, témoigne du peu de valeur qu'on accorde à l'écrit dans les milieux lettrés.

Pourtant, si l'on en croit les descriptions littéraires de la vie de cour, les livres consignant des histoires sont choses courantes dans l'Inde du Ier millénaire, la lecture et l'écriture sont jugées indispensables à l'éducation des princes. D'après l'*Arthashâstra*, l'archive joue un rôle essentiel dans l'art du gouvernement et le scribe, secrétaire du roi, y est présenté comme un personnage de confiance. Faut-il en tirer l'hypothèse que de nombreux écrits, livres et archives, auraient été perdus, victimes de l'indifférence des hommes et du caractère périssable de leurs supports – feuilles de palmier ou écorce de bouleau ?

Il est en tout cas certain que les rares souverains qui ont voulu laisser une trace durable de leur action y sont fort bien parvenus en faisant inscrire dans la pierre les préceptes de leur gouvernement ou le récit de leurs hauts faits : c'est le cas d'Ashoka (environ 269-232 avant l'ère chrétienne), qui fait graver ses édits « pour que ses descendants s'y conforment, chose fort difficile », ou de Samudragupta (environ 335-375), qui ajoute le récit de ses exploits à la suite des inscriptions d'Ashoka. C'est aussi le cas de personnages de moindre envergure désireux de perpétuer le souvenir d'une donation « aussi longtemps que le soleil et la lune dureront », selon la formule consacrée de ces inscriptions lithiques. Les donations à des temples sont souvent gravées sur des plaques de cuivre dont certaines ont été conservées. Il y a enfin dans l'Inde ancienne, notamment dans le Deccan, une volonté populaire manifeste de marquer des lieux de mémoire, mais de façon généralement anonyme, qu'il s'agisse de monuments mégalithiques, de stèles de héros tombés au combat pour défendre leur village, et plus tardivement de stèles de veuves sacrifiées sur le bûcher funéraire de leur époux.

Les Indiens des temps anciens étaient donc loin d'être indifférents à la transmission à leur postérité des traces de leur existence, même si les lettrés des classes dominantes y accordaient peu d'importance. Il est difficile de conclure : en acceptant une part irréductible d'incertitude, on aura déjà beaucoup appris sur l'Inde ancienne, sur sa multiplicité et ses contradictions apparentes.

L'Inde « médiévale » : chroniques et monuments

Comme le rappelle Charles Malamoud dans l'article cité plus haut, c'est à partir du XIe siècle que les philosophes indiens, à la suite de Ramanuja, se libèrent de « l'antique préjugé contre l'écriture » et que s'affirme « la lente substitution de la tradition écrite à sa transmission purement orale ». Ce n'est certainement pas un hasard si l'écriture de l'histoire prend son essor au même moment. La chronique des rois du Cachemire, la *Râjataranginî*, écrite en sanskrit par un brahmane au XIIe siècle, en est l'exemple le plus célèbre. Il s'agit d'une œuvre rédigée dans un style fleuri, qui vise à l'édification de ses lecteurs, et chante les louanges de roi Lalitâditya (VIIIe siècle). Sa trame est constituée par un récit chronologique précis des vagues de rois (c'est le sens du titre de l'œuvre) qui se sont succédé dans cette région himalayenne depuis l'époque d'Ashoka ; elle témoigne d'un souci de véracité et d'analyse nouveau. À la même époque, des chroniques locales sont rédigées dans les langues vernaculaires au Bengale, à Sri Lanka, dans les régions dravidiennes, et les rois grands et petits multiplient les inscriptions datées, célébrant l'ancienneté (souvent fictive) de leurs dynasties, leur piété, les hauts faits de leurs règnes et les donations qu'ils ont prodiguées aux brahmanes : ces documents remplacent les *Purâna* dont la rédaction s'arrête.

Simultanément, les conquérants turcs islamisés font célébrer leurs actions guerrières par des chroniqueurs officiels, introduisant ainsi en Inde la tradition historiographique arabo-persane. Il est certain que le recul de l'influence politique des brahmanes, et du rôle jusque-là dévolu aux rites dans le processus de légitimation du pouvoir, a contribué à cette émergence d'un genre historique au service des puissants. Il est aussi possible que les bouleversements qui ont accompagné l'établissement de l'islam en Inde aient conduit les lettrés, brahmanes ou bouddhistes, à vouloir conserver le souvenir d'un passé perdu : c'est le cas de l'histoire du bouddhisme au Bengale recueillie par un moine tibétain, Târanâtha, au XVIe siècle. À cet égard, le témoignage de Biruni [5], savant persan du XIe siècle, est du plus grand intérêt ; venu en Inde à la suite des armées du premier conquérant turc islamisé, Mahmoud de Ghazni, il s'efforce de recueillir auprès des lettrés brahmanes le maximum d'informations sur la culture, la géographie et l'histoire de l'Inde, se heurte à beaucoup de réticences, et rédige une somme encyclopédique sur l'Inde qui est la première du genre : mais il est symptomatique que ce soit un savant étranger qui ait laissé le premier tableau circonstancié de la civilisation indienne.

L'islam ne s'implante pas soudainement ni massivement en Inde, et le changement survenu ne semble pas avoir donné naissance à une prise de conscience comparable à celle de l'Europe face à la montée de la puissance des Ottomans. Paradoxalement, ce sont les chroniqueurs musulmans et non les sources « hindoues » qui donnent souvent une image traumatique de cette implantation[6]. Le mot couramment employé pour désigner ces chroniques écrites en arabe ou en persan est *Tarikh* (littéralement « période »). Ces ouvrages ont normalement un commanditaire – sultan ou membre de son entourage – et leur rôle est d'édifier les jeunes princes : le savoir historique fait partie de la culture aristocratique. Le récit remonte aux origines du monde et de l'homme, puis il introduit la prédication de Mahomet et la tradition des califes, avant d'évoquer l'histoire récente des règnes des sultans. On y accentue les vertus et les vices dans un but didactique, ou apologétique. L'exemple le plus illustre est celui de Barani (1357) qui dans l'introduction de son *Tarikh* se présente à la fois comme historien et comme moraliste. Son exemple sera suivi quatre siècles durant : ainsi la chronique de Firishta (1609), largement fondée sur celle de Barani, est conçue comme une interprétation, par les historiens de l'époque moghole, de celle qui l'a précédée : elle ne se limite pas à une énumération de règnes, mais considère l'histoire de l'Hindoustan dans sa globalité. L'ensemble de ces livres, soigneusement conservés et recopiés, forme un corpus de sources comparables aux chroniques de l'Occident médiéval. L'imprimerie étant inconnue en Inde mais le papier y étant devenu d'usage courant, nombre de copistes, utilisant l'écriture persane *nashtaliq*, sont employés dans les cours aux côtés des peintres qui illustrent les manuscrits. C'est aussi le désir de laisser un témoignage pour la postérité qui anime les sultans de Delhi, puis surtout les empereurs moghols, lorsqu'ils font édifier des mausolées grandioses – le plus célèbre étant le Taj Mahal construit par Shah Jahan (1628-1658) pour son épouse favorite et pour lui-même.

Avec la formation de l'empire moghol, au début du XVIᵉ siècle, l'écriture de l'histoire devient une pratique courante non seulement dans les cours des capitales mais aussi chez les scribes de province. Les souverains ont montré l'exemple en écrivant leurs mémoires, à l'usage de leurs proches – Babur, fondateur de la dynastie, le premier[7]. À partir d'Akbar (1556-1605), ils engagent à leur service des écrivains chargés de rédiger en persan la chronique officielle de leur règne, et de l'inscrire dans une histoire – celle de leur dynastie, mais aussi celle d'un Hindoustan « unifié ». Il s'agit également de rassembler les documents utiles à l'administration de leur empire : Abul Fazl, maître d'œuvre du *Livre d'Akbar* (*Akbar Nama*, 1596), est le plus célèbre de ces écrivains, mais il n'est pas le seul. Alors qu'il compose le panégyrique de son maître, un autre auteur, Badauni, fait entendre la voix d'une opposition qui se manifeste dans les milieux traditionalistes. Un siècle plus tard apparaît une production historique non commanditée, avec l'œuvre de Bhimsen. Les familles rajpoutes rivales, jusque-là surtout soucieuses de généalogie, rassemblent les récits héroïques des hauts faits chevaleresques de leurs ancêtres. Le goût de l'écrit est aussi très marqué dans la communauté sikh, qui s'engage à partir du milieu du XVIIᵉ siècle dans une confrontation avec l'empire, et finit par considérer le livre qui recueille les textes du fondateur de la secte comme son gourou suprême. Les Marathes, qui affrontent de leur côté le pouvoir moghol à la fin du XVIIᵉ siècle, vont aussi développer une production archivistique considérable, élaborée par une bureaucratie entièrement dominée par des brahmanes, qui réinventent à leur usage les anciens rituels de purification, mais (comme dans l'Antiquité) se gardent bien d'évoquer leurs origines réelles. Et un grand nombre de lettrés provinciaux, notamment dans le sud, entreprennent de conserver la mémoire des événements locaux dont ils ont été les témoins ou dont ils ont recueilli le récit[8].

Lors de l'arrivée des Britanniques en Inde, contrairement aux affirmations de James Mill, l'Inde a une histoire, elle a des historiens, et ses élites ont une conscience historique ; mais il faudra attendre l'émergence du mouvement nationaliste pour qu'elle ait la passion de l'histoire.

L'Inde moderne : la passion de l'histoire

L'on peut dire, en suivant l'historienne indienne Romila Thapar[9], que « l'écriture moderne de l'histoire de l'Inde a débuté avec les perceptions coloniales du passé de l'Inde ». Dans un premier temps, qualifié parfois de « moment orientaliste », la principale motivation des Européens, imprégnés de l'ambiance intellectuelle du siècle des Lumières, était la curiosité, le souci comparatiste, l'attrait pour la différence, qui animait par exemple le chercheur français Anquetil-Duperron, découvreur et traducteur des grands textes sanskrits, les premiers traducteurs, dès 1768, de la chronique de Firishta, l'Anglais William Jones, fondateur en 1784 de la première institution de recherche sur l'Inde, l'Asiatic Society of Bengal. Mais très vite sont intervenues des considérations pratiques et des justifications idéologiques. Il s'agissait pour la Compagnie britannique des Indes orientales de mieux connaître l'Inde pour mieux l'administrer et l'exploiter (les registres fiscaux et les recueils de lois de la période moghole étaient fort utiles), mais aussi de légitimer sa présence en peignant sous un jour despotique et arbitraire le gouvernement de ses prédécesseurs (les chroniques des sultanats et de l'empire moghol étaient précieuses à cet égard). C'est dans cet esprit que fut rédigée l'histoire de l'Inde de James Mill, évoquée précédemment, et que la périodisation Inde hindoue (antique)/Inde musulmane (médiévale)/Inde britannique (moderne) devint la norme.

Pour nourrir ce cadre conceptuel, les premiers indianistes étaient largement dépendants de leurs informateurs brahmanes, mais ils engagèrent vite la collecte de manuscrits et d'inscriptions qui se révélèrent des sources essentielles : le déchiffrement de l'écriture brahmi des plus anciennes inscriptions par James Prinsep (1799-1840) ouvrit de nouvelles perspectives, l'édition critique et la traduction des textes composés en sanskrit et en pâli, entreprise en Inde à l'aide d'érudits brahmanes mais menée à bien en Europe, permit de constituer un corpus de référence : la collaboration de Max Müller, indianiste allemand établi à Oxford, et de l'érudit brahmane Dayananda Sarasvati, en fournit l'exemple le plus célèbre. Finalement, au cours des années 1860-70, avec l'appui du gouvernement colonial, fut publié un recueil de chroniques arabo-persanes traduites en anglais, intitulé : *L'Histoire de l'Inde vue par ses propres historiens* (sous la direction d'Elliot et Dowson), qui devint la base de toute la production ultérieure, aussi bien en anglais qu'en hindi et en ourdou. Parallèlement, les administrateurs britanniques avaient entrepris une collecte systématique de traditions orales, à commencer par les récits légendaires conservés par les familles princières du Rajasthan [10] ; puis ils constituèrent un vaste corpus d'informations régionales, sous le nom de *Gazetteers*, qu'ils complétèrent par des volumes encyclopédiques consacrés à l'historique et à la description des castes et tribus de l'Inde, et par des recensements décennaux entrepris à partir de 1871. La création d'un service archéologique, le relevé et l'édition des inscriptions monumentales résultaient de la même ambition scientifique. Au début du XXe siècle, les Britanniques avaient le sentiment (à vrai dire illusoire) de maîtriser enfin par leur savoir cette Inde qu'ils avaient longtemps perçue comme insaisissable. Cette historiographie et cette ethnographie coloniales (qui restent aujourd'hui encore des références régulièrement rééditées) furent vite perçues par les Indiens comme des tentatives d'appropriation de leur passé et de leur être même par leurs maîtres étrangers.

« Nous n'avons pas d'histoire ! Il nous faut une histoire ! Qui va l'écrire ? Vous, moi, nous tous ! » Ainsi s'exprimait en 1880 Bankim Chandra Chatterjee[11], écrivain bengali de premier plan, l'un des promoteurs de ce qu'on a appelé plus tard la Renaissance du Bengale. L'appel de Bankim eut un grand retentissement : selon les termes de l'excellent historien de la culture Sudipta Kaviraj, « une culture qui avait traité l'histoire avec une telle indifférence se mit à bouillonner de discours historiques [...] les Bengalis, puis les Indiens en général, sont devenus un peuple obsédé par l'histoire, par les discours historiques et le contrôle crucial sur ces discours ». Les premiers nationalistes indiens luttèrent contre la représentation orientaliste d'une Inde efféminée, victime passive de l'histoire des autres, face à une Europe sujet de sa propre histoire. Pour eux comme pour les romantiques allemands et les Italiens du *Risorgimento*, la référence à un passé arraché au monopole savant des Européens devait créer un élan de puissance. Ce discours historique s'élabora au moment même où Elliot et Dowson publiaient *L'Histoire de l'Inde vue par ses propres historiens*. Mais aux yeux de ces nationalistes bengalis, les chroniques arabo-persanes éditées par les Britanniques étaient le produit d'une domination étrangère analogue à celle qu'ils subissaient, et l'histoire qu'elles racontaient était un discours étranger ; ils affirmaient que la domination musulmane, en affaiblissant la culture et la société hindoues, avait préparé la conquête britannique. Adoptant la périodisation de James Mill, ils mirent en place les éléments d'une thèse qui devait servir d'argument au cours du siècle suivant aux partisans de la théorie des deux nations – hindoue et musulmane – et d'aliment idéologique aux violences intercommunautaires qui ensanglantent le monde indien depuis les années 1940.

Dans un premier temps, tout l'effort se porta sur la redécouverte de l'Antiquité. Le projet, analogue à celui des humanistes européens du XVIe siècle, était celui de la renaissance d'une civilisation qu'on commençait à qualifier de classique, et d'une réforme de l'hindouisme (le terme date de cette époque, même s'il fait une brève apparition au XVe siècle) qu'on considérait abâtardi par une dérive idolâtre, des pratiques superstitieuses et les comportements matérialistes des prêtres. Le Moyen Âge apparaissait d'autant plus aisément condamnable que les Britanniques eux-mêmes dénonçaient le caractère despotique des souverains musulmans de l'Inde : l'équation islam = Moyen Âge devait rester un élément fondamental de la vision nationaliste du passé, y compris chez des modernistes comme Nehru. Le mythe d'un âge d'or, déjà présent dans les croyances des Indiens de l'Antiquité, se concrétisait dans le tableau donné de la période de l'empire gupta (IVe-VIe siècle), et l'on vantait cette merveille qu'était la civilisation classique[12]. La diffusion de la civilisation indienne en dehors du sous-continent, notamment en Asie du Sud-Est, était qualifiée de colonisation indienne, ce qui mettait l'Inde ancienne sur pied d'égalité avec l'Europe. À l'écart de ce bouillonnement nationaliste, mais non sans liens avec lui, le patient travail d'édition des grands textes de la tradition sanskrite se poursuivait en Inde même, à l'initiative d'érudits indiens désireux d'en établir une version définitive, originelle. Le Bhandarkar Oriental Research Institute, fondé en 1918 à Pune, devint le temple de cette philologie rapatriée en Inde. C'est ainsi que virent le jour les éditions monumentales du *Mahâbhârata*, des *Purâna*, et des *Dharmashastra*[13]. La place exceptionnelle de l'histoire dans l'argumentaire nationaliste s'accompagnait d'une valorisation systématique des textes sanskrits de l'Antiquité, au détriment des textes de la littérature dévotionnelle médiévale.

Les progrès de la recherche historique soulevèrent vite des problèmes* : alors que les premiers nationalistes indiens avaient adopté sans sourciller la thèse selon laquelle les Ârya venus du nord et cousins des Européens avaient apporté à l'Inde leur langue, leur religion, leur organisation sociale, et pour tout dire la civilisation, la découverte au cours des années 1920 d'une civilisation urbaine plus ancienne dans la vallée de l'Indus conduisit certains d'entre eux à affirmer le caractère autochtone des Ârya et à leur attribuer la paternité de la civilisation de l'Indus. Les représentants des minorités qui ne se retrouvaient pas dans ce schéma historique développèrent des arguments contraires. Ainsi, des leaders des basses castes issus de l'Inde de l'ouest, comme Phule et Ambedkar, élaborèrent des théories qui

---

* On le verra en détail au chapitre 3.

faisaient de ces catégories, notamment des intouchables, les descendants des habitants originels de l'Inde qui auraient été opprimés par les envahisseurs ârya. Les chefs des mouvements dravidiens du sud de l'Inde, hostiles à l'influence des brahmanes et de la culture sanskrite, s'empressèrent d'affirmer le caractère dravidien de la civilisation de l'Indus. De leur côté, les intellectuels musulmans de la première moitié du XXe siècle, en particulier ceux qui enseignaient à l'université d'Aligarh, près de Delhi, s'efforcèrent de présenter une image positive de l'empire moghol, insistant sur son caractère moderne, sur l'efficacité de son administration et sur ses réalisations artistiques[14]. Enfin Jinnah, promoteur de la théorie des deux nations, dans un discours prononcé à Lahore en 1940, affirma que les musulmans et les hindous avaient deux histoires séparées : le partage de l'histoire préfigurait ainsi le partage du territoire.

Ces approches passionnelles devinrent suspectes à bon nombre de nationalistes indiens : deux positions critiques se firent jour, incarnées par Gandhi et par Nehru. Prenant le contre-pied de la position de la majorité de ses compatriotes, Gandhi refusait toute justification historique à l'idée de nation, cherchant dans un humanisme spirituel intemporel le fondement de l'identité indienne ; il écrivait en 1924 : « Je crois qu'une nation qui n'a pas d'histoire est une nation heureuse[15]. » Selon lui, ce n'était pas dans l'action des États qu'il fallait chercher le moteur de la destinée des nations, mais dans l'étoffe morale des peuples. La position de Nehru et des intellectuels « laïques » qui l'entouraient était très différente. Selon Sunil Khilnani, auteur d'un ouvrage récent sur l'identité indienne, « c'est à travers l'histoire que Nehru découvrit l'Inde et se découvrit lui-même [...]. Il proposa pour la première fois une épopée du passé de l'Inde dans laquelle celle-ci, loin d'apparaître comme une tempête de poussière sans signification ou comme une pure reconstruction hindoue glorifiée, semblait répondre à une logique de compromis. Dans son imagination, l'Inde était un espace d'incessante fusion culturelle [16] ». Cette conception devait être systématisée par les historiens proches du parti du Congrès, organisés depuis les années 1930 en un Congrès panindien d'histoire moderne, puis en un Congrès historique indien. C'est ainsi que l'on fit de souverains « non hindous » comme le bouddhiste Ashoka (IIIe siècle avant l'ère chrétienne) et le musulman Akbar (XVIe siècle) des modèles de tolérance et des précurseurs de l'idée de la nation indienne.

Mais la conception « laïque » ne devint jamais hégémonique, même après l'accession au pouvoir du parti du Congrès à l'Indépendance : ainsi le gouvernement patronna à grand renfort de publicité la reconstruction du temple de Somnath détruit par le conquérant turc Mahmoud de Ghazni, et les ouvrages historiques qui servirent longtemps de référence pour le grand public et les enseignants furent ceux de R.C. Majumdar [17], qui exaltaient la grandeur du passé hindou. Par contre, l'approche marxiste devint très influente dans les grandes universités (Calcutta, Delhi) : elle convenait à la forme d'esprit systématique des intellectuels indiens, pour la plupart brahmanes, qui concevaient l'histoire comme la succession d'époques séparées par des événements cataclysmiques (un peu à la manière des *yuga*, les âges du monde de l'ancienne conception brahmanique). Le schéma esclavagisme-féodalisme-capitalisme qui correspondait assez mal à l'expérience historique indienne fut ensuite remis en cause par les théoriciens du « mode de production asiatique », modèle élaboré sur la base du cas chinois et qui ne correspondait pas mieux au cas indien. Au cours des années 1970, la théorie marxiste, dans sa version réinterprétée par Gramsci, devait se révéler beaucoup plus féconde et donner naissance à une école historique qualifiée de « subalterniste », qui s'efforça avec succès d'introduire une lecture de l'histoire mettant en avant l'autonomie des masses populaires et l'action des groupes sociaux marginalisés [18].

La montée en puissance depuis la fin des années 1970 des partisans d'une Inde exclusivement hindoue (*hindutva*), organisés politiquement dans le Parti du peuple indien (Bharatiya Janata Party, BJP), a eu pour effet de donner une nouvelle impulsion aux théories historiques défendues depuis près d'un siècle par les promoteurs d'un nationalisme fondé sur l'idée qu'une nation doit être culturellement homogène et s'appuyer sur un État fort. Par ailleurs, le succès des films historiques et surtout des séries télévisées illustrant des épisodes des grandes épopées a popularisé des représentations appauvries du passé, en Inde et dans la diaspora indienne établie en Occident : le mythe y perd sa valeur de mythe pour être réduit à de l'histoire factuelle. Parallèlement, la montée de l'islamisme au Pakistan et au Bangladesh y a entretenu une vision triomphaliste de l'histoire des sultanats et de l'empire moghol, et une ignorance profonde de la civilisation indienne. Dès 1977, puis lors de leur second passage au pouvoir (1996-2004), les idéologues du BJP ont entrepris de réécrire l'histoire de l'Inde, en y faisant disparaître toute référence à des origines composites, en dénonçant les musulmans comme l'ennemi héréditaire, et en condamnant les écrits des historiens laïques ou marxistes, et tout particulièrement ceux de Romila Thapar [19]. Cette entreprise d'épuration culturelle, déjà expérimentée dans les écoles privées gérées par des associations hindoues, s'est traduite en 2002, dans les petites classes, par le remplacement de l'enseignement de l'histoire par celui des valeurs culturelles, et par la rédaction de nouveaux manuels d'histoire pour l'enseignement secondaire où, par exemple, on accrédite la thèse de l'origine indienne des Ârya, et où le rôle de Nehru dans le mouvement national est totalement effacé. Elle a été accompagnée par la mise en scène de quelques lieux de mémoire soigneusement choisis : ainsi le symbole de la mosquée (désaffectée) construite par l'empereur Babur à Ayodhya au XVIᵉ siècle sur l'emplacement supposé d'un temple dédié au dieu-héros Râma pour marquer son lieu mythique de naissance, a servi au début des années 1990 à fanatiser les foules, et sa destruction par des groupes militants hindous en décembre 1992 a déclenché les plus graves émeutes interreligieuses que l'Inde contemporaine ait connues.

Les débats et les combats contemporains pourraient laisser croire qu'il est impossible d'écrire une histoire sereine de l'Inde. Il ne faudrait pas qu'ils masquent le travail patient et minutieux des spécialistes de ces sciences qu'on appelait naguère auxiliaires de l'histoire, qui sont en mesure d'éclairer des aspects essentiels de l'évolution sociale et économique de l'Inde. Tout d'abord l'archéologie, dont les progrès vont continuer à bouleverser l'état des connaissances, non seulement sur les périodes les plus anciennes mais aussi sur des époques beaucoup plus récentes comme celle de Vijayanagar ; avec les limites qui entravent les fouilles dans un pays où la plupart des lieux historiques (comme les temples) sont toujours vivants, et où un régime politique démocratique soumet toute décision de fouilles à des considérations politiques souvent contradictoires. Parmi d'autres sciences, la palynologie (l'étude des pollens déposés dans les marais) qui permet de reconstituer dans la longue durée l'évolution des climats et des plantes cultivées, et tout l'arsenal des techniques nouvelles qui offrent les moyens d'interpréter les traces involontaires laissées par l'activité des hommes. La numismatique et l'épigraphie, sciences bien établies, sont loin d'avoir terminé leurs inventaires, d'autant qu'on continue d'exhumer des trésors monétaires et de découvrir des inscriptions ; elles s'attachent en outre à décrypter des indices précieux : ainsi l'étude des refrappes monétaires a permis d'établir une chronologie définitive des dynasties indo-grecques du nord-ouest de l'Inde. La philologie, au lieu de s'épuiser à établir des versions irréfutables d'un supposé texte originel, se voue désormais à analyser la signification des variantes, ainsi que la vie des textes et leurs fonctions successives. Enfin, des hypothèses novatrices continuent de voir le jour, comme celle de Madeleine Biardeau, qui considère que le *Mahâbhârata* est une réponse des brahmanes à la diffusion du bouddhisme au cours du IIIe siècle avant l'ère chrétienne.

Pour les périodes plus récentes, la collecte de documents oraux, jusque-là passe-temps de folkloristes et d'amateurs d'histoire locale, devient plus systématique et permet de comparer des représentations du passé et d'étudier ce que des historiens contemporains appellent la « texture du temps ». Croisée avec les méthodes des anthropologues, elle offre aussi un aliment à ce que les chercheurs européens qualifient de « micro-histoire ». Des objets et des questionnements nouveaux, souvent inspirés par l'école des historiens indiens « subalternistes », sont venus élargir l'horizon des recherches sur l'Inde moderne et ébranler les certitudes de l'historiographie dominante. Les chercheurs indiens, dans le domaine de l'histoire comme dans celui des sciences sociales, de la philosophie, des mathématiques,

41

de l'informatique et de la biologie, jouent un rôle de premier plan à l'échelle mondiale, évoluant avec aisance dans l'univers intellectuel cosmopolite dont les pôles se situent en Asie du sud, en Europe occidentale et en Amérique du Nord[20].

Mais on doit se résigner aux lacunes qui très longtemps encore parsèmeront cette histoire, aux énigmes qu'il faudra encore beaucoup d'efforts pour percer, et aux théories contradictoires que l'impatience de prouver continuera de faire fleurir.

CHAPITRE 2

Espaces, nature et sociétés :
l'Inde une et multiple

L'Inde n'est en aucune façon un isolat, un monde en soi ; son évolution est incompréhensible si on ne la rapproche pas de celle des régions qui l'entourent. Mais elle possède une unité incontestable, qui tient à son espace géographique bien délimité, aux contraintes et aux atouts de son climat, et à la façon dont cet espace a été parcouru, occupé, intégré par les peuples qui s'y sont installés.

L'Inde est ouverte sur le reste de l'Asie par les voies continentales, et sur le reste du monde par sa position maritime. Sa civilisation s'est constituée par absorption d'éléments extérieurs qu'elle a assimilés en les transformant aussi loin qu'on remonte dans le temps, depuis les échanges qu'elle a entretenus avec les civilisations mésopotamiennes de l'époque sumérienne, jusqu'à la période coloniale britannique. Ce trait n'a évidemment rien de bien original, mais le constat va à l'encontre de l'image, souvent entretenue par les Indiens eux-mêmes, d'une Inde soucieuse avant tout de protéger la pureté de sa culture des agressions barbares, et aussi de l'image d'une Inde tournant le dos à la mer.

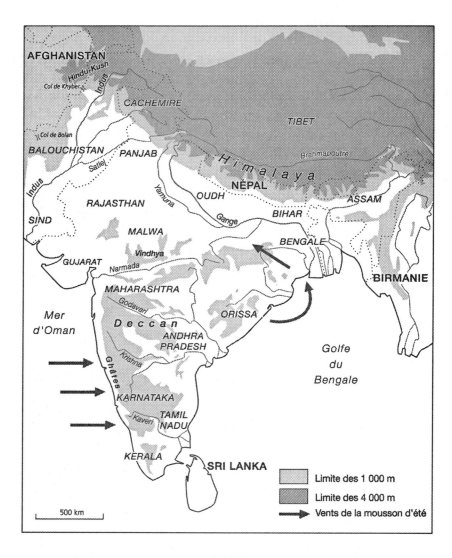

1. Les espaces naturels et les régions historiques

Atouts et contraintes de la nature

Pour l'Inde, l'élément naturel essentiel, en termes de contraintes et d'atouts, est le régime local des pluies – ce que les Occidentaux appellent les moussons, un nom d'origine arabe signifiant « saisons ». Il détermine les rythmes annuels agricoles et pastoraux, les conditions de circulation des personnes et des marchandises. Son irrégularité suscite des famines périodiques qui compromettent la croissance de la population. Enfin, ses évolutions de longue durée, dans la mesure où elles sont perceptibles à l'échelle des temps historiques, expliquent la mise en valeur ou la désertification de régions entières.

À première vue, le rythme alterné des moussons est un facteur d'unité pour le monde indien. En réalité, il introduit des différences très significatives entre ses régions, le seul point commun étant le caractère habituel mais imprévisible des errements du régime des pluies. La mousson dite « d'été », qui se charge d'humidité au-dessus de l'océan Indien, assure aux côtes occidentales de l'Inde puis aux régions du nord-est des précipitations très abondantes, mais sur le centre du Deccan les pluies sont rares, ce qui dessine une bande diagonale aride allant du Rajasthan à la pointe sud de l'Inde. La remontée de la plaine du Gange par les masses d'air de la mousson ne s'y traduit par des pluies abondantes que si le vent est encore assez chargé d'humidité grâce aux perturbations nées dans le golfe du Bengale. À la suite de la mousson d'été, des cyclones affectent les côtes orientales de l'Inde, puis les vents s'inversent, et l'air frais venu du continent asiatique installe dans toute l'Inde du nord-ouest des conditions analogues à celles d'un climat tempéré. Seul le sud du pays conserve un régime

45

tropical. Enfin une période de canicule, à partir d'avril-mai, précède l'éclatement de la mousson d'été.

L'accès à l'eau et le contrôle de l'eau ont toujours représenté des enjeux décisifs pour les sociétés paysannes et pastorales de l'Inde confrontées d'emblée à des excès ou à des pénuries et à une irrégularité plus forte que celle qui affectait les premières sociétés sédentaires d'Égypte et de Mésopotamie : ainsi s'explique la persistance du nomadisme. Dans une perspective historique, les techniques de captage, de conservation et de drainage dessinent, au fur et à mesure de leur évolution, la géographie des zones mises en valeur. Mais ces techniques hydrauliques n'interviennent qu'en second, elles sont largement prédéterminées par les variations de longue durée du climat. La palynologie et l'analyse des photographies aériennes ont fourni des éléments significatifs suggérant une corrélation entre des périodes d'humidité plus forte et des périodes de mise en valeur des zones aujourd'hui arides de la vallée de l'Indus et de ses marges. Ainsi les eaux de la rivière Hakra, qui se perdent aujourd'hui dans le désert du Rajasthan, coulaient-elles au IIIe millénaire avant notre ère jusqu'à l'océan, parallèlement à celles de l'Indus.

Avant l'introduction de la métallurgie du fer, au début du Ier millénaire avant l'ère chrétienne, les outils de pierre puis de bronze ne permettaient pas l'abattage d'une végétation dense comme celle des régions humides de l'Inde centrale et orientale et de la frange littorale occidentale. Ces zones sont donc restées longtemps brisées, et occupées partiellement par des populations aborigènes (Âdivâsi) vivant des ressources de la chasse, de la pêche et de la cueillette. Les éleveurs et les agriculteurs de l'Inde ancienne se sont d'abord installés dans les régions semi-arides qui ne nécessitaient pas d'opérations d'abattage importantes, mais qui exigeaient en revanche des techniques élaborées de captage et de conservation des eaux : d'où cet apparent paradoxe de sociétés en quête d'eau à proximité de zones où l'eau est en excès. Dans les régions les plus arides se sont développées des cultures d'oasis sur les sources captées ou à proximité des fleuves, l'Indus et ses affluents, régulièrement alimentés par la fonte des neiges de l'Himalaya, et dont on savait utiliser les crues comme celles du Nil. Ailleurs se sont imposés l'élevage, caprin, ovin et bovin, et la culture de céréales peu exigeantes en eau comme le blé, l'orge et les millets, surtout pratiquée en saison fraîche. Les techniques de la riziculture irriguée venues de Chine ou de la péninsule indochinoise ont pénétré en Inde orientale à une date incertaine, au plus tard au IIe millénaire avant l'ère chrétienne. Elles y ont permis le peuplement et la mise en valeur des basses terres dans les zones très humides des deltas du golfe du Bengale, les forêts étant conservées sur les pentes. Ce modèle de mise en valeur de l'espace, très différent du précédent, s'est lentement diffusé vers l'ouest. La vallée du Gange représente le lieu de rencontre de ces deux modèles. C'est le trait d'union entre l'Inde du blé et de la vache, et l'Inde du riz et du buffle d'eau. Mais c'est aussi un lieu de forte irrégularité climatique et donc un espace qui, une fois peuplé, est exposé aux risques de famine. C'était enfin une zone boisée requérant des opérations d'abattage, effectuées à l'aide d'outils de fer, métal dont la zone située au sud du Gange recelait des gisements d'accès facile, qui attirèrent, à partir du Ier millénaire avant l'ère chrétienne, les peuples d'Asie occidentale qui en maîtrisaient les techniques. Cette remarquable convergence explique la place centrale occupée par la vallée du Gange dans l'histoire de l'Inde.

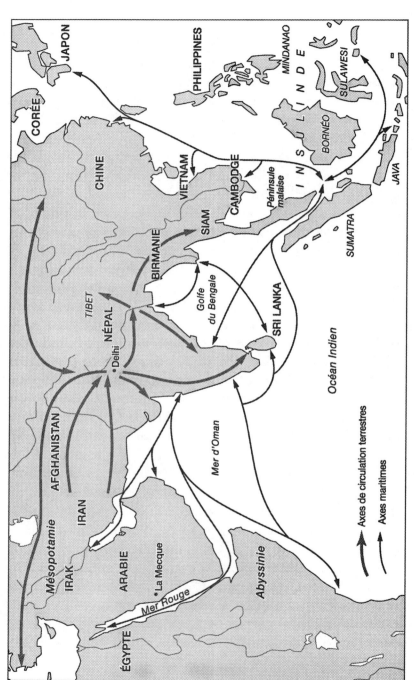

2. L'Inde et l'Asie : les axes de circulation

Espaces et axes de circulation

Le nord-ouest du monde indien est largement ouvert vers l'extérieur. La plus importante des voies historiques est celle qui mène du nord de l'Iran et des oasis de l'Asie centrale aux cols de l'Hindu Kush dans l'Afghanistan actuel, puis de la vallée de Kaboul à la vallée de l'Indus par la Khyber Pass. Cette route, parcourue aussi loin qu'on puisse remonter dans le temps par des groupes d'éleveurs nomades et des marchands à longue distance, a mis le monde indien en contact étroit avec les peuples du plateau iranien et de la steppe, qu'il s'agisse des Ârya, des Perses, des Scythes, des Huns, des Turcs, des Mongols. Après un séjour plus ou moins long en Afghanistan, une partie de ces peuples venait s'installer provisoirement ou durablement dans la vallée de l'Indus avant de continuer à progresser vers l'est ou vers le sud. Dans cette perspective, l'histoire des techniques de déplacement rapide prend tout son sens. Le dressage du cheval, puis l'invention du char léger à roues à rayons représentent des innovations décisives pour la maîtrise de ces longues distances. À la différence de l'Europe occidentale, cette autre péninsule de l'Asie où ce processus s'est arrêté plus tôt, les flux de population se sont perpétués vers la péninsule indienne jusqu'au XVIIIe siècle. Ces mouvements et ces influences ne se sont pas exercés à sens unique : cet axe a été dans l'autre sens celui de la diffusion du bouddhisme vers l'actuel Afghanistan et l'Asie centrale au début de note ère, et celui de la migration vers l'ouest des Roms (tziganes) au début du Moyen Âge. Une autre voie située plus au sud atteignait la basse vallée de l'Indus par le col de Bolan, près de l'actuelle cité pakistanaise de Quetta, depuis Kandahar, le sud de l'Iran, et au-delà la Mésopotamie : c'est le long de cet itinéraire qu'ont été retrouvées les traces les plus anciennes d'habitat sédentaire.

En Inde même, cet axe de circulation se prolongeait depuis le Panjab jusque dans le Deccan à travers les espaces semi-arides de la « diagonale sèche », propices au déplacement des nomades, aux activités marchandes et aux raids guerriers, où longtemps le pouvoir et la richesse étaient à prendre plus qu'à produire[1]. Par cet itinéraire se sont noués des liens étroits entre l'Inde et l'Iran, dans le domaine des langues anciennes et modernes, des mythologies, des religions pré-islamiques et islamiques, de l'art et de la musique, des techniques agricoles, des pratiques administratives : en témoignent encore les traits culturels de la cité d'Hyderabad, au cœur du Deccan.

La barrière himalayenne rend la circulation depuis le nord et le nord-est de l'Inde beaucoup plus difficile et plus lente, mais nullement impossible. Les itinéraires qui rejoignent les oasis du Sinkiang et les hauts plateaux du Tibet depuis les vallées du Cachemire ont été empruntés depuis l'Antiquité par des caravanes chargées de sel, par des pèlerins chinois ou indiens, et les hautes vallées de l'Himalaya ont servi de refuge aux peuples chassés des plaines par de nouveaux arrivants. Le Népal, le Cachemire, et plus tard l'Assam, ont ainsi joué un rôle singulier dans les échanges de l'Inde avec le reste du continent : à travers eux, la culture indienne a laissé une marque profonde en haute Asie.

C'est en revanche la circulation par voie maritime qui a assuré les échanges de l'Inde avec l'Asie du Sud-Est d'un côté, la péninsule arabique et les côtes de l'Afrique orientale de l'autre. L'indianisation partielle de la péninsule appelée indochinoise par les Européens, et des archipels qu'ils ont qualifiés d'indonésiens, est un phénomène majeur de l'histoire de l'Asie, dont les Indiens eux-mêmes n'ont pas toujours apprécié les dimensions*. Le golfe du Bengale a été parcouru dès l'Antiquité par des navires indiens venus du Bengale, de la côte de l'Orissa (l'ancien Kalinga : marins et marchands indiens étaient appelés *keling* en Malaisie), du pays tamoul et de Sri Lanka. Les techniques perfectionnées dans le sud de l'Inde ont permis la construction de navires adaptés aux conditions difficiles de la navigation dans l'océan Indien, qui ont assuré aux Indiens le contrôle de ces routes, par-delà l'épisode sans lendemain des grandes expéditions navales chinoises du XVe siècle, jusqu'à l'arrivée des Portugais puis des grandes compagnies de commerce européennes. Sri Lanka, point de passage obligé entre le golfe du Bengale et la mer d'Oman, a joué un rôle de carrefour à la croisée d'un axe terrien nord-sud, symbolisé dans le *Râmâyana* par la progression de Râma recherchant son épouse Sîtâ enlevée par Râvana, et d'un axe maritime ouest-est qui sera à partir du Moyen Âge celui de la diffusion de l'islam vers le monde malais.

Quant à la mer d'Oman et au golfe Arabo-Persique, ils ont été sillonnés en tous sens par des marins indiens originaires du Sind et du Gujarat, d'abord en cabotant le long des côtes, puis en traversée directe quand les navigateurs ont su utiliser les vents alternés de la mousson. Les échanges avec la Mésopotamie antique ont emprunté cette voie avec des escales à Mascate et à Bahreïn ; avec l'Égypte, ils ont été plus tardifs et moins intenses ; avec l'Arabie, ils ont

---

* Nous analyserons au chapitre 5 ces traces culturelles profondes s'exprimant par la diffusion du bouddhisme et de certains cultes hindous, l'exportation de modèles politiques, les influences dans le domaine de l'architecture, de la littérature et du théâtre, et l'introduction de l'écriture.

été constants et se sont prolongés par l'installation durable dans les régions littorales de l'Inde de communautés marchandes, qui ont naturellement relayé la prédication de Mahomet, après avoir servi de véhicule à la diffusion modeste du judaïsme et du christianisme primitif. Ces communautés et les marchands indiens, principalement issus de la côte du Gujarat, ont contribué à diffuser dans l'autre sens, avec les marchandises indiennes – notamment les textiles, le fer et les épices – les sciences indiennes et les arts comme la mathématique, l'astronomie et la médecine. Ainsi, lorsque les Européens abordent aux côtes indiennes, à l'extrême fin du XVe siècle, l'Inde est déjà pleinement intégrée aux courants d'échanges asiatiques où elle occupe une position centrale.

La création d'un espace social

L'espace géographique et social de l'Inde ancienne, tel que les Indiens de cette époque se le représentaient, se caractérise par une série de contrastes tranchés. À l'intérieur du pays, la distinction fondamentale que soulignent tous les textes sanskrits oppose l'espace du village (*grâma*) à celui de la forêt (*aranya, vana*)[2]. Le premier est le lieu de la culture (dans les deux sens du terme), de l'ordre social, de la vie de famille ; le second est le lieu de la nature, du règne sauvage, du renoncement au monde social. Une autre distinction, moins prégnante, met en contraste le mode de vie des gens des villes et celui des campagnes. Enfin, dans le sud tamoul, la nomenclature littéraire distingue des terroirs allant de l'espace côtier aux deltas irrigués, aux terres sèches et aux montagnes.

Par rapport à ce qui l'entoure, l'espace indien est quali-

fié, selon les époques et les auteurs, de Sapta Sindhu
(« l'Inde des sept rivières »), d'Âryavarta (le pays des Ârya,
en l'occurrence la vallée du Gange), d'Hindoustan (le pays
des hindous), de Jambudvîpa (l'île, c'est-à-dire le continent, des jambosiers), mais aucune de ces appellations
n'inclut la totalité de ce que nous appelons l'Inde ; par
opposition, les peuples qui lui sont étrangers sont décrits
comme barbares (*mlechcha*, c'est-à-dire parlant un jargon
incompréhensible, le sens d'impur étant plus tardif), et
souvent qualifiés, s'ils viennent de l'ouest, de Yavana (initialement Ioniens, c'est-à-dire Grecs), ou s'ils viennent des
steppes, de Turushka (Turcs).

Dans une perspective historique, on pourrait schématiser la construction de l'espace social de l'Inde comme le
résultat d'une dialectique entre le centre et les marges,
entre les peuples sédentaires et les peuples nomades.
Concrètement, la société paysanne a progressivement élargi
son espace vital en tentant d'essarter la forêt et de contrôler
les terrains de parcours des nomades ; elle s'est parallèlement (et inégalement selon les régions) organisée dans le
cadre hiérarchique du système des castes, et a entrepris d'y
absorber les peuples des marges, à un rang généralement
subalterne. Mais ces derniers ont résisté à cette force d'attraction et ont régulièrement menacé la stabilité des sociétés sédentaires : les Âdivâsi en refusant l'absorption dans les
réseaux de caste, les nomades en défendant leurs terrains de
parcours et en se livrant au pillage avec le renfort de groupes de nouveaux venus. La société marchande et artisanale
des villes représenterait un troisième pôle, aux intérêts distincts, à la fois productrice et prédatrice. On peut être
tenté d'élargir le schéma au domaine politique et religieux,
et souligner que la religion des brahmanes, implantée au
centre, associée au pouvoir royal, a constamment été

contestée par des religions issues des marges, qu'il s'agisse des doctrines de renoncement, des cultes tribaux ou des religions apportées de l'extérieur par les nomades et les marchands ; et que le pouvoir des rois établis a été constamment remis en cause par celui de chefs de guerre issus des groupes nomades et des tribus âdivâsi. Dans ce système en équilibre instable, le rôle moteur des marges aurait été aussi important que celui du centre. Aucun schéma ne peut toutefois rendre compte de la multiplicité du monde indien, dont on tentera de caractériser les principales régions historiques.

Les grandes régions historiques

La région de la vallée de l'Indus et de ses affluents se caractérise par son aridité et par la présence de fleuves nés dans l'Himalaya, de sorte qu'elle est la première à avoir été développée ; elle a été le cœur de la première civilisation urbaine, elle a été traversée par tous les peuples qui sont venus s'installer en Inde en provenance du nord-ouest, elle est la plus ouverte sur le Moyen-Orient et sur l'Asie centrale, et elle a été islamisée de façon générale. Elle forme l'essentiel de l'actuel Pakistan. Elle possède une unité historique et religieuse manifeste, mais pas d'unité linguistique. L'ourdou, aujourd'hui langue officielle du Pakistan, est à l'origine principalement la langue des musulmans de l'Inde venus s'établir au Pakistan après la Partition. Elle présente aussi de très forts particularismes, manifestes dans le cas du Sind (le delta de l'Indus), du Balouchistan, et des régions de la frontière actuelle avec l'Afghanistan, qui sont peuplées de part et d'autre par des ethnies parlant la langue pachtoune. Sa partie la plus vitale est le Panjab, le « pays des cinq rivières », qui conduit par une transition insensible vers le Doab, le « pays des deux rivières », Yamunâ et Gange : ce seuil entre les deux bassins fluviaux, entre les villes actuelles de Lahore et de Delhi, a de tout temps été une zone disputée entre des pouvoirs rivaux.

La haute et moyenne vallée du Gange et de ses affluents a été le centre de tous les grands empires, de Delhi à Patna, région capitale et région des capitales. Dénommée Âryavarta, le pays des Ârya dans la tradition sanskrite, elle fut le foyer de diffusion de la culture brahmanique, de Kanauj à Bénarès, et reste profondément marquée par le conservatisme social. Mais elle fut aussi le berceau du bouddhisme et du jaïnisme. Elle devint ensuite une région vitale pour les grands États musulmans, avec Delhi, Agra et Lucknow pour capitales. Lieu chargé de souvenirs historiques, cette région où les musulmans sont aujourd'hui en minorité a été le théâtre de confrontations (récemment à Ayodhya) mais aussi de rencontres entre cultures. En dépit des guerres et des famines qui l'ont souvent dévastée, elle reste une région agricole très densément peuplée, et un lieu d'intense activité marchande et artisanale dans les villes qui jalonnent le grand axe de circulation qui va du Panjab au Bengale.

Les pays de l'Himalaya ont constitué très tôt des lieux de refuge et des lieux de passage, zones de contact culturel qui s'est manifesté en particulier par le rôle que le bouddhisme y a joué et continue à y jouer, et par leur fonction de transition entre le monde bouddhisé d'Asie centrale et le monde indien. Mais du fait de leur relief, ces régions ont toujours été très morcelées. Il n'y a pas de circulation intérieure facile entre les vallées de l'Himalaya, de sorte qu'elles ont gardé de très forts particularismes jusqu'à nos jours et qu'elles abritent de très nombreuses populations tribales, notamment dans le secteur oriental.

Le Bengale et ses marges, c'est l'Extrême-Orient de l'Inde, un milieu particulier, semi-aquatique, voué à la culture du riz et à la pêche, très comparable aux deltas de l'Asie du Sud-Est et de la Chine du sud, lieu de contact avec l'Asie orientale, mais également avec le Tibet. C'est aussi un lieu de haute civilisation, marqué successivement par tous les courants religieux et culturels du monde indien : le bouddhisme s'y est maintenu longtemps, les brahmanes y ont été très influents au Moyen Âge, l'islam s'y est implanté profondément mais tardivement dans sa partie orientale, l'actuel Bangladesh. Les Anglais y ont installé leur capitale, Calcutta, et y ont diffusé leur culture, leur langue, leur religion. Puis la région est devenue le premier foyer du nationalisme, et finalement du communisme. Le Bengale rassemble en lui toute la diversité de l'Inde, et conserve une forte unité culturelle incarnée dans sa langue et exprimée par les plus grands écrivains, poètes et cinéastes de l'Inde contemporaine.

Au sud de la vallée du Gange, une large bande de territoire peuplée d'Âdivâsi a longtemps constitué une limite à l'expansion des populations du nord. La partie occidentale de cette zone, la moins densément boisée, a été la première pénétrée et a été appelée par les Ârya « Deccan », de *dakshina*, qui signifie à la fois droite et sud. L'appellation a été ensuite étendue à l'ensemble de la péninsule, mais correspond historiquement au Maharashtra actuel et aux régions qui l'entourent. Sur ces terres s'est établi un contact entre les langues indo-aryennes introduites par les gens venus du nord, et les langues dravidiennes qui se sont progressivement repliées vers le sud et l'est. Les collines (appelées Ghâtes) qui les dominent à l'ouest ont formé les

56

bases à partir desquelles se sont construits la plupart des États qui ont dominé le Deccan au cours de l'histoire. Les prédicateurs bouddhistes, jaïns, brahmanes et musulmans soufis se sont succédé dans cette région marquée par une forte activité marchande, le long de cet axe nord-sud, mais aussi dans les ports assurant un débouché maritime aux productions de l'Inde du nord. Cette région de l'Inde est en effet très largement ouverte sur la mer, et les marchands du Gujarat, puis de Bombay, ont depuis longtemps développé leurs activités commerciales en direction des côtes de l'Arabie et de l'Afrique orientale, de sorte qu'ils sont à l'origine d'une des plus importantes diasporas indiennes outre-mer. Regardant vers l'Occident, la cité de Bombay incarne depuis la période coloniale une Inde capitaliste dynamique, mais marquée par les tensions et les nostalgies qui accompagnent le passage à la modernité.

Le « cône sud » de la péninsule indienne est un lieu de particularismes sociaux, de spécificités linguistiques, d'affirmations identitaires et de dynamisme économique, qui l'ont distingué du reste de l'Inde tout au long de son histoire. Les langues qui y sont parlées, baptisées « dravidiennes » par les grammairiens européens qui les ont décrites au XIXᵉ siècle, constituent à elles seules une famille spécifique, dont on ignore les origines ; les systèmes de parenté décrits par les anthropologues diffèrent de ceux du reste de l'Inde ; la condition de la femme y est plus libre. C'est aussi la région la plus maritime de l'Inde, celle qui a été marquée le plus tôt et le plus profondément par la présence de navigateurs et de marchands étrangers, chrétiens et musulmans, et qui, comme le Bengale, a adopté précocement des éléments de la modernité tout en préservant jalousement ses traditions culturelles. Mais il serait totalement erroné d'en faire un monde à part, et de fonder une description du passé de l'Inde sur une opposition entre espace aryen et espace dravidien, comme le fait par exemple Alain Daniélou. Ce sont au contraire les influences réciproques, les interpénétrations entre ces deux zones qui sont le fait historique essentiel. Cette région est partie intégrante de l'Inde, et l'Inde sans son apport ne serait pas devenue ce qu'elle est, alors que l'île de Sri Lanka, qui partage pourtant bien des traits avec elle, en est restée en quelque sorte séparée.

Si l'on garde à l'esprit les dimensions du monde indien, dont chaque région a la taille et la population d'une nation européenne, on pourrait écrire plusieurs histoires de l'Inde, dont les acteurs seraient différents et dont les rythmes ne seraient pas toujours synchrones. Mais l'histoire de l'Inde est surtout celle de la formation d'une sorte de tissu qui noue l'ensemble des sociétés occupant cette partie du monde. Plus on va vers le présent, plus ce tissu semble serré, plus l'histoire de l'Inde paraît homogène et obéit à un rythme panindien.

CHAPITRE 3

La quête des origines

Le passé très ancien de l'Inde est naturellement celui qui est venu le plus récemment à l'état historique, après être longtemps resté à l'état mythique. Cette transformation résulte de l'ensemble des découvertes archéologiques réalisées depuis le début du XX⁰ siècle, d'abord dans la vallée de l'Indus puis sur ses marges occidentales et orientales, enfin dans les espaces centre-asiatiques. Les fouilles ont surimposé leurs résultats aux conclusions des recherches de philologie et de linguistique comparées, amorcées dès la fin du XVIII⁰ siècle, les remettant en question, sans les infirmer ou les confirmer, et faisant apparaître une grande difficulté à les mettre en corrélation. Les apports de ces découvertes ont été vite introduits par les Indiens dans des schémas explicatifs qui répondaient à la véritable obsession des origines qui s'était emparée des milieux cultivés indiens avec la montée du nationalisme, de sorte qu'il est devenu difficile d'aborder ces questions sans soulever les passions, d'autant que beaucoup de sites se trouvent aujourd'hui en territoire pakistanais.

L'étude de la haute Antiquité indienne a été longtemps dominée par une théorie suggérée par l'étude des sources disponibles. On affirmait qu'il existait une coupure radicale entre deux civilisations successives : la civilisation urbaine de l'Indus, exhumée par les recherches archéologiques poursuivies depuis les années 1920, mais ignorée des textes ultérieurs, et la civilisation pastorale des Ârya, décrite dans les textes sanskrits les plus anciens, les Védas, mais n'ayant pas laissé de traces archéologiques. Alors que l'histoire du Proche-Orient ancien se fonde sur des méthodes de corrélation entre textes et vestiges archéologiques, en Inde, les deux types de sources sont décalés. On ne peut nier que deux formes de civilisation très différentes se soient succédé sur le sol indien, et l'on s'attachera à montrer ce qui les distingue. Mais les recherches récentes suggèrent qu'un certain nombre de traits importants se sont transmis de l'une à l'autre. On ne peut plus soutenir aujourd'hui que les cités de l'Indus aient été détruites par les nomades ârya (ce terme, signifiant « noble », est préférable à celui d'« aryens » trop connoté par l'utilisation qui en a été faite dans l'Europe du XXe siècle), ni que le système social et religieux dont ils étaient porteurs représente pour la genèse de la civilisation indienne un point de départ absolu. Mais il est extrêmement difficile de reconstituer, dans l'état actuel de la recherche, les cheminements de cette transition.

La révolution néolithique

Les fouilles conduites aux confins de l'Afghanistan et du Pakistan, notamment par des équipes franco-pakistanaises, ont révélé sur le site de Mehrgarh, au Balouchistan, des vestiges d'occupation continue durant plus de quatre mille ans. Elles ont fait apparaître des traces d'agriculture et d'élevage, à peu près contemporaines de celles qu'on observe en Palestine, et à la limite de l'Irak et de l'Iran. Cette mutation que l'on qualifie, avec quelque exagération, de « révolution néolithique », est donc simultanée des deux côtés du plateau iranien.

L'archéologue Jean-François Jarrige, maître d'œuvre des fouilles de Mehrgarh, considère cette évolution comme largement endogène[1]. Dès le VIIᵉ millénaire avant l'ère chrétienne, l'habitat devient sédentaire. Le mouton, la chèvre et le zébu sont domestiqués, l'orge et le blé sont cultivés l'hiver sur des terres aujourd'hui arides, mais que les conditions climatiques de l'époque permettaient de mettre en valeur à l'aide d'outils de pierre, et des systèmes d'ensilage du grain apparaissent. Au Vᵉ millénaire, la poterie remplace la vannerie, la culture de coton et de dattes est attestée. Au cours du IVᵉ millénaire apparaissent la poterie au tour, puis la métallurgie du cuivre, enfin du bronze, et un commerce à longue distance se développe, impliquant surtout des produits de luxe, qui étaient d'usage général dans une civilisation de la parure : les bijoux, les pierres précieuses, les plumes de paon, les coquillages. Des poteries décorées de motifs géométriques et animaux, produites en grande quantité, se retrouvent dans une vaste zone, et cette diffusion préfigure un processus d'unification matérielle qui sera caractéristique de la civilisation urbaine de l'Indus. L'on y trouve déjà des sceaux de pierre tendre qui, un millénaire plus tard, seront les supports des premières formes d'écriture dans cette région du monde. On voit alors se développer des petits bourgs qui ont une fonction artisanale, et pas seulement agricole. Ils sont construits en briques, et seront abandonnés lorsque se développeront les grandes cités de la vallée de l'Indus, qui sont le point d'aboutissement d'une longue genèse, comme le montre l'évolution du site d'Amri, au Sind.

Des découvertes récentes au Rajasthan et au Panjab suggèrent que des phénomènes analogues ont pu se produire dans la partie orientale du bassin de l'Indus, dont on sait à présent que le réseau fluvial différait de ce qu'il est aujourd'hui : la Satlej et la Yamunâ, qui se jettent respectivement dans l'Indus et le Gange, rejoignaient la Ghaggar puis l'Hakra, qui se perd aujourd'hui dans les sables, et poursuivaient vraisemblablement leur cours jusqu'à l'océan, dans le Rann de Kutch. Comme le Tigre et l'Euphrate au Moyen-Orient, l'Indus et l'Hakra ont formé une « Mésopotamie indienne » dont seule la partie occidentale a été largement explorée. Les archéologues nationalistes indiens ont baptisé ce fleuve disparu du nom de Saraswati par référence à une rivière mythique évoquée dans les Védas, mais on préférera l'appeler Hakra, du nom actuel de son lit asséché.

Ces innovations n'affectent que le quart nord-ouest du monde indien. La majeure partie de l'espace reste occupée par la forêt tropicale, parcourue par des groupes de chasseurs-cueilleurs nomades, qui ont laissé des traces d'outillage, les plus anciens étant localisés au nord du Panjab. Les plus récents, associés à des gravures pariétales, se trouvent dans la partie nord du Deccan : la vallée de la Narmada est une région longtemps restée occupée par des Âdivâsi, qui ont probablement perpétué ces techniques archaïques, sans qu'on sache s'ils sont véritablement les descendants de ces populations archaïques. Néanmoins, le fait qu'une partie de ces Âdivâsi parle des langues de la famille munda, qui ne s'apparentent ni aux langues indo-aryennes ni aux langues dravidiennes, plaide pour une origine extrêmement ancienne.

La civilisation urbaine de la « Mésopotamie indienne »

Bien documentée, la descente du peuplement depuis les collines du Balouchistan en direction des rives de l'Indus, au début du IIIe millénaire, est liée à des signes d'humidification du climat, qui se manifestent par l'apparition du rhinocéros et de grands herbivores. Mais la mise en valeur de la « Mésopotamie indienne » passe par la maîtrise des divagations du cours de l'Indus qui est chargé d'alluvions et brise ses berges lors des très hautes eaux après la fonte de neiges. La solution consiste à cultiver les limons humides laissés par le fleuve lorsqu'il se retire, une culture décalée par rapport à celle de l'agriculture des plateaux. L'autre impératif est d'installer l'habitat à l'abri des crues mais suffisamment près des fleuves pour les utiliser pour le transport. C'est ainsi que naissent des villes à l'urbanisme bien conçu, qui ont fait l'admiration des archéologues britanniques qui ont fouillé dans les années 1920 les deux premiers sites, Mohenjo-Daro au Sind et Harappa au Panjab. Depuis, des dizaines d'autres sites ont été excavés et près d'une centaine repérés, dans une zone géographique plus vaste que celle des autres civilisations de l'Orient ancien, allant de la région septentrionale du Pamir au sud du Gujarat, et de Mascate, sur la péninsule arabique, à la haute vallée du Gange.

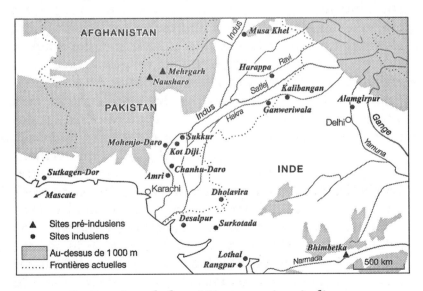

3. Les sites de la « Mésopotamie » indienne

63

Les villes répondent à une fonction de production artisanale, et de concentration des productions agricoles à des fins de commercialisation. À cette date, un commerce organisé à longue distance jusqu'en Mésopotamie et passant par Bahreïn, qui est connu à l'époque sous le nom de Dilmun, est attesté à la fois par les découvertes archéologiques d'objets indiens dans les pays du Golfe, et par des allusions dans les textes sumériens à Dilmun et à un pays appelé Meluhha, qu'on est tenté d'identifier avec les cités de l'Indus. Ces dernières ne sont pas, en dépit de ces liens, des colonies des cités mésopotamiennes comme on l'a cru autrefois, mais elles ont été dynamisées par les échanges avec les pays du Golfe. Elles entretiennent en outre des relations marchandes avec des villes situées dans la steppe au nord de l'Iran, en Bactriane et en Margiane, mises au jour par les archéologues soviétiques dans les années 1970-80. L'intensité de l'activité commerciale se marque par des phénomènes remarquables d'unification sur une très vaste zone des types d'urbanisme et d'architecture, des poids et mesures, et d'une écriture à ce jour non déchiffrée, mais très probablement utilisée dans les relations marchandes.

On a longtemps soutenu que les deux sites les plus intensivement fouillés, ceux de Harappa et de Mohenjo-Daro, étaient les capitales d'une sorte d'empire bicéphale. Mais rien ne permet d'affirmer qu'il y ait eu des relations de dépendance autres que commerciales entre les autres cités et ces deux vastes métropoles. Ce qui est plus significatif, c'est que ces cités sont construites selon un plan d'ensemble et un agencement de détails qui impliquent une conception préalable, donc une forme d'autorité susceptible d'imposer et de perpétuer un modèle d'organisation. Elles comprennent une ville basse et une citadelle – une acropole qui est souvent une élévation artificielle construite de briques et de terre compactée, et qui porte des bâtiments à usage collectif et aux fonctions probablement civiques et religieuses. Ainsi a-t-on retrouvé à Mohenjo-Daro un grand bassin fort bien construit, qui a pu être utilisé pour des rituels d'ablutions, et de vastes constructions allongées qui ont pu servir de lieux de réunion ou de célébration, mais dont on n'a conservé que les fondations, ce qui interdit d'en connaître la destination exacte. Il n'y a aucun monument de grande taille qui puisse être identifié avec certitude comme un lieu de résidence monarchique, ni comme un édifice religieux. La ville basse est établie selon un plan quadrillé, organisé selon deux grands axes, généralement nord-sud et est-ouest, recoupés de rues plus petites qui séparent la cité en blocs réguliers. De vastes maisons, à véranda et cour centrale, donnent sur des impasses. Elles sont équipées de puits, de salles d'eau et de latrines, qui communiquent à l'extérieur, menant les eaux usées à des réseaux perfectionnés d'égouts couverts. Des habitations plus petites, groupées dans d'autres quartiers, ont dû servir d'échoppes à des artisans et à des commerçants, comme dans un bazar. Ces cités sont généralement construites au bord d'un fleuve, le long duquel se trouvent de vastes entrepôts.

Ce sens de l'organisation fonctionnelle se retrouve dans le domaine des poids et mesures. Du Sind au Panjab, du Gujarat à l'Asie centrale, et probablement au-delà, les mesures sont unifiées, comme l'atteste la découverte de réglettes de bronze à graduation décimale et de poids de pierre. Les mesures de longueur sont compatibles avec celles qui étaient en usage en Égypte et en Mésopotamie, les bâtisseurs des cités de l'Indus les utilisaient pour établir leurs cotes et toutes les briques ont des dimensions standard. Quant au système de poids, d'une très grande précision, basé sur une unité de 13,6 g, il combine système décimal pour les multiples et subdivisions en demis, quarts, huitièmes. C'est probablement dans cette même logique de codage fonctionnel et de standardisation utilitaire qu'on peut interpréter la place tenue dans cette civilisation par une écriture qui n'a pas été déchiffrée à ce jour, en dépit de proclamations contraires. La plupart des spécimens conservés figurent sur un ensemble de plus de quatre mille sceaux de stéatite. On suppose qu'ils servaient à cacheter des ballots de marchandises, une pratique qui existe encore en Inde. Écrits dans un système dérivé du principe idéographique, mais fondé sur une représentation syllabique, les textes qui figurent sur les sceaux sont extrêmement brefs, ce qui est le principal obstacle à leur déchiffrement. Ce sont probablement, comme leurs équivalents mésopotamiens, des noms ou des titres de personnes, et peut-être des noms de produits : il s'agit en quelque sorte de marques qui peuvent avoir noté des mots appartenant à des langues différentes.

Les sceaux ne portent pas que des signes d'écriture, mais également des représentations récurrentes de portée symbolique, dont l'association avec l'écriture est porteuse de sens. Le plus intéressant de ces signes est le svastika, la croix gammée, symbole auspicieux par excellence dans la civilisation indienne, et ce jusqu'à nos jours. Ce symbole fut l'objet d'une totale inversion de sens dans l'Europe du XXe siècle, les pseudo-savants germaniques en faisant le symbole de la soi-disant civilisation aryenne, alors qu'il était celui de la culture que les « aryens » étaient censés avoir détruite. Les autres thèmes sont en général de nature représentative, et l'on y trouve des images qu'on rencontrera par la suite dans l'iconographie indienne : bovins aux longues cornes, figuiers pipal aux feuilles lancéolées (*Ficus religiosa*), personnages à forme humaine, dont l'un, en position de méditation, semble porter certains des attributs du dieu Shiva, tandis qu'un autre fait songer à la déesse Durga. On a été tenté de déduire de l'observation de ces sceaux l'existence d'une continuité culturelle et religieuse avec la période historique connue par les textes sanskrits et l'iconographie plus tardive des temples hindous. Mais on ne saurait, à partir de documents aussi épars et rares, reconstituer réellement un système religieux ou prétendre saisir une cohérence culturelle.

Un autre trait caractéristique, qui distingue radicalement l'Inde de l'Égypte et de la Mésopotamie, est l'absence complète de représentations de grandes dimensions. L'Indus et l'Hakra ont vu s'épanouir une civilisation du modèle réduit : sceaux minuscules, statuettes à figure humaine ou animale, objets de la vie quotidienne représentés en réduction, généralement qualifiés de « jouets ». Pas de grands monuments non plus : est-ce le signe d'une absence de formes de concentration du pouvoir, d'un refus de laisser une trace matérielle pour la postérité ? C'est aussi une société où la violence occupe une place très réduite : les fouilles n'ont pratiquement pas exhumé d'armes, les seules lames étant celles d'outils tranchants. Les acropoles, tout en étant protégées de remparts, n'ont pas une fonction de forteresse, et l'on n'a trouvé presque aucune trace de combats. On est tenté de voir dans les villes de la « Mésopotamie indienne » des cités organisées exclusivement pour et par des marchands et des artisans, n'ayant pas évolué vers des formes de centralisation monarchique, qui n'auraient pas eu à se défendre par la force des agressions externes ou de la concurrence des autres cités. Ces hypothèses doivent être maniées avec d'extrêmes précautions, tant elles sont inspirées par l'image que nous avons des périodes ultérieures de l'histoire de l'Inde, marquées par la prééminence des prêtres sur les rois, et par le rôle considérable joué par les communautés marchandes de l'Inde de l'ouest, que l'on a pu supposer les héritières de la civilisation de l'Indus.

Une dernière série d'interrogations porte sur les causes et les modalités du déclin de ces cités. Les historiens du début du XXe siècle concevaient l'évolution des civilisations sur le modèle de Rome « vandalisée » par les Barbares. En dépit de l'absence de preuves de violence, ils ont donc supposé que les cités de l'Indus avaient été détruites par les envahisseurs ârya. Cette thèse a été reprise avec empressement par les Indiens du sud qui, à la même époque, dans les années 1920-30, élaboraient la théorie d'une civilisation dravidienne antique qui aurait été submergée par l'afflux de guerriers et de brahmanes venus du nord : il s'agissait en fait pour les hommes politiques du sud de contenir l'influence exercée par les brahmanes dans leur propre région. Cette thèse d'une opposition multi-millénaire entre Dravidiens et Ârya a conduit beaucoup de chercheurs à tenter de déchiffrer l'écriture de l'Indus comme notant une langue dravidienne. La parenté d'une langue du Balouchistan, le brahui, avec les langues dravidiennes suggérait qu'il s'agissait d'un reliquat de cette langue très ancienne. Mais les travaux des linguistes ont à présent établi que les tribus brahui ont migré vers l'Indus depuis le Deccan à une époque beaucoup plus récente, ce qui rend cet argument caduc. Malgré tout, cette vision de l'histoire reste très populaire en Inde et figure dans les programmes d'enseignement des États du sud.

Un autre type d'explications est privilégié de nos jours, qui met en avant des facteurs climatiques et telluriques. L'étude des pollens déposés dans les marais montre qu'au cours du IIe millénaire avant l'ère chrétienne s'est produit un assèchement progressif du climat de ces régions, qui a dû rendre impossible la poursuite de l'agriculture non irriguée et compromettre l'élevage. Les cultures d'été (on dirait aujourd'hui les cultures *kharif* : millets, sorgho, coton, riz) qui s'étaient développées à la faveur de l'humidification antérieure du climat ont dû régresser, compromettant l'économie agricole de la région. Les paysans se seraient déplacés vers la vallée de la Yamunâ et du Gange et vers le nord du Deccan, mieux arrosés, qui étaient restés jusque-là le domaine de la forêt et des populations âdivâsi. Des bouleversements du régime et du cours des rivières sont d'autre part attestés. Ils sont probablement l'effet de tremblements de terre et d'effondrements dans les zones himalayennes. Ils ont pu compromettre la survie des cités de l'Hakra, qui s'est asséché, et inversement contraindre les habitants des cités de l'Indus, victimes de la montée des eaux, à surélever leurs maisons.

D'autres hypothèses se fondent sur la place prééminente tenue par le commerce dans l'essor de cette civilisation de l'Indus. Or les échanges avec la Mésopotamie et l'Asie centrale se contractent, entre −2000 et −1500, et les villes de la steppe au nord de l'Iran déclinent en même temps que celles de l'Indus. Des mouvements de populations nomades se produisent à l'époque, qui ont pu contribuer à désorganiser ces réseaux commerciaux, et l'on voit apparaître pour la première fois vers −1700 des chevaux dans l'espace indien (site de Pirak au Balouchistan). La « ruralisation » est incontestable, nombre de villages sont créés au IIe millénaire, dans des régions où jusque-là seules des populations de chasseurs et de cueilleurs occupaient l'espace. Mais des recherches récentes aux confins sud du

Rajasthan, dans la région d'Ujjain qui deviendra par la suite une des cités majeures de l'Inde, suggèrent que le déclin urbain n'a pas été aussi radical qu'on l'imaginait naguère, et que des cités de moindre ampleur se sont reconstituées au contact de nouvelles régions agricoles en développement. L'attention exclusive portée à la civilisation de l'Indus a trop occulté le fait que des cultures paysannes contemporaines et postérieures se sont développées aux marges, et que ces marges ont occupé tout l'espace quand le centre ancien a périclité. La production agricole a cessé de dépendre des vastes systèmes qui avaient été mis sur pied dans les vallées fluviales, et s'est replié sur de plus petites unités aux productions restées relativement diversifiées. La fin de la civilisation de la « Mésopotamie indienne » représente l'épuisement d'un certain type d'organisation sociale et de mise en valeur de l'espace. Mais les éléments culturels, religieux et techniques qui s'y étaient développés n'ont pas disparu, et cette évolution a conduit à la genèse de l'Inde rurale telle qu'elle a perduré jusqu'aux temps modernes.

La prépondérance des Ârya en Inde du nord

La question de l'entrée en Inde des Ârya est l'une des plus controversées de l'histoire[2], en raison de l'impossibilité d'établir des correspondances entre les données de la linguistique et celles de l'archéologie. Même si l'on admet avec les linguistes l'existence théorique d'une langue proto-indo-européenne, « il n'existe aucun critère fiable permettant d'identifier archéologiquement une population de cette langue » (Fussman). Les chercheurs de l'ex-URSS qui ont fouillé les cités de la Bactriane et de la Margiane ont décrit une culture sédentaire datée de la période −2500

—1500, connaissant le dressage du cheval, pratiquant l'inhumation, ignorant l'écriture, que certains ont un peu vite caractérisée comme « indo-européenne ». On identifie en revanche avec certitude un groupe linguistique indo-iranien dont les locuteurs s'identifiaient comme « ârya ». Il est attesté par les similitudes étroites entre les plus anciens textes iraniens (l'*Avesta*) et sanskrits (le *Rig Veda*), les seconds ayant été élaborés plus tardivement. La divergence entre les deux langues est antérieure au XIVe siècle avant l'ère chrétienne, date à laquelle est gravée au Mitanni (l'actuel Kurdistan) le texte d'un traité écrit dans une langue analogue au sanskrit védique, et qui mentionne des dieux du panthéon védique. Ce document, surprenant étant donné sa localisation si éloignée de l'Inde, témoigne soit d'une migration des Ârya vers l'est postérieure au XIVe siècle, soit d'une migration depuis l'Inde, soit de la présence d'un rameau détaché du groupe principal de locuteurs de sanskrit[3]. Un autre enseignement précieux de la linguistique est que le sanskrit védique a emprunté des mots d'origine munda (à commencer par *gangâ*, « rivière », d'où Gange) et non d'origine dravidienne.

L'arrivée en Inde, l'installation au Panjab et dans le Doab (région comprise entre le Gange et la Yamunâ) puis la progression vers l'est de ces populations qui se nomment *ârya* (nobles) n'ont guère laissé de traces matérielles avant le Ier millénaire, et encore moins de traces écrites, ces peuples ignorant l'écriture. Par contre, une littérature orale a été scrupuleusement transmise par les brahmanes avant d'être transcrite environ un millénaire plus tard. Ces recueils de textes, porteurs d'un savoir (*veda*) révélé (*shruti*), avaient une fonction religieuse précise et n'étaient pas faits pour être divulgués. Ils incluent des hymnes à des divinités (le plus ancien, le *Rig Veda*), des règles à suivre pour l'exécution des rites sacrificiels (le *Yajur Veda*), un recueil de musiques sacrées destiné aux chantres (le *Sâma Veda*), des formules incantatoires (l'*Atharva Veda*), puis des commentaires appelés les *Brâhmana*, et enfin un ensemble de textes nettement ultérieurs à caractère philosophique, les *Âranyaka* et les Upanishads. Ces textes ne visent nullement à expliciter, même de façon mythique, l'histoire de l'arrivée des Ârya ou la genèse et le développement de leur culture. Ils doivent être fortement sollicités pour fournir des informations sur la société de leur temps, et ne comportent guère d'enseignements historiques à proprement parler, d'autant que leur datation elle-même fait l'objet de controverses : la plupart des philologues optent pour la seconde moitié du IIe millénaire, mais certains chercheurs indiens prétendent, en se fondant sur les positions astrales qui y sont décrites, qu'ils remontent au IVe millénaire.

Les textes védiques évoquent la mobilité d'une population nomade et guerrière, qui a maîtrisé le dressage du cheval et la technique de construction de chars légers munis de roues à rayons et non de roues pleines comme dans la civilisation de l'Indus. Elle vit en partie de razzias, mais aussi de l'élevage bovin qui occupe une place centrale dans ses préoccupations quotidiennes. Son habitat, situé dans des régions arrosées (il est question de rivières et de pluies, non de déserts et d'oasis), semble de nature temporaire et, en tout cas, pas de type urbain. Ces populations connaissent la métallurgie du fer, technique qui va jouer un rôle considérable dans la suite de leur histoire. Ils ont pu l'emprunter lors de leurs séjours dans des zones situées au sud de la mer Caspienne, comme le Mitanni, où cette technique est attestée avant −1500. La société semble organisée en tribus de petites dimensions, qui passent leur temps à se combattre entre elles, et accessoirement à lutter contre des peuples étrangers qualifiés de Dâsa (le terme a pris ultérieurement le sens d'esclave) : la violence guerrière est décrite comme une prouesse dans les hymnes védiques, et toute l'année est organisée autour des activités guerrières, qui sont en même temps des pratiques migratoires. Les prêtres, détenteurs du savoir, maîtres des rites sacrificiels, assurent à cette société l'appui des forces célestes, légitimant ainsi le pouvoir issu de la force brute. Ils sont les porteurs d'un modèle idéologique fondé sur la classification de la société en trois ordres fonctionnels (*varna*, originellement « couleurs », mais aussi « catégories ») définis hiérarchiquement par leur degré de pureté et donc d'accès au sacré : les prêtres (*brahmana*), les guerriers (*kshatriya*) et les producteurs (*vaishya*). Cette tripartition fonctionnelle, que l'on retrouve dans d'autres sociétés « indo-européennes », se transforme en quadripartition lorsque vient s'y ajouter une quatrième catégorie, qui n'a pas accès aux rites sacrés : l'ordre des *shûdra* ou serviteurs, où l'on a longtemps cru voir les populations vaincues, interprétation généralement abandonnée de nos jours. Un second point commun avec d'autres sociétés « indo-européennes », mis en lumière par les travaux de mythologie comparée de Georges Dumézil, est la similitude des noms et des attributs des divinités qui composent le panthéon de ces peuples.

Tous ces éléments sont bien entendu significatifs dans une perspective de quête des origines et d'anthropologie culturelle, mais ne peuvent pas se lire comme le signe de liens effectifs maintenus sur une longue durée entre des civilisations différentes séparées par des milliers de kilomètres, et ils n'ont donc pas une grande portée historique. Les relations réelles qu'a entretenues la civilisation de l'Inde au cours de son histoire sont celles qui la rapprochent de ses voisines du Moyen-Orient, d'Asie du Sud-Est et d'Asie centrale, et non pas des liens imaginés avec des cousins européens éloignés renoués après trois mille ans de séparation : l'histoire du mythe indo-européen présente un plus grand intérêt dans l'optique de l'histoire de l'imaginaire européen que dans celle de l'histoire de l'Inde. La remise en cause de ce mythe par les nationalistes hindous contemporains animés par l'idéologie de l'*hindutva* a pris une autre tournure : dans sa forme extrême, elle a donné naissance à un mythe inverse, celui de l'origine indienne de la civilisation indo-européenne – thèse diffusionniste particulièrement prisée par les Indiens de la diaspora, pour des raisons évidentes, et que l'émergence de l'Inde sur la scène mondiale a toutes chances d'accréditer davantage.

Les textes védiques les plus tardifs, les épopées dont la composition est largement postérieure (au moins un demi-millénaire) et quelques témoignages archéologiques permettent de reconstituer les grandes lignes de l'histoire de la conquête de l'espace nord-indien par les populations ârya. Venues progressivement, en petits groupes, elles se seraient d'abord installées dans les espaces steppiques du Panjab où la place des villes était devenue négligeable et où leurs troupeaux pouvaient paître. Elles s'y seraient imposées face à des cultivateurs sédentaires, avant de progresser plus loin vers l'est, dans la plaine alors boisée située entre l'Himalaya et le Gange. Elles auraient défriché puis brûlé la forêt, utilisant leurs outils de fer inconnus des populations indigènes (les hymnes chantent les conquêtes d'Indra, dieu guerrier, avec l'appui d'Agni, dieu du feu, et la défaite des Dâsa), progressant jusqu'à la rivière Gandak, dans l'actuel Bihar. Cet itinéraire longeant la vallée du Gange fut appelé par la suite *Uttarapatha* (« la route du nord »), et chaque fois qu'il traversait par des gués une rivière descendue de l'Himalaya, des postes fortifiés étaient établis, qui furent ultérieurement à l'origine de villes. Cette conquête de l'est était par ailleurs conforme à la conception de l'espace qu'avaient les Ârya : l'orient est la direction auspicieuse par excellence, celle des dieux, celle vers laquelle on avance, tandis que le couchant est la direction des démons ; et le sud, qui se trouve à droite quand on s'oriente ainsi, se dit *dakshina* (droite), et il est le séjour de la mort.

On peut se demander ce qui a attiré les Ârya jusqu'au Bihar. Le besoin d'espace, de terrains de pâture, qui se réduisaient au fur et à mesure de la sédentarisation dans les régions de l'ouest occupées en premier ? La fixation du peuplement et l'appropriation de territoires définis se devinent à travers le changement de sens de certains mots : ainsi le terme qui a pris le sens de « village » (*grâma*) désignait à l'origine le campement formé par un cercle de chariots. Peut-être aussi le besoin de liberté, les sociétés pionnières qui se sont développées vers l'est de l'Inde étant moins dominées par le système idéologique résultant de l'alliance entre les brahmanes et les chefs de clan ? Il est probable qu'un autre facteur était à l'œuvre : la recherche de minerai de fer, abondant au sud du Bihar, de l'autre côté du Gange, et si nécessaire aux forgerons ârya. C'est ainsi que la région du Magadha, à l'extrême est de l'avancée des Ârya une fois le Gange traversé, occupe une place essentielle dans l'histoire de l'Inde ancienne, et que sur l'*Uttarapatha* s'est branchée une *Dakshinapatha*, une « route du sud ». Dernier élément d'attraction possible, la richesse agricole de la basse vallée du Gange. On ne sait pas si la riziculture irriguée était pratiquée à une échelle significative dans l'Inde du IIe millénaire avant l'ère chrétienne, mais il est certain que le Bihar et le Bengale étaient particulièrement propices à cette culture venue d'Asie orientale. La rencontre des peuples ârya, mangeurs de blé et d'orge, éleveurs de bovins (qu'ils semblent avoir consommés, dans un premier temps), avec des populations locales de mangeurs de riz est peut-être le phénomène le plus significatif de l'histoire sociale de cette époque, mais il n'a pas laissé de trace manifeste.

De nombreux vestiges datés du IIe millénaire et du début du Ier millénaire, depuis le Cachemire jusqu'au nord du Maharashtra, témoignent de la présence de cultures matérielles totalement distinctes de celles des vallées de l'Indus et du Gange. On commence à peine à les analyser. La seule certitude est que le développement de l'agriculture sédentaire, la fabrication d'objets en cuivre et en bronze, les pratiques funéraires impliquant l'édification de monuments mégalithiques, l'existence de rituels de fécondité sont les signes d'un essor qui ne doit rien ou presque aux civilisations des Indusiens et des Ârya. Les sites du Deccan révèlent l'existence d'une agriculture irriguée cultivant orge et millets ; plus au sud, les millets sont associés au paddy. Au début du Ier millénaire, un changement soudain des pratiques funéraires se produit ; les morts cessent d'être enterrés dans les habitations, pour être inhumés sous des monuments mégalithiques, spécialement nombreux à proximité des côtes occidentales de la péninsule ; des objets de fer, des ossements de chevaux les accompagnent ; les villages de riziculteurs situés à proximité sont associés à la présence de réservoirs. Ces pratiques se perpétuent jusqu'à la fin du millénaire. On est tenté de rapprocher ces traits de la présence d'une population de langue dravidienne dans ces régions, et de la pratique ultérieure du culte des héros à qui l'on dresse une stèle commémorative. Mais dans l'état actuel de la recherche, l'énigme des mégalithes indiens reste entière.

CHAPITRE 4

États et sociétés dans l'Antiquité

Écrire l'histoire politique de l'Inde ancienne, comprendre les mécanismes qui l'animaient, les mettre en rapport avec un système social original défini schématiquement comme fondé sur la hiérarchie des castes, est une entreprise dans laquelle se sont lancés dès la fin du XVIIIe siècle des chercheurs européens férus de modèles théoriques. Cette préoccupation n'a cessé d'animer de nombreux anthropologues et sociologues, parmi lesquels s'impose la pensée de Louis Dumont. Par contre, l'intérêt des Indiens pour ces questions, au moins jusqu'au milieu du XXe siècle, était motivé par des considérations beaucoup moins détachées : la question était de savoir quelle forme pourrait prendre l'État dans une Inde libérée de la tutelle britannique, s'il était vrai que le passé ne fournissait aucun exemple à suivre. Les historiens coloniaux décrivaient en effet les régimes politiques élaborés dans le passé par les Indiens comme foncièrement inconsistants. Ils insistaient sur la faiblesse des constructions impériales – par comparaison avec les empires romain, chinois ou japonais, ou sur leur caractère étranger, surimposé à une société s'autoadministrant à l'échelle villageoise. Or, comme on l'a déjà souligné, les données pour reconstituer cette histoire étaient éparses.

L'on disposait certes d'un traité d'une grande portée mais oublié des siècles durant, l'*Arthashâstra*, qui expose les règles et les recettes du gouvernement monarchique le plus efficace, mais qui ne dit rien de la façon dont ces principes ont pu être appliqués, et qui n'aborde pas la question des rapports entre société et pouvoir en des termes comparables à ceux des philosophes grecs, comme Platon et Aristote, ou des intellectuels du monde musulman médiéval, comme Ibn Khaldoun. Il aura fallu près de deux siècles de recherches pour qu'on puisse présenter de cette histoire un récit cohérent.

Sans prétendre à l'exhaustivité, on s'attachera à montrer à l'œuvre des processus historiques concrets. D'abord la formation d'États monarchiques ou « républicains ». Puis l'histoire des deux épisodes majeurs de construction impériale, par les Maurya et les Gupta, séparés par plus d'un demi-millénaire. Enfin les nouvelles formes politiques apparues après le VIᵉ siècle et le rôle croissant joué par le sud de l'Inde. C'est à partir de ce tour d'horizon qu'on pourra s'interroger sur la singularité des relations entre politique et société dans l'Inde ancienne.

Royaumes combattants et républiques aristocratiques

Les populations ârya s'étaient établies au Panjab, puis dans la région stratégique du seuil indo-gangétique, où s'étaient déroulés des conflits entre tribus, que l'épopée du *Mahâbhârata* a élevés au rang de grande guerre fondatrice, avant de poursuivre leur progression dans la vallée du Gange, jusqu'au Magadha (sud de l'actuel Bihar). Ainsi se trouvait décrit un vaste espace, qui allait devenir dans les siècles suivants le domaine par excellence des constructions impériales, le cœur de la civilisation sanskrite, et qui correspond assez exactement aux régions où est parlée aujourd'hui la langue hindi. À partir du VIIᵉ siècle avant l'ère chrétienne, leur sédentarisation donna naissance à des conflits pour le contrôle de la terre, et à des phénomènes de concentration du pouvoir. Mais l'espace disponible pour l'expansion restait encore très vaste, et le dynamisme d'une société pionnière pouvait s'exercer sans entraves. Cette période se caractérise par des phénomènes d'expansion dans tous les domaines : essor de la population, des techniques agricoles et artisanales, expansion de l'espace cultivé, naissance de villes nouvelles, fortifiées, établies dans la vallée du Gange comme Kaushâmbi, Bénarès (Varanasi), Rajgir, première capitale du Magadha. La créativité est aussi caractéristique en matière de conceptions religieuses et des doctrines philosophiques, on y reviendra.

Dans le domaine politique, cette époque est marquée par la fixation de territoires appelés *janapada* (littéralement, « là où le peuple met le pied »), et par l'émergence de deux types distincts de systèmes étatiques : d'une part des monarchies établies principalement dans la vallée du Gange, de l'autre des « républiques » aristocratiques (*gana sangha*, c'est-à-dire « assemblée des égaux »), nombreuses dans les zones de collines au pied de l'Himalaya. Les unes et les autres résultent de l'évolution des formes d'organisation tribales dans une société qui, en se sédentarisant, devient plus complexe et établit un rapport de domination stable sur des populations locales. Les textes distinguent traditionnellement seize *janapada*. Parmi les principaux, un des plus anciennement constitués, qui correspond à la plus grande partie du Panjab et se maintiendra pendant des siècles, est celui du Gandhara (capitale : Taxila). Plus à l'est, après le territoire des Kuru, héros du *Mahâbhârata*, on trouve celui de Vatsa (Kaushâmbi) et celui du Koshala (Shrâvasti) correspondant à l'actuel Oudh, puis celui de Kâshi (Bénarès). À l'extrême est dominent la république des Malla, la confédération des Vrijji (Vaishâli). Au sud du Gange, on trouve deux royaumes dont l'importance historique va se révéler considérable : au sud-est le Magadha (Rajgir), qui va être l'amorce de la constitution des deux grands empires de l'Inde antique, et au sud-ouest l'Avanti (Malwa, capitale Ujjain), territoire qui commande l'accès du Deccan [1].

Les républiques sont restées plus proches du système tribal que les monarchies dans leur mode d'organisation. Elles ont d'abord été fondées le long de la route du nord, puis dans des lieux plus reculés qui ont pu servir de refuge pour des populations rétives au système monarchique qui s'imposait dans les plaines. Certaines de ces républiques étaient formées d'une seule tribu (ainsi les Shâkya, d'où est issu le Bouddha), d'autres de la confédération de plusieurs tribus (tels les Vrijji, à proximité de l'Himalaya). Elles occupaient des régions restreintes, ce qui rendait possible la réunion régulière d'assemblées, regroupant les chefs des principaux clans, qui élisaient un *râja*, chef non héréditaire, décidaient par le vote des questions soumises à leur examen et tranchaient les conflits. Connu par les textes bouddhiques, ce système a servi de modèle à l'organisation interne des communautés monastiques. Il a d'autre part inspiré la conception de l'origine contractuelle de l'État : selon les bouddhistes, à la fin de l'âge d'or, les hommes entrent en conflit en raison de la pénurie des biens qui attise les désirs et pousse à l'appropriation, source d'inégalité ; les hommes décident donc de choisir l'un d'entre eux, le Grand Élu, Mahâsammâta, qui va être chargé d'établir la loi et de rendre la justice. Ces républiques ont fourni un terrain favorable à l'éclosion de courants de pensée

80

hétérodoxes, critiques du ritualisme des brahmanes, qui s'est au contraire consolidé dans les États monarchiques ; de ce point de vue, on est naturellement tenté de les comparer aux cités grecques, berceau de la philosophie : hypothèse séduisante, mais difficile à argumenter. On y trouve enfin des groupes de commerçants et d'artisans très actifs, qui seront les principaux vecteurs du bouddhisme et du jaïnisme dans le reste de l'Inde.

Les monarchies sont caractérisées par le principe héréditaire, par le remplacement des fidélités tribales par des fidélités de *varna*, c'est-à-dire de groupes sociaux fonctionnels, et par la conception de la nature du pouvoir qui met l'accent sur son origine divine et non pas contractuelle. Pour donner sens et légitimité à cette conception, il est nécessaire que s'établisse un lien étroit entre la monarchie et les prêtres brahmanes, dont la fonction rituelle devient indispensable au bon fonctionnement de l'État. Par le rituel de consécration (*râjasûya*) qui dure un an, le monarque est d'abord purifié (les successions sont généralement violentes, qu'il s'agisse d'usurpations, de fratricides, voire de parricides) ; puis on le fait naître une seconde fois, ce qui permet le cas échéant de lui conférer le statut de *kshatriya* (guerrier) s'il n'appartient pas – et ce n'est pas rare – à une haute lignée. Enfin, de grands sacrifices ont lieu, qui doivent être renouvelés régulièrement pour entretenir cette consécration. Le plus significatif est l'*Ashvamedha*, le sacrifice du cheval, qui permet du même coup d'encadrer le nomadisme guerrier et de légitimer les conquêtes. On commence par laisser courir en liberté un cheval consacré que le roi pousse devant lui et qu'il suit à la tête de son armée. Les errances du cheval sont censées délimiter le territoire du royaume, le cas échéant au détriment des voisins, et sa mise à mort à l'issue de cette campagne a valeur de rituel de triomphe.

Le roi est par essence un chef de guerre, et les brahmanes qui l'entourent et le conseillent légitiment l'acte guerrier. C'est l'argument essentiel du *Mahâbhârata*, qui s'exprime en particulier dans le dialogue entre le dieu Krishna et son protégé le héros Arjuna qui forme le cœur de la *Bhagavad Gîtâ*, long poème qui est inséré dans l'épopée. Le *Mahâbhârata*, dont la composition est sans doute postérieure au IIIᵉ siècle avant l'ère chrétienne, a pu être interprété comme un mémorial des pratiques guerrières de la période des royaumes combattants, et si l'on suit le raisonnement de sa plus récente et savante exégète, comme une tentative de justifier la conception brahmanique du monde et de la société face à celle des bouddhistes, défendue et illustrée par l'empereur Ashoka[2]. S'il en est ainsi, l'épopée est plus riche de sens historique que l'*Arthashâstra*, traité de la politique dont la datation est encore plus incertaine (entre le IVᵉ siècle avant et le IVᵉ siècle de l'ère chrétienne), qui considère l'art de la guerre comme le cœur de l'action politique, et évoque de façon abstraite une configuration stratégique de royaumes combattants où, par définition, le premier cercle des pouvoirs qui entourent le royaume est le cercle ennemi, que le roi doit prendre à revers en s'alliant avec les rois du deuxième cercle, et ainsi de suite.

Le premier empire indien et le projet politique d'Ashoka

La formation de l'empire Maurya résulte du jeu des conflits entre royaumes combattants, qui se solde par la prépondérance du Magadha, et de circonstances extérieures, l'émergence de la puissance impériale perse puis

82

son déclin sous les coups des Grecs, conclu par l'expédition d'Alexandre de Macédoine. Dès le Ve siècle, un royaume s'était formé au sud du Gange, au pied des collines du Chota Nagpur. Sa puissance était fondée sur la présence de minerai de fer, la prospérité de la riziculture, la position de ce territoire pionnier qui n'avait aucun adversaire sur son flanc oriental, et son éloignement des régions occidentales conquises par les Perses (le Panjab avait été absorbé en −530). En −364, un usurpateur ambitieux, Mahâpadma Nanda, y prit le pouvoir. Il forma une armée très nombreuse, qu'il entretint grâce à l'établissement d'impôts réguliers. Il déplaça sa capitale à Patna (Pâtaliputra), au bord du Gange. Des voyageurs grecs ont laissé par la suite une description grandiose de la capitale et de la puissance militaire du Magadha. En revanche, les textes sanskrits donnent une image négative de ce roi aux origines obscures, vilipendé pour son avarice et pour le peu de cas qu'il faisait des règles sociales édictées par les brahmanes. Il est pourtant le vrai fondateur de la première puissance impériale en Inde, probablement inspirée du modèle de l'empire perse, qui s'étendait jusqu'à l'Indus et y avait introduit l'usage de la monnaie, de l'écriture, et un système fiscal et administratif perfectionné. Mais la dynastie qu'il fonda ne survécut pas aux huit fils qui lui succédèrent. Un nouvel usurpateur, Chandragupta Maurya, prit le pouvoir en −321 et établit l'empire sur des bases plus stables.

Chandragupta bénéficiait d'une expérience militaire acquise dans le nord-ouest de l'Inde, où il avait probablement affronté les troupes d'Alexandre aux côtés d'un roi appelé Poros par les sources grecques, et où il avait vu fonctionner l'administration de l'empire perse. L'expédition d'Alexandre, qui s'est déroulée entre −327 et −325,

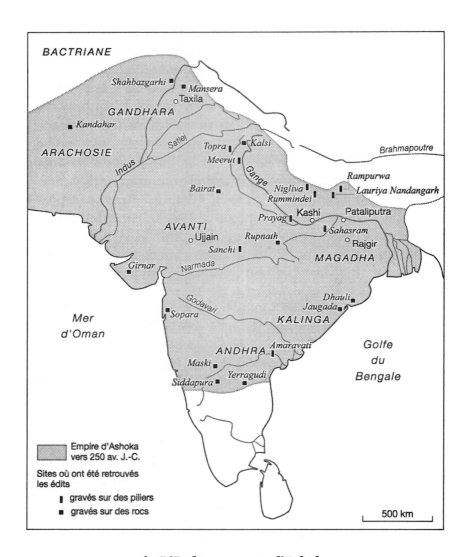

BACTRIANE

Shahbazgarhi ■
Mansera ■
○ Taxila

GANDHARA

■ Kandahar

ARACHOSIE

Satlej

Indus

Topra ▮ ■ Kalsi
Meerut ▮

Gange

Bairat ■

Rampurwa ▮
Nigliva ▮ Lauriya Nandangarh ▮
Rummindei ▮

Kashi ○ Pataliputra

Prayag ○
Sahasram ■
Rajgir ○

Brahmapoutre

AVANTI
○ Ujjain
Rupnath ■
Sanchi ▮

MAGADHA

Girnar ■
Narmada

Godavari
Sopara ■

Dhauli ■
Jaugada ■

KALINGA

Mer
d'Oman

ANDHRA
Amaravati ■

Maski ■
Yerragudi ■
Siddapura ■

Golfe
du
Bengale

Empire d'Ashoka
vers 250 av. J.-C.

Sites où ont été retrouvés
les édits

▮ gravés sur des piliers

■ gravés sur des rocs

500 km

4. L'Inde au temps d'Ashoka

n'a pas laissé de traces sensibles dans l'histoire indienne. Mais en modifiant les équilibres politiques à l'ouest, elle a facilité l'émergence d'un pouvoir proprement indien qui se trouvait débarrassé de la puissance perse. Chandragupta remporta une victoire décisive sur un des successeurs d'Alexandre, Séleucos Nicator, et la paix qui mit fin à ce conflit lui donna théoriquement le contrôle de tout l'espace situé à l'est des montagnes de l'Afghanistan. En outre, Chandragupta aurait bénéficié de l'appui des brahmanes, contrairement aux Nanda, et certains attribuent à son principal conseiller Kautilya la rédaction de l'*Arthashâstra*, qui aurait servi de ligne directrice à sa politique. D'autres sources affirment au contraire qu'il aurait favorisé le jaïnisme et aurait fini ses jours dans une communauté de cet ordre. Quoi qu'il en soit, ce souverain et son successeur Bindusâra parvinrent à prendre le contrôle de tous les États de la vallée du Gange, de l'Indus jusqu'au sud de l'Afghanistan, et d'une partie du Deccan ; ils y installèrent des membres de leur famille comme vice-rois ou gouverneurs. Mais ils se heurtèrent à des résistances, notamment sur les marges forestières de leur empire.

Petit-fils du fondateur de la dynastie, Devanampiya Piyadassi (« le roi ami des dieux au regard bienveillant »), qui a régné de −269 à −232, est plus connu sous le nom d'Ashoka (« le sans-douleur ») qui lui fut donné par les bouddhistes : il est le seul souverain de l'Inde ancienne dont la tradition ait fait un personnage historique exceptionnel, mais son souvenir disparut d'Inde au Moyen Âge en même temps que le bouddhisme, et ne se conserva qu'à Sri Lanka et en Asie du Sud-Est. Il fut redécouvert lorsque ses inscriptions, les plus anciennes de l'Inde, furent déchiffrées au XIXᵉ siècle : son projet politique fut reconnu par les fondateurs de l'Inde moderne comme un modèle, au point que ce sont ses emblèmes qui ont été adoptés par la République. Au début de son règne, ce fut un souverain comme un autre, poursuivant l'expansion territoriale de ses prédécesseurs. Après avoir appris l'art de gouverner dans les provinces occidentales de l'empire, et s'être saisi du pouvoir en éliminant ses frères, il fut confronté en −261 à une grave révolte au Kalinga, territoire situé à proximité du Magadha, qu'il traita avec une extrême sévérité. Cet épisode traumatique détermina une prise de conscience morale et politique qui fut encouragée par la rencontre de moines bouddhistes, depuis longtemps influents au Magadha. Il ne s'agit pas à proprement parler d'une conversion (terme peu approprié pour l'époque), mais de la promotion des valeurs bouddhiques pour servir d'armature idéologique à un projet politique et social. Proclamés dans tout l'empire, gravés dans le roc dans les régions périphériques, et sur le fût de colonnes dans la vallée du Gange, dans les langues parlées par les habitants de chaque région (le prakrit, mais aussi le grec et l'araméen), les Édits d'Ashoka sont un document exceptionnel, dont le contenu garde une actualité saisissante[3].

Pour Ashoka, qui tourne le dos aux préceptes de l'*Arthashâstra*, les conquêtes militaires doivent désormais s'arrêter : à quoi bon annexer de nouveaux territoires si l'on n'y gagne que l'hostilité de leurs habitants ? Il faut entretenir des relations amicales avec les pays voisins et consacrer ses efforts à la conquête des esprits et des cœurs, et à l'établissement du règne de la justice universelle : par la prédication, en envoyant des missionnaires aux quatre coins de l'empire pour diffuser ces nouveaux principes, et par l'exemple, en faisant de la vie du souverain et de sa cour un modèle de vertus et en s'assurant que les agents du gouvernement n'abusent pas de leurs pouvoirs. Il s'agit aussi de faire preuve de tolérance envers toutes les convictions, et notamment d'honorer les brahmanes. Il faut développer les régions soumises, en consacrant le produit des impôts à la construction de routes, d'hôpitaux, de puits. Plus généralement, le roi doit contribuer au bonheur de ses sujets, susciter leur affection, respecter leurs opinions : aux yeux d'Ashoka, comme l'exprime l'édit destiné aux habitants vaincus du Kalinga et à leurs magistrats, « tout homme est mon enfant ». L'idéal du souverain évergète (bienfaiteur), qui est présent chez les rois de l'Occident hellénistique contemporains d'Ashoka, est exprimé avec force dans les Édits ; il va de pair avec une conception universelle de l'autorité du souverain, mais aussi avec une humilité non feinte, qui fait reconnaître très explicitement les difficultés à long terme d'une telle entreprise politique.

On connaît mal le fonctionnement réel de l'empire maurya. On peut faire des Édits une lecture critique et y voir des textes programmatiques, voire de propagande. Quant aux recettes de l'*Arthashâstra*, elles peuvent aussi bien refléter un état de fait postérieur de cinq siècles. Les longs développements que son auteur consacre aux méthodes fiscales destinées à « cueillir l'impôt au fur et à mesure qu'il vient à maturité » et à la nécessité pour le souverain de combattre le manque de probité et de loyauté de ses subordonnés ne s'appliquent pas nécessairement à la période d'Ashoka. Le rôle de l'État dans l'économie, la place considérable occupée par ses mines et ses manufactures ne sont illustrés d'aucun exemple précis. Les voyageurs grecs, comme Mégasthènes, et leurs commentateurs romains, comme Strabon, soulignent la prospérité d'une économie agricole en expansion, l'importance des villes (corroborée par l'archéologie), le rôle des marchands et le poids de l'armée. L'extension géographique de l'empire, attestée par les inscriptions et par les chroniques bouddhiques, en fait un des plus vastes ensembles de l'époque : mais dans quelle mesure l'autorité du roi s'y exerçait-elle ? Les distances représentaient un problème majeur, que la construction de routes a tenté de résoudre : mais en dépit des dires de Pline l'Ancien, les Maurya n'ont pu mener un projet comparable à celui que les Romains réaliseront quelques siècles plus tard en Europe. Seule la « Grande Voie royale » ouest-est, longue de plus de 1 500 kilomètres, construite à l'initiative d'Ashoka, de Taxila à Patna, a pu jouer un rôle analogue. D'après les Édits, la justice s'exerçait lors de tournées du souverain dans les provinces, et à travers l'activité de juges itinérants dans les différentes régions de l'empire, qui devaient faire rapport au souverain. Selon l'*Arthashâstra*, le roi doit entretenir une nuée d'espions, se défier de chacun, et surtout faire pratiquer sans états d'âme ce qui est qualifié de « châtiment silencieux ». Entre l'État de droit d'Ashoka et l'État policier de Kautilya, où se situe la vérité historique ? Nul ne peut répondre à cette question. Mais que ces deux modèles aient été conçus avec autant de netteté par les Indiens de l'Antiquité en dit long sur leur sensibilité à la chose politique.

Morcellement politique et dynamiques régionales

L'empire maurya disparut peu de temps après la mort d'Ashoka. Historiens et sociologues ont imaginé plusieurs scénarios pour expliquer cet échec, qui va être récurrent, du projet impérial en Inde[4]. Les uns ne sont pas propres à l'Inde : le système impérial reposait sur la personnalité du souverain, plus que sur un sens de l'État. L'absence de règles claires de succession l'exposait aux risques de partage successoral. La charge fiscale suscitait des réactions de rejet dans un pays où la mobilité et les espaces vierges permettaient d'échapper à la tutelle de l'État en migrant hors de sa portée. La présence, aux marges de l'espace impérial, de populations insoumises faisait peser une menace constante sur l'État. D'autres explications mettent l'accent sur les contradictions du projet d'Ashoka, notamment sur les atteintes portées au statut des brahmanes et des guerriers, piliers des monarchies antérieures. C'est un général brahmane, Pushyamitra – les deux fonctions ne sont pas contradictoires –, qui détrône en −185 le dernier successeur d'Ashoka pour établir une dynastie shunga incapable de fédérer toute l'Inde du nord. Le Kalinga redevenu indépendant porte à sa tête un prince converti au jaïnisme, Kharavela, qui a laissé une longue inscription panégyrique omettant de citer les Maurya. Dans l'Inde du nord-ouest s'impose l'autorité des Yavana (le mot transcrit le terme Ionien, mais désigne en Inde tous les Occidentaux marqués par la culture grecque) : des royaumes généralement qualifiés d'« indo-grecs » se forment dans l'aire géographique qui correspond à l'Ouzbékistan, à l'Afghanistan et au Pakistan actuels. La succession de ces rois a pu être reconstituée grâce aux monnaies d'argent qu'ils ont émises sur le modèle de la drachme athénienne, et dont d'énormes trésors ne cessent d'être exhumés. Vers −200, le centre de leurs activités se déplace de la Bactriane vers le Gandhara : Taxila devient le foyer d'une culture composite où s'interpénètrent formes artistiques grecques et thèmes indiens, bouddhisme et philosophies grecques, sciences indiennes et helléniques. Les bouddhistes, dont l'influence s'est largement diffusée en Asie centrale à cette époque, ont fait du roi Ménandre ou Milinda (milieu du IIe siècle avant l'ère chrétienne) un personnage symbolisant l'adhésion à leur doctrine de rois non indiens : un texte célèbre composé comme un dialogue socratique le met en scène face au philosophe bouddhiste Nâgasena [5].

Simultanément apparaît un autre centre de pouvoir régional, dans le nord du Deccan. Dans la région de Paithan (actuel Maharashtra) était établie une population appelée andhra dont le clan dirigeant (Shâtavâhana) demanda à des brahmanes d'accomplir des rituels de consécration royale, à la manière dont ils sacraient les rois ârya. Il s'agit d'un événement de grande portée historique : pour la première fois un groupe tribal locuteur d'une langue dravidienne passe sous l'influence de la culture brahmanique : ce processus, qui va devenir récurrent dans le Deccan, explique pour l'essentiel l'intégration de la péninsule à la culture politique du nord. Sous la pression des Shaka (Scythes), les Andhra se déplacent vers l'est le long de la vallée de la Godavari, qui coule vers le golfe du Bengale, et finissent par se fixer dans la région à laquelle ils ont donné leur nom (Andhra Pradesh), d'où ils dominent une grande partie du Deccan. Ils vont y favoriser l'installation de nombreux brahmanes. En même temps, l'influence du bouddhisme et du jaïnisme, eux aussi venus du nord, se renforce dans le sud, au point qu'à Sri Lanka, les rois de la dynastie sinhala, qui revendiquent une origine nord-indienne, vont encore plus loin qu'Ashoka dont ils vénèrent la mémoire, en patronnant systématiquement le bouddhisme. Dynamisé par le commerce maritime avec l'empire romain, d'une part, et avec les régions côtières de l'Asie du Sud-Est, de l'autre, le sud de l'Inde émerge dans l'histoire comme une région qui revendique la singularité de sa culture mais adopte les modèles politiques et religieux venus du nord.

Alors que dans le sud, ce sont des communautés locales qui adoptent la culture indienne, dans le nord, ce sont des nouveaux peuples nomades qui s'intègrent au tissu social indien, mais à la marge. Un peuple de la steppe, les Scythes, s'installe au Gandhara vers −80, puis en Inde occidentale où il s'indianise au cours des Ier et IIe siècles de l'ère chrétienne : l'un de leurs rois, établi dans l'actuel Gujarat, fait célébrer ses hauts faits par une inscription en sanskrit, la première du genre. Derrière les Shaka arrivent les Kushans, autre clan nomade, issu du Turkestan et bien connu par les chroniques chinoises qui le rattachent à un ensemble de tribus appelées Yueh Chih. Les Kushans s'installent en Bactriane, puis au Gandhara, adoptant un certain nombre de traits des anciens royaumes indo-grecs : ils frappent monnaie et favorisent l'épanouissement de la statuaire gréco-bouddhique. Finalement, leur chef Kanishka s'empare à la fin du Ier siècle de l'ensemble de l'Inde du nord, de l'Afghanistan au Bengale, fixe l'une de ses capitales à Mathura, au sud de l'actuelle Delhi, et se proclame sur le modèle d'Ashoka le protecteur du bouddhisme dont il favorise l'expansion vers la Chine à travers l'Asie centrale. Or cet empire kushan est inconnu des textes indiens, hormis quelques allusions dans les documents bouddhiques ; ses inscriptions sont très rares ; la chronologie même de ses souverains fait l'objet de débats. Ce qui est en revanche attesté par les fouilles archéologiques et par l'étude du monnayage de cette époque, c'est la place occupée par l'essor des échanges commerciaux, le long des routes de la soie, qui deviennent aussi les vecteurs de l'influence culturelle indienne et notamment du bouddhisme dans l'ensemble de l'Asie.

Durant la longue période qui sépare l'empire maurya de l'empire gupta, nombreux sont les signes qui indiquent que l'Inde du nord se rapproche de celle du sud : les échanges de marchandises, la circulation des hommes, celle des idées et des pratiques religieuses tissent des réseaux de relations durables ; simultanément s'intensifient les échanges de même nature de cette Inde nouvelle avec les deux mondes qui l'encadrent, l'empire gréco-romain et l'empire chinois.

L'empire gupta et l'image du classicisme

Les deux siècles de l'empire gupta (319-510) sont souvent représentés comme l'âge d'or du classicisme indien. Ce concept de classicisme a été élaboré par les historiens occidentaux, puis repris et popularisé par les historiens nationalistes, en prenant en compte la combinaison de deux éléments : l'activité littéraire et artistique qu'on attribue à cette période considérée comme l'apogée de la littérature sanskrite ; et la relative unification de l'Inde du nord sous cette dynastie, qui semble reconstituer à son profit l'empire maurya, dont six siècles le séparent. Toutefois, cette image ne résiste pas toujours à l'examen : sur le plan artistique, les périodes antérieures et postérieures à l'empire gupta ne sont pas moins fécondes, et le lien entre stabilité politique et créativité culturelle n'est pas prouvé. C'est durant les « âges obscurs » qui le précèdent que se développent les inscriptions, l'usage du sanskrit comme langue de communication, que les grandes épopées prennent leur forme définitive, que sont codifiés les *Lois de Manou*, et que se produit la confrontation entre le bouddhisme et le brahmanisme. Quant à l'unification politique réalisée par les rois gupta, elle est probablement très relative. Il n'en reste pas moins que cette dynastie a fait preuve d'une remarquable stabilité, et ses rois d'une inhabituelle longévité (six ou sept souverains en deux siècles). Mais il est impossible d'en expliquer les ressorts, faute de documents précis. L'histoire des Gupta nous est connue par des inscriptions, des monnaies, des allusions dans les *Purâna*, par des récits d'un voyageur chinois, Fa Xian, venu puiser aux sources du bouddhisme, et par des références littéraires. Mais on ne dispose pas de la moindre chronique, ni même de textes de caractère hagiographique, à l'exception d'une longue inscription qui concerne Samudragupta, le deuxième souverain de la dynastie.

Le cœur du territoire des Gupta est le même que celui des Maurya : la moyenne vallée du Gange, de Bénarès jusqu'à Patna. Le nom de règne que se choisit le premier empereur est le même : Chandragupta. Ses origines sont tout aussi obscures que celles de son homonyme (il n'est sans doute pas *kshatriya*), au point qu'il se réclame sur ses monnaies de la famille de son épouse Kumâradevî, issue de l'antique lignée des Licchavi, et que son fils Samudragupta se qualifie « le fils de la fille des Licchavi ». Chandragupta, qui a régné de 319 à 335, semble avoir annexé la basse vallée du Gange à partir de Bénarès ou de Prayag (actuelle Allahabad), et s'être fait attribuer le titre de roi des rois. Mais il n'est pas encore à la tête d'un empire qui couvre toute l'Inde du nord. C'est son fils et successeur Samudragupta (335-375) qui est le vrai fondateur de l'empire. Son action est connue par un long panégyrique qu'il a fait graver sur un des piliers d'Ashoka, transféré à Prayag, ce qui laisse supposer qu'il y a chez lui une volonté de se référer à un précédent impérial. Mais le style en est très différent : il y proclame ses titres de gloire (il a fait célébrer le sacrifice du cheval) ; il y décrit ses campagnes militaires comme le voyage triomphal d'un dieu visitant la terre ; il énumère les régions qu'il a conquises et la façon dont il les a organisées. Trois cercles (*mandala*) sont ainsi distingués : la vallée du Gange, cœur du royaume, *Guptarâjamandala*, en administration directe, où le roi a « déraciné les dynasties adverses », y compris les dernières républiques

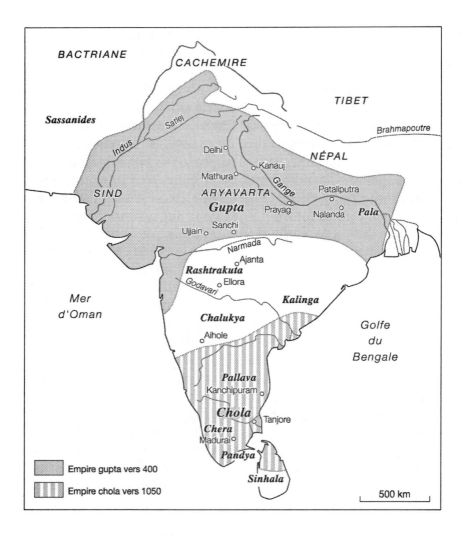

5. L'Inde des Gupta aux Chola

aristocratiques ; les marches forestières traversées et soumises où vivent des Âdivâsi, au sud de la grande plaine ; le Deccan jusqu'à Kanchipuram, en pays tamoul, conquis puis rendu à ses chefs après avoir fait acte de soumission. D'autres rois, comme ceux de Sri Lanka, du Népal ou du Gandhara, sont mentionnés comme ayant envoyé des tributs ou des ambassades. Les successeurs de Samudragupta sont fort mal connus. Un de ses fils, Râmagupta, aurait perdu le pouvoir au profit de son cadet Chandragupta II, qui l'aurait emporté grâce à sa détermination dans la lutte menée contre des adversaires shaka, qui tenaient à l'époque le Gujarat, débouché maritime de l'empire. Son alliance avec une dynastie du Deccan, les Vâkâtaka, héritiers et successeurs des Andhra, lui permit de renforcer sa position au sud de la vallée du Gange. Chandragupta II (375-415) prit le titre de Vikramâditiya (« soleil de gloire »), associé dans la tradition à l'image du roi puissant et juste, et entretint autour de sa personne une aura religieuse liée à la popularité grandissante des cultes vishnouites, se plaçant sous la protection du dieu Vishnou et de sa monture, l'aigle Garuda, qui devinrent les symboles de l'empire. Il aurait entretenu une cour brillante, y accueillant artistes et savants, en particulier le poète et dramaturge Kalîdâsa. Après un siècle d'expansion, son successeur Kumâragupta (415-455) consolida l'administration de l'empire, puis Skandagupta (455-467) entreprit de le défendre contre les premières offensives des Huna (Huns hephtalites), qui finalement menèrent des raids victorieux et particulièrement destructeurs contre les restes de l'empire, en 510. Mais il semble que l'empire gupta fut aussi la victime de désordres intérieurs, et notamment de rébellions des populations âdivâsi occupant les régions du nord du Deccan.

Les deux épisodes d'unification impériale de l'Inde ancienne sont finalement dissemblables. Moins ambitieux que les Maurya, les Gupta ont institué une administration plus souple et une fiscalité moins exigeante : ainsi les agents percepteurs sont-ils rémunérés sur une part de l'impôt qu'ils perçoivent, pratique qui va se généraliser pour longtemps en Inde. Moins visionnaires qu'Ashoka, les Gupta ont régné en s'appuyant sur les brahmanes. Ils ont promu la culture sanskrite qui connaît à l'époque un essor dépassant les limites de l'Inde (on a pu parler d'œcoumène sanskrite) et ont adhéré aux valeurs dont elle était porteuse. Ils ont probablement contribué à renforcer dans la société indienne de leur temps le principe strict de hiérarchie sociale déjà présent dans la société des temps védiques, puis durci et codifié durant la période séparant les deux empires. Mais les mécanismes précis qui ont mené le deuxième empire à son déclin nous restent tout aussi obscurs que ceux qui ont entraîné la chute du premier.

Le demi-millénaire qui suit la chute des Gupta correspond au début du Moyen Âge européen, à l'apogée de Byzance et à l'émergence de l'islam comme force unificatrice au Moyen-Orient et dans le bassin méditerranéen. Sur la base d'un parallèle hâtif avec l'histoire européenne, on a longtemps eu tendance à le caractériser comme une période de déclin : il n'en est rien [6]. Le morcellement politique du nord de l'Inde ne s'accompagne d'aucun signe de régression, le sud de la péninsule s'affirme comme le deuxième pôle de la civilisation indienne, le dynamisme économique et culturel de l'Inde est intact et entraîne dans son sillage l'Asie du Sud-Est continentale et insulaire. La non-conquête de l'Inde par le califat de Bagdad, qui a souvent intrigué les historiens, n'a rien de paradoxal.

ÉTATS ET SOCIÉTÉS DANS L'ANTIQUITÉ

L'évolution de l'Inde du nord vers un système « féodal »

Les Huna et les autres peuples nomades venus à leur suite, tels les Gurjara, semblent avoir détruit toutes les villes et les monastères bouddhiques, de l'actuel Afghanistan à la vallée du Gange. Mais de nouvelles cités furent vite reconstruites. C'est ainsi qu'apparut un nouvel État en Inde du nord, au cœur du Doab, autour de la cité de Kanyâkubja (l'actuelle Kanauj). On connaît assez bien le règne d'un de ses rois, Harsha (606-647), qui fit composer son panégyrique par son courtisan Bana. Modelant sa cour sur celle des Gupta, s'appuyant sur les brahmanes (sa capitale devint un foyer de culture sanskrite) mais protégeant les moines bouddhistes, il accueillit des pèlerins chinois tel Xuan Zhang, qui séjourna en Inde durant treize ans et écrivit à son retour un récit du plus grand intérêt sur ce royaume et sur l'état du bouddhisme en Inde. Mais cet État n'était qu'un royaume parmi d'autres, sa position était menacée par l'ambition de puissants voisins, établis au Bengale (les Pâla), au Deccan (les Chalukya) et au Cachemire. Après sa disparition, la cité devint l'enjeu d'une lutte prolongée entre différentes puissances : c'est un clan gurjara, les Pratihâra, qui finit par l'emporter et fonder un nouveau royaume dans la région du seuil indo-gangétique, à la fin du VIIIe siècle.

Prenant le titre de *Rajpoute* (« fils de rois »), un certain nombre de clans guerriers souvent issus de groupes nomades comme les Gurjara, mais aussi de tribus âdivâsi comme les Bhils, parvinrent à s'intégrer par le haut dans la hiérarchie sociale indienne. Selon leurs traditions, une cérémonie de purification collective par le feu aurait été célébrée par des brahmanes sur le mont Abu, à la limite entre le Gujarat et le Rajasthan, en 747, à la suite de laquelle ils auraient été « réintégrés » dans le statut de *kshatriya* qu'il n'avaient en réalité jamais possédé. Au gré des alliances matrimoniales et des guerres entre clans, certaines familles parvinrent à créer des réseaux de fidélité ressemblant à ceux qui, en Occident, composaient le tissu de la société féodale : ainsi les Pratihâra à Kanauj, les Solankî au Gujarat, les Chauhan à Ajmer, les Tomar, qui fondent la ville de Delhi en 736, les Guhila à Chittor, les Kâlachûrî à Tripurî, les Chandella à Khajurâho. L'émergence de ces lignages guerriers, qui vont imposer un *nouveau* modèle social en Inde du nord, fondé sur des valeurs chevaleresques assez comparables à celles de leurs contemporains d'Europe du nord, est un fait significatif pour notre propos. Ils sont à l'origine de la seule classe qui ait perpétué consciemment un ensemble de traditions historiques jusqu'à nos jours, les enrichissant à l'occasion d'épisodes héroïques. À l'instar de Walter Scott dont il était un grand admirateur, James Tod, qui a recueilli ces traditions au début du XIXe siècle, a largement contribué à leur redécouverte par les Rajpoutes du temps présent, dont le lien avec les familles du temps passé est souvent, comme chez la noblesse européenne, fort ténu, ce qui n'ôte rien à la force de leur sentiment d'appartenance.

Les vallées himalayennes, parcourues par les marchands faisant le commerce avec le Tibet, servirent à partir de cette époque de lieux de refuge à des lignages aristocratiques issus des plaines qui y fondèrent des petits royaumes. Le plus important d'entre eux est le Cachemire, dont l'histoire nous est particulièrement bien connue grâce à la chronique rédigée en sanskrit par le brahmane Kalhana, au XIIe siècle. À partir de leur haute vallée, les rois du Cachemire, notamment Lalitâditya (VIIIe siècle), lancèrent des expéditions en direction du Panjab, de Kanauj, du Sind où ils se heurtèrent au petit sultanat qui s'y était établi en 712 ; d'après Kalhana, Lalitâditya aurait même pénétré jusqu'au sud du Deccan. L'expansionnisme cachemiri fut de courte durée, et le royaume fut victime par la suite de luttes fratricides entre clans guerriers cherchant à mettre la main sur ses ressources. La prospérité de la région était fondée sur le développement de techniques perfectionnées d'irrigation et sur le commerce avec le Tibet, la Chine et l'Asie centrale. Carrefour d'influences culturelles très diverses, fortement marqué à la fois par le bouddhisme, par la présence d'une puissante communauté de brahmanes lettrés[7] et par les courants tantriques qui imprimaient leur marque sur le shivaïsme, le Cachemire acquit dès cette époque une grande complexité, qui fut renforcée par sa conversion massive à l'islam quelques siècles plus tard. Moins marqué par l'influence indienne que le Cachemire, le Népal s'émancipa au IXe siècle de la tutelle du Tibet, et parvint à échapper à la conquête par les gens des plaines. La communauté locale des Newar fédéra autour de la vallée de Katmandou et de Patan les populations des régions environnantes, et donna son soutien au bouddhisme. Par contre, plus à l'ouest, ce sont des multitudes de petits royaumes qui se maintinrent dans des vallées séparées les unes des autres, mais où l'influence des brahmanes se fit sentir, les sources du Gange et de ses affluents devenant des lieux de pèlerinage.

À la même époque, le royaume du Bengale se constitua sur des bases très différentes de celles des États rajpoutes, ressuscitant en quelque sorte le modèle d'Ashoka. Le déplacement du centre de pouvoir de Patna à Kanauj laissait de l'espace à l'affirmation d'une entité politique bengalie qui jusqu'alors n'était absolument pas définie. Comme pour le Cachemire, c'est dans l'histoire de cette époque que le particularisme bengali puise sa force ; de même, l'effacement du bouddhisme et la conversion ultérieure d'une partie de sa population à l'islam n'oblitérèrent pas ces tendances. Le bouddhisme qui s'y maintint dans les premiers siècles de son histoire représentait une référence politique, comme à Sri Lanka. La dynastie pâla (environ 770-environ 1120) fut fondée par un personnage appelé Gopâla, loué dans les textes bouddhiques (une chronique du Bengale compilée au XVIᵉ siècle par un moine tibétain), pour avoir suivi l'idéal du Mahâsammâta, le monarque justicier, et avoir mis fin à l'anarchie décrite comme « le règne des poissons où les petits sont mangés par les gros ». Ses successeurs, Dharmapâla et Devapâla, établirent leur capitale dans l'ancienne cité impériale de Patna, et donnèrent à cet État un rayonnement qui atteignit le Tibet et l'Asie du Sud-Est. Cette dynastie joua un rôle essentiel en prolongeant jusqu'au XIIᵉ siècle la survie du bouddhisme dans sa région d'origine, et en transmettant cet exemple aux monarques birmans et siamois qui restèrent jusqu'à l'époque moderne les plus fermes défenseurs du bouddhisme. Les Pâla accordèrent leur patronage à deux grandes universités monastiques qui connurent une renommée panasiatique, celles de Nalanda et de Vikrâmashila. Cosmopolite, cultivé, ouvert sur l'extérieur, fidèle au bouddhisme mais marqué par des courants mystiques, le jeune Bengale renouait ainsi avec l'héritage de l'Antiquité, dans une sorte de première Renaissance – un ensemble de traits qui allaient devenir la marque caractéristique du Bengale jusqu'à nos jours.

L'essor de l'Inde péninsulaire

Entre le VIe et le XIIe siècle se produit un déplacement des équilibres entre le nord et le sud de l'Inde : ce phénomène prolonge et amplifie ce qui avait été ébauché dans le cadre du royaume andhra, et de nombreux signes suggèrent que désormais la péninsule est devenue la région la plus dynamique de l'Inde. Chacune de ses régions va se trouver tour à tour intégrée dans des constructions politiques fondées sur le modèle de la monarchie brahmanique, qui devient dominant dans l'ensemble du Deccan et de l'extrême sud (à l'exception de Sri Lanka où se maintient le modèle bouddhique). Il s'agit de grands ensembles territoriaux qui ne sont pas structurés de façon très centralisée : ils ont parfois été qualifiés d'États segmentaires, ou de confédérations. Ils s'organisent généralement selon un processus géopolitique qui devait rester dominant jusqu'au XVIIIe siècle : un groupe de guerriers-paysans mobiles, issus des hautes terres pauvres du centre-ouest du Deccan, à la lisière entre les zones linguistiques indo-aryenne et dravidienne, impose sa loi aux régions agricoles plus riches situées de part et d'autre, surtout aux deltas rizicoles du golfe du Bengale. Il bénéficie de l'appui de brahmanes issus du nord du Deccan qu'il attire par des donations de terres et pour lesquels il construit des temples, et de l'activité marchande qui se ramifie à partir de l'axe nord-sud central qui mène du Malwa à la pointe sud de l'Inde, précisément dans les zones d'où sont originaires ces communautés conquérantes. Après les Andhra (à partir du Ier siècle), les Chalukya (VIe siècle), les Rashtrakuta (VIIIe siècle), les rois de Vijayanagar (XIVe siècle) et finalement les Maratha (XVIIe siècle) constituent leur pouvoir selon ce modèle. Y échappent les royaumes pallava (VIᵉ siècle), chola (Xᵉ siècle) et ganga (XIᵉ siècle) dont la base est située dans les deltas du golfe du Bengale. Ces États favorisent la fécondation entre plusieurs cultures : la culture sanskrite, qui pénètre dans le sud principalement à partir du Malwa, et qui influence les langues dravidiennes ; les cultures tribales qui font écran à cette diffusion vers le sud, mais qui sont en même temps des lieux de dynamisme, et enfin les civilisations de l'Inde maritime animées par le commerce extérieur. Ces interpénétrations se traduisent entre autres par l'existence de nombreuses inscriptions bilingues, en prâkrit et en tamoul, sur les monnaies et sur les inscriptions commémorant des donations religieuses.

Les Chalukya étaient comme les Andhra des chefs tribaux dravidiens établis dans des forteresses qui contrôlent le sommet des Ghâtes, dans la région de Bâdâmi (actuel Karnataka). Au VIᵉ siècle, ils adoptèrent les rituels brahmaniques, célébrèrent le sacrifice du cheval, et constituèrent un royaume expansionniste. Leur roi Pulakeshin II, vers 630, parvint à bloquer les expéditions contre le Deccan de Harsha, roi de Kanauj, et finit par remporter sur lui une victoire qu'il célébra dans une inscription qu'il fit graver dans une de ses capitales, Aihole. Un siècle plus tard, en 740, le dernier grand roi chalukya, Vikramâditya, s'empara de Kanchipuram, capitale du pays tamoul. En dépit de nombreuses guerres, durant deux siècles, l'espace du Deccan se trouva unifié, ce qui contribua à l'essor de l'activité marchande, bien connue à travers les donations faites aux temples par les grandes guildes, notamment celle des « Cinq Cents d'Aihole », basés dans l'une des capitales du royaume. Ce fut aussi le lieu d'une exceptionnelle créativité artistique marquée par le développement d'un style nouveau de sculpture et d'une iconographie religieuse profondément influencée par les courants de religiosité nés dans le sud, dont les temples d'Aihole fournissent l'exemple le plus connu.

En 753, une nouvelle dynastie s'émancipa de la tutelle des Chalukya, et s'imposa à ses dépens au nord et au centre du Deccan, au point de constituer au IXe siècle le principal pouvoir politique en Inde, au dire des écrivains arabes de l'époque. Initialement basés dans la haute vallée de la Godavari, comme les Shatavahana, ces nouveaux venus, les Rashtrakuta, établirent leur capitale un peu plus au sud, à Malkhed, et ils contrôlèrent pour finir un territoire équivalent à celui des Chalukya. Comme eux, ils étendirent leur pouvoir à la fois vers le nord, occupant la cité de Kanauj dans la plaine du Gange au début du Xe siècle, et vers le sud, mettant la main sur tout le pays tamoul en 965 sous la houlette de leur roi Krishna II. Leur puissance était liée à l'essor du commerce avec le Moyen-Orient islamisé, et au contrôle exercé sur les régions cotonnières des actuels États du Maharashtra et du Gujarat, dont les produits de valeur étaient exportés en grandes quantités par les marchands des ports de la côte occidentale de la péninsule. Leur pouvoir finit par céder sous les exigences de leurs dépendants et une branche des Chalukya reconstitua un pouvoir autonome au Xe siècle en Inde de l'ouest, tandis que beaucoup plus au sud s'affirma l'autorité d'un nouveau royaume, celui des Chola.

Le passé de l'extrême sud de la péninsule était caractérisé par un morcellement poussé du pouvoir. À partir du VIe siècle, les quatre pôles de pouvoir traditionnel constitués par les royaumes chera (Kerala), pândya (autour de Madurai), chola (delta de la Kâverî plus au nord) et sinhala (à Sri Lanka) furent l'objet de tentatives d'englobement dans des ensembles plus vastes constitués de l'extérieur. Initialement vassaux des Andhra, les Pallava établirent un pouvoir autonome dans le nord du pays tamoul, et fixèrent leur capitale dans la ville de Kanchipuram. Sous le règne de leur roi Mahendravarman (600 ?-630) et de ses successeurs, les Pallava, qui avaient renoncé au jaïnisme pour se tourner vers le shivaïsme, exercèrent une grande influence culturelle et politique sur toute l'Inde du sud, et également sur tous les pays riverains du golfe du Bengale, dont les marchands tamouls de Mahâbalipuram fréquentaient les ports. Mais les guerres fréquentes que les Pallava menaient contre leurs voisins finirent par user leurs forces, et en 731, les Chalukya alliés aux Pândya leur infligèrent une défaite dont ils ne se relevèrent pas.

C'est l'un des anciens lignages tamouls, les Chola, établi dans le delta de la Kâverî, qui s'affirma au cours du Xᵉ siècle comme le pouvoir dominant dans le sud-est de la péninsule. Entre 985 et 1014, l'un de ses chefs prit le titre de *Râjarâja* (le roi des rois) et entreprit de conquérir le domaine des Chera (Kerala), celui des Pândya (Madurai), puis l'île de Sri Lanka. Son fils Rajendra se lança à son tour dans une politique expansionniste ambitieuse. Vers 1022, après avoir vaincu le roi du Bengale, il atteignit le Gange, dont il se vanta d'avoir fait détourner symboliquement les eaux vers sa nouvelle capitale, qu'il fit appeler Gangaikondacholapuram (« La ville du Chola qui a conquis le Gange »). L'autre direction prise par l'expansion chola est l'Asie du Sud-Est maritime, où le roi Rajendra envoya une expédition s'emparer, brièvement d'ailleurs, du royaume de Srîvijaya, établi de part et d'autre du détroit de Malacca. Cette expansion navale et guerrière des Chola prolongeait l'expansion des Pallava en lui donnant un caractère plus agressif. Parallèlement, les Chola multiplièrent les constructions de temples et encouragèrent l'essor artistique du pays tamoul, dont les bronzes datant de cette époque représentent l'une des plus belles réalisations. Aux yeux des historiens militants tamouls du XXe siècle, l'empire chola représente un apogée classique rivalisant avec celui de l'empire gupta dans le nord un demi-millénaire plus tôt, dans lequel la perfection de la langue tamoule égale celle du sanskrit. Pour la première fois, les deux rives du golfe du Bengale sont sous l'autorité d'un seul pouvoir, formant en somme l'amorce d'une sorte de Méditerranée indienne. La volonté de puissance des Chola, assise sur un dynamisme économique sans pareil aboutissant à la naissance de la première diaspora indienne outre-mer, est un motif de fierté qui a mobilisé les Tamouls indiens luttant pour la reconnaissance de leur culture après 1947, et qui mobilise les Tamouls sri-lankais luttant pour leur indépendance depuis la fin des années 1980 : le nom de Tigres qu'ils se sont donné vient de l'animal emblématique des Chola. Pour d'autres historiens, les expéditions des Chola sont des raids de pillage pur et simple, pour d'autres encore, des opérations montées pour favoriser le commerce tamoul. Ce qui est indéniable, c'est que l'expansion indienne outre-mer est l'aboutissement naturel de l'essor de l'Inde péninsulaire, dont on évoquera les aspects culturels dans le prochain chapitre. Ce sont les Indiens les plus tardivement marqués par l'influence brahmanique, qui avaient eu le temps d'élaborer une « indianité » combinant leur propre culture matérielle et symbolique avec celle des peuples déjà « sanskritisés », qui ont été le mieux en mesure de diffuser le « modèle indien » dans des sociétés émergentes.

Au XIIe siècle, la puissance des Chola s'effrita, et chacune des régions qui composaient leur empire retrouva son indépendance. L'affirmation d'un nouveau pouvoir sur les côtes orientales de l'Inde, le royaume ganga, basé en Orissa (l'ancien Kalinga), y contribua : solidement organisé autour du culte de Jagannath, dans la cité-temple de Puri, et intégrant sous forme d'une sorte de confédération de très nombreux chefs âdivâsi, les Pulinda, qui subsistaient dans l'arrière-pays, ce royaume illustre les mécanismes d'intégration des aborigènes (qui gardent leurs langues et leurs structures sociales) dans l'espace politique indien.

CHAPITRE 5

Les dynamiques religieuses
et culturelles dans l'Antiquité

La représentation habituelle de l'histoire religieuse de l'Inde ancienne y distingue trois phases successives. La première, la phase « védique », est caractérisée par la prédominance d'une religion ritualiste organisée autour des sacrifices exécutés par les brahmanes pour le compte des détenteurs du pouvoir ; elle est bien identifiée et décrite de façon très formalisée par les textes sanskrits portant le nom de Védas (*veda*, « savoir »). Les textes les plus sacrés sont ceux de la « Révélation » (*shruti*, littéralement, « ce qui est ouï »). Ils sont suivis d'une importante littérature descriptive et normative appelée la « Mémoire » (*smriti*), qui prépare la mutation intervenue au cours du Ier millénaire avant l'ère chrétienne. La seconde phase est caractérisée par le développement d'une religion parfois qualifiée de « puranique », enrichie d'un panthéon nouveau dans lequel les divinités s'organisent autour de Vishnou et de Shiva et d'une mythologie qui s'exprime à travers les épopées et les *Purâna* (les « Antiquités »). Parallèlement apparaissent des courants tels que le bouddhisme et le jaïnisme, issus de l'approche brahmanique mais en rupture avec elle. Dans les textes de l'époque, comme les Édits d'Ashoka, les adeptes de ces nouvelles religions sont souvent qualifiés de shramanes, d'où l'expression, inusitée en français mais employée par de nombreux spécialistes, de religions « shramaniques ». La troisième phase, qui s'affirme dans la seconde moitié du Ier millénaire de l'ère chrétienne, est marquée par l'essor de cultes de dévotion (*bhakti*), à des dieux tels que Vishnou, spécialement sous les formes de Krishna et de Râma, et à Shiva, notamment à ses fils Ganesh et Murugan. On réserve généralement le terme d'hindouisme à cet ensemble de cultes. Parallèlement, le bouddhisme décline et finit par disparaître d'Inde au XIIIe siècle, tandis que l'islam, présent dès le VIIIe siècle, devient la religion de la majorité des détenteurs du pouvoir, tout en restant minoritaire au sein de la population.

Cette approche unilinéaire, commode pour la compréhension de l'évolution religieuse de l'Inde, mérite cependant d'être nuancée, ou même révisée, du point de vue de ses dimensions sociales et spatiales, et de sa chronologie. La religion védique était circonscrite à l'Inde du nord, dans le cadre de la société ârya. Seuls certains éléments en ont été transmis dans le reste de l'Inde. À sa périphérie, c'est-à-dire sur la majeure partie du territoire indien actuel, prédominaient d'autres cultes et d'autres conceptions religieuses, que les brahmanes se sont efforcés, avec plus ou moins de succès, de contrôler au cours des phases ultérieures, et qui ont profondément transformé les pratiques religieuses indiennes avec l'émergence des cultes de dévotion. Ainsi les cultes de la Déesse, terrible ou bienfaisante, sous de multiples formes locales, et les cultes des héros morts au combat, ont-ils certainement existé depuis la plus haute Antiquité, avant d'être absorbés parfois tardivement, au cours du Moyen Âge. Il est possible qu'il en soit de même pour les cultes de Krishna et de Shiva. Les courants religieux de type shramanique sont antérieurs à la naissance du bouddhisme et du jaïnisme, qui sont les seuls à s'être durablement implantés. Ils sont peut-être aussi anciens que le brahmanisme védique lui-même. La disparition du bouddhisme du monde indien, souvent perçue comme une énigme, est un phénomène qui s'étale sur une très longue période, et ne saurait s'interpréter en termes de rupture. Enfin le terme d'hindouisme, timidement apparu au XIV\ :superscript-e siècle mais véritablement adopté seulement au XIX\ :superscript-e siècle, regroupe un ensemble de cultes dont les adeptes se définissent par l'appartenance à des sectes et non à une religion homogène et identifiable en tant que telle : les débats soulevés à l'époque moderne par la question de l'inclusion ou non de telle secte dans la catégorie « hindouisme » illustrent l'extrême fluidité des identités religieuses en Inde. La définition de l'hindouisme, d'abord par opposition au christianisme des missionnaires britanniques, puis par opposition à un islam lui-même très divers, est un phénomène relativement récent. Pour rendre compte de cette histoire religieuse extrêmement complexe, et la mettre en rapport avec l'évolution sociale, on préférera à une vision unilinéaire une approche mettant l'accent sur des phénomènes de mutation, de confrontation, et de diffusion. Mais le lecteur doit garder à l'esprit qu'il s'agit d'un essai d'interprétation historique et non d'une reconstitution fondée sur des documents datés : plus que toute autre, l'histoire religieuse de l'Inde est conjecturale, faute de repères chronologiques sûrs [1].

Mutation : du ritualisme védique aux cultes de dévotion

Le védisme était une religion collective et non personnelle, aristocratique, réservée aux initiés, accordant à la consécration de l'espace de célébration du sacrifice, aux gestes et aux paroles connus des seuls prêtres un rôle exclusif dans l'efficacité de la pratique religieuse[2]. Les grands dieux du panthéon védique comme Varuna et Mitra, qui tiennent la souveraineté et le droit, Indra, la Puissance victorieuse, Agni, le Feu, Sûrya, le Soleil, Yama, la Mort, incarnaient les forces qu'il s'agissait de rendre propices, grâce à des formules magiques transmises de maître à disciple au sein de l'ordre des brahmanes. Ils n'étaient pas incarnés, donc pas représentés, on leur donnait des offrandes végétales et animales, et il n'existait pas de temples établis pour les révérer. Mais à leurs côtés étaient déjà présents, dans le lieu cérémoniel du sacrifice, deux dieux promis à un grand avenir : Vishnou, créateur de l'espace, et Rudra (assimilé plus tard à Shiva), qui représente l'aspect dangereux et sanglant du sacrifice. Dans cette religion, la distinction fonctionnelle entre l'ordre (*varna*) des prêtres, détenteurs du savoir (brahmanes), celui des chefs, détenteurs de l'autorité (*kshatriya*), et celui du peuple ayant accès au sacré (*vaishya*), était essentielle au bon accomplissement des rites. Mais la prédominance hiérarchique des brahmanes était moins nette que ne l'affirment les textes plus tardifs : elle s'est développée à travers la place centrale accordée au rituel sacrificiel et à la possession du savoir, et grâce à la plus grande continuité du pouvoir qu'il conférait aux prêtres, comparée au caractère éphémère du pouvoir fondé sur l'exercice de la force.

Les dieux védiques perdirent de leur attrait dans le cours du Ier millénaire avant l'ère chrétienne face à l'essor des cultes de divinités locales telles que Râma ou Krishna, diffusés dans l'Inde entière grâce à l'extraordinaire instrument de propagation constitué par les deux grandes épopées, le *Mahâbhârata* et le *Râmâyana*. Il est possible que certains de ces cultes aient été aussi anciens que ceux des dieux védiques, et aient constitué la forme principale de religiosité en dehors des cercles aristocratiques et savants. Leur succès était fondé sur leur caractère populaire, leur accessibilité, et l'aspect incarné des divinités offertes à la vénération des fidèles. Leurs lieux saints étaient localisés sur les routes des échanges. Le modèle du ritualisme sacrificiel était devenu moins séduisant aux yeux des nouveaux gouvernants, qui ne se soumettaient pas au processus de la légitimation de leur pouvoir par les brahmanes. Ces derniers, risquant de perdre leur monopole religieux, s'efforcèrent de prendre le contrôle de ces cultes nouveaux : les *Purâna* témoignent de cette mutation. Ces textes sont des manuels de dévotion à chaque divinité : ils regorgent de récits mythologiques, issus de croyances populaires non védiques, mais réorganisés dans une logique brahmanique. Les formes de dévotion se différencient du sacrifice védique tout en en conservant certains traits. L'offrande (*pûjâ*) à la divinité n'implique plus l'immolation d'un être vivant. Elle se fait désormais devant une image de la divinité, icône symbolique (le *lingam* de Shiva), ou à forme humaine (modifiée par des signes de reconnaissance corporels et/ou associée à un animal censé être la « monture » du dieu).

L'élaboration des épopées par des aèdes brahmanes peut s'interpréter comme une reconnaissance de la validité des religions populaires, une sorte de compromis, s'accompagnant d'un effort pour rendre acceptables ces cultes dans les termes de la culture dominante. Râma et Krishna sont des héros locaux, chefs de clans célébrés par leurs descendants, qui n'ont pas nécessairement à l'origine de statut religieux. La transmutation de ces récits, qui vont devenir des textes de référence, peut avoir été l'œuvre d'un petit nombre d'auteurs. Dans ce processus, l'introduction de la *Bhagavad Gîtâ* au cœur du *Mahâbhârata* représente un choix décisif, qui donne cohérence au récit, ce que met pleinement en lumière l'interprétation de Madeleine Biardeau. Le caractère central du personnage de Krishna « amène à proximité des hommes une divinité anthropomorphique identifiée à la divinité suprême et objet d'un culte que les plus exigeants en matière de pureté seront les premiers à adopter [...]. Ce dieu à forme humaine est attentif aux besoins des hommes [...] et il est ainsi apte à s'attirer la dévotion de chacun[3] ». La secte vishnouite des Bhâgavata qui se développe à l'époque admet dans ses rangs des gens de toutes origines, y compris des Grecs. Cette mutation ne se limite pas aux épopées, qui sont de sensibilité essentiellement vishnouite. Elle s'exprime tout autant à travers des phénomènes d'identification d'un dieu à un autre, ce qui va conduire, par exemple, à absorber le dieu védique Rudra dans la personne divine de Shiva, qui n'est pas plus d'origine ârya que ne le sont Krishna et Râma. Les tendances à l'absorption se manifestent aussi à travers l'action de sectes dites « shaktiques », qui commencent à être reconnues dans les textes brahmaniques, alors que le fondement même de leur religiosité, qui est l'adoration de la Déesse, énergie féminine (*shakta*) sous toutes ses formes, est initialement parfaitement étrangère au système religieux védique, et lui est même antithétique.

Une telle mutation accompagne un processus de construction sociale : c'est la période où s'intensifie l'incorporation des peuples autochtones ou nouvellement arrivés dans une société indienne globale. Or cette incorporation ne se fait pas par leur intégration dans une « cité » à la manière gréco-romaine, ni dans un « empire » à la manière chinoise, mais par l'admission de leurs dieux dans le panthéon brahmanique : la religion est le facteur exclusif d'intégration sociale dans la société indienne de l'époque. Ce processus sans rupture avec l'ordre traditionnel élargit l'espace social, mais y maintient les hiérarchies anciennes. Seuls en sont exclus les intouchables, catégorie qui se différencie alors nettement du reste de la population, précisément parce qu'elle n'est pas intégrable dans un système religieux où le concept de pureté occupe une place centrale.

Confrontation : les brahmanes face aux shramanes

La mutation du brahmanisme n'est pas seulement l'effet d'une absorption des courants de la religiosité populaire. C'est aussi une réponse au défi que les religions de renoncement, portées par les shramanes, avaient lancé au ritualisme védique et à sa conception de l'ordre social. Madeleine Biardeau, à partir d'une lecture novatrice du *Mahâbhârata*, dont la composition peut s'analyser comme l'invention d'une tradition à partir d'éléments discontinus de pratiques védiques et d'histoires locales, voit dans l'épopée l'expression de « l'affrontement historique mais non violent du brahmanisme et du bouddhisme[4] ». Cette confrontation n'est pas nouvelle, mais l'élément historique décisif est « l'aide puissante apportée à la diffusion du bouddhisme par la domination d'Ashoka et sa conversion au bouddhisme », qui a « renforcé et accéléré les évolutions en cours du côté brahmanique », et qui présente, du point de vue brahmanique, « un risque immense de désordre social théorique ». L'échec final du projet ashokéen laisse la place à des détenteurs du pouvoir qui vont défendre les valeurs brahmaniques. Le modèle d'Arjuna, le héros guerrier qui sur le conseil de Krishna finit par accomplir son devoir sans états d'âme, représente l'exacte antithèse de celui d'Ashoka, le monarque ébranlé par sa conscience et qui renonce à la violence. La *Gîtâ* donne une dimension morale et sociale, et une résonance poétique, aux préceptes triviaux de l'*Arthashâstra*. Cette réaction culturelle se produit sans doute dans la région de Mathura, où le culte de Vishnou sous la forme de Bhagavan (« le Bienheureux ») est attesté à cette époque, et dans les régions voisines où Vishnou est adoré sous le nom de Vasudeva et de Nârâyana. Elle s'achève lorsque sont codifiées les *Lois de Manou* (*Manavadharmashâstra*), sans doute contemporaines de l'empire kushan, à une époque où le bouddhisme s'affirmait encore comme une doctrine attirante pour les nouveaux détenteurs du pouvoir. Ainsi se produit un processus de maturation, à travers la confrontation entre le système brahmanique et le système bouddhique. Cette hypothèse qui historicise en quelque sorte la composition de l'épopée apparaît extrêmement féconde pour une compréhension globale de l'Inde ancienne.

Le bouddhisme et le jaïnisme sont les fruits les plus durables de floraisons d'écoles de pensée et de sectes ascétiques qui acquièrent une visibilité à partir du VIᵉ siècle avant l'ère chrétienne, mais qui seraient apparues bien antérieurement, au dire de leurs adeptes. Leur essor, contemporain de celui de la philosophie grecque et chinoise, marque une étape majeure de l'histoire culturelle de l'ancien monde, dont toutes les implications sont loin d'avoir été analysées par les historiens. Parmi les autres sectes shramaniques, la moins mal connue est celle des Âjîvika, qui développa très tôt une vie communautaire monastique de type ascétique, rejetant le système hiérarchique des brahmanes pour se consacrer à la délivrance de l'ordre du monde. Profondément pessimiste, leur doctrine affirmait une sorte de prédestination qui excluait toute possibilité d'une morale menant au salut. Des vues encore plus radicales étaient défendues par des penseurs matérialistes et sceptiques, qualifiés généralement de Chârvâka, qui niaient l'existence de l'âme et la possibilité d'une survie. Ces doctrines semblent s'être développées au sein d'une élite intellectuelle en rupture avec la philosophie des brahmanes telle qu'elle était exprimée dans les Upanishads, une philosophie qui présentait une vision fondamentalement positive de la relation entre la pensée, l'action et la destinée.

Ce qui fait l'originalité et la force du bouddhisme par rapport aux autres mouvements ascétiques contemporains est parfaitement exprimé par le Bouddha lui-même dans ses premiers sermons[5]. C'est d'abord la conviction que la méditation peut mener à la découverte des voies du salut : il est donc infondé de voir dans le bouddhisme une doctrine pessimiste ou négative, même si la délivrance finale y est en effet « extinction », *nirvâna*. C'est ensuite la conviction que l'ascétisme, poussé à un point extrême, est contraire à cette recherche du salut, mais que l'acceptation et la sanctification du monde social tel qu'il est, de l'ordre social que prônent les brahmanes, sont tout aussi contraires à cette quête, d'où la proposition d'une voie médiane, d'un « juste milieu » au sens plein des termes. Enfin, ce n'est pas l'impureté, comme le croient les brahmanes, qui représente l'obstacle par excellence à la recherche du salut, mais la souffrance, *duhkha*. Méditation sur les causes de la souffrance humaine, le bouddhisme peut être perçu à la fois comme une religion salvatrice et comme une sagesse humaniste. En Occident, on a souvent le tort de voir dans le bouddhisme une sagesse profane, en raison de l'indifférence du bouddhisme aux dieux et au surnaturel, de l'absence de prêtres et de cultes d'adoration, du moins dans le bouddhisme primitif, et parce que, contrairement aux monothéismes, le bouddhisme ne demande pas d'allégeance exclusive. Or historiquement, dans le contexte asiatique qui l'a vu naître, le bouddhisme a été et reste incontestablement une religion, si l'on définit une religion comme un ensemble de croyances collectives enracinées dans une société et une culture, et manifestée dans des cultes et des rites, proposant une vision du monde et une éthique, et portée par des spécialistes lettrés, les *bhikkhu* (moines mendiants). Mais ce fut une religion sans prêtres investis d'un pouvoir surnaturel, sans sacrements ni sacrifices ; ses officiants étaient des prêcheurs, et le Bouddha un exemple, non une personne divine. C'est une religion qui s'est voulue universelle et fondamentalement missionnaire, à la différence des autres sectes shramaniques. Elle s'appuyait sur une église, le *sangha*, constituée par la communauté des moines (*bhikkhu*) et des nonnes (*bhikkhuni*), mais aussi par les dévots et les dévotes laïcs (*upâsaka* et *upâsikâ*). La force historique du bouddhisme en Inde vient à la fois de ses vertus organisationnelles, développées du vivant même du Bouddha, qui vécut jusqu'à quatre-vingts ans, et du contenu du message. L'absence d'une classe sacerdotale spécialisée ouvrait à tous (femmes comprises) l'accès au savoir, qui perdait son caractère de monopole initiatique : la hiérarchie des *varna* devenait de ce fait caduque, ou tout au moins elle perdait sa pertinence dans l'optique des valeurs ultimes. Les dieux existants étaient tolérés mais subordonnés à un système de valeurs de nature éthique, et les cultes existants n'étaient pas condamnés mais remis à leur place, celle d'instruments très imparfaits dans la quête de la délivrance. De ce fait, le bouddhisme proposait un système d'intégration des cultes extérieurs différent et concurrent de celui du brahmanisme.

La doctrine connue sous le nom de jaïnisme est à l'origine du courant religieux de l'Inde qui a connu la plus grande longévité : contrairement au bouddhisme dont il était très proche, le jaïnisme s'est perpétué en Inde jusqu'à nos jours, tout en restant très minoritaire et élitiste. Le Bouddha historique, Siddhartha Gautama, de la tribu des Shâkya, et le fondateur historique attesté du jaïnisme, Vardhamana, appelé aussi Mahavira, étaient presque contemporains, et l'un et l'autre issus de familles aristocratiques des républiques situées au pied de l'Himalaya. Tous deux avaient été influencés par les mouvements ascétiques, avaient découvert leur voie en méditant au pied d'un arbre, et avaient consacré leur longue existence à prêcher leur doctrine, notamment aux marchands et aux femmes, et à organiser leurs disciples en ordre monastique. Mais la doctrine de Mahavira présente des différences majeures avec le bouddhisme. Selon lui, l'existence même dans ce monde est source de souillure pour l'âme, et la connaissance, irrémédiablement fragmentaire et imparfaite, ne peut pas y remédier. Aussi la seule voie de salut est-elle une ascèse fondée sur un effort permanent de purification, et en particulier sur le refus absolu de la violence, dans les rituels (les jaïns ont horreur du sang sacrificiel) et dans la vie quotidienne. L'*ahimsa*, la non-violence, littéralement le refus de verser le sang, est beaucoup plus centrale dans le jaïnisme que dans le bouddhisme. L'éthique du renoncement y est plus radicale, entraînant des austérités, un dépouillement qui culmine dans la secte des *digambara* (les ascètes nus, « vêtus d'espace ») ; elle s'accompagne d'une attention minutieuse aux pratiques de purification corporelle, et d'une valorisation particulière de la vie monastique. Le caractère peu missionnaire du jaïnisme est frappant et sa doctrine est fondamentalement aristocratique. Il y a peu d'élus, et seule la vie régulière permet d'atteindre véritablement la délivrance. Tout en étant doctrinalement et rituellement très éloigné du brahmanisme,

117

le jaïnisme ne représentait donc pas comme le bouddhisme une menace pour l'ordre établi.

La diffusion et les mutations du jaïnisme et du bouddhisme

Les doctrines shramaniques trouvèrent une terre d'élection dans les régions des marges où l'alliance entre le brahmanisme et la monarchie n'était pas encore devenue le modèle dominant, comme l'Inde du nord-est, les contrées himalayennes et le Deccan. Mais il serait erroné d'établir une correspondance mécanique entre shramanisme et républiques d'une part, brahmanisme et monarchies de l'autre. Le message bouddhique fut vite diffusé dans des zones comme le Magadha, profondément marqué par le système monarchique ; c'est la protection de rois de l'Inde occidentale et du Deccan qui permit au jaïnisme de s'y implanter solidement, et celle des rois du Bengale et de Sri Lanka qui y assura la vitalité du bouddhisme. Parmi les successeurs de Mahavira, un certain nombre de maîtres spirituels exercèrent une influence sur les grands de ce monde : à en croire les textes jaïna, peut-être apocryphes, le premier empereur maurya, Chandragupta, se serait converti au jaïnisme à la fin de sa vie et se serait retiré dans l'Inde du sud pour y mourir en ascète : son petit-fils Ashoka n'aurait pas été le premier de la dynastie à être influencé par les mouvements shramaniques. Plus généralement, le paradoxe de ces religions du renoncement est d'avoir dépendu des donations des puissants pour leur expansion, d'avoir accumulé des biens, et d'avoir été à la merci des retournements de faveur de leurs protecteurs, autant sinon davantage que le brahmanisme. De ce point

de vue, le jaïnisme a été menacé comme le bouddhisme :
le revirement des rois pallava a compromis sa survie dans
le sud de l'Inde, où il était bien établi ; en revanche, l'appui
des marchands ne lui a jamais fait défaut – un trait qu'il
partage avec nombre de mouvements religieux minoritaires
en Inde et à travers le monde. Sa « résilience » a eu une
influence de longue durée sur l'histoire du pays, dans la
mesure où il a pu être perçu comme une sorte de recours
intellectuel, voire politique. C'est en dernière analyse dans
les valeurs du jaïnisme, transmises à Gandhi par son milieu
familial, où elles se mêlaient à une pratique religieuse vishnouite, qu'il faut trouver la source d'un message politique
et spirituel à contre-courant, et d'une rigueur personnelle
perçue de l'extérieur comme obsessionnelle.

La force missionnaire du bouddhisme en Inde tenait à la
combinaison d'une exigence doctrinale et disciplinaire dont
les moines étaient les dépositaires, et d'un message moral et
religieux adressé à tous, qu'ils avaient la tâche de prêcher.
Des sensibilités différentes, puis des courants divergents,
apparurent selon que l'accent était mis sur l'une ou l'autre
de ces dimensions. Pour simplifier, on a coutume de distinguer la voie des Anciens (*theravada*), ou bouddhisme du
Petit Véhicule (*hinayana*), qui insistait sur la place centrale
du renoncement et de la méditation et sur la solitude du
fidèle dans son cheminement sur la voie étroite de la délivrance ; et le bouddhisme du Grand Véhicule (*mahayana*),
qui ouvrait une voie plus large, où le fidèle était assisté de
bodhisattva, personnages humains ou divins ayant différé
leur délivrance pour le mener sur le chemin du salut, et où
les pratiques faisant appel aux sens, comme la vénération des
images et l'adoration des reliques, avaient leur place – ce qui
permettait d'intégrer plus facilement des cultes préexistants.
Cette distinction en grands courants ne se traduisit pas par

des schismes doctrinaux ou ecclésiaux tranchés, le *sangha* n'ayant pas de structure centralisée mais fonctionnant sur le modèle des républiques, chaque monastère élisant son supérieur et débattant collectivement de l'application des règles de discipline et de doctrine pour aboutir à un consensus final. En revanche, l'évolution du *sangha* donna naissance à des communautés religieuses se rattachant à des traditions d'ordination distinctes, analogues aux ordres monastiques de l'occident chrétien : les *nikaya*. Mais les textes fondateurs du bouddhisme étaient unitaires, qu'ils fussent rédigés en pâli (tradition *theravada*) ou en sanskrit (tradition *mahayana*). Le *Triple Recueil* (*tipitaka/tripitaka*) se compose des règles monastiques (*vinaya*), des sermons du Bouddha (*sutta/sutra*) et de textes philosophiques. À ce corpus canonique vinrent s'adjoindre d'autres textes parmi lesquels les *Jataka*, récits légendaires des vies antérieures du Bouddha (le Bouddha historique est censé comme les autres hommes avoir été soumis au cycle du *samsara* et a donc eu des vies antérieures), utilisés par les prêcheurs sous forme de paraboles pour définir les grands principes éthiques du bouddhisme.

La diffusion du bouddhisme en Inde fut l'œuvre des moines, cloîtrés seulement pendant la mousson, et encouragés le reste du temps à se déplacer comme le faisaient les premiers disciples pour diffuser la bonne parole ; mais aussi des marchands, qui adhérèrent en grand nombre à la doctrine, et la répandirent le long des routes commerciales, vers l'Inde du nord-ouest, vers le Deccan, puis, dans un second temps, au-delà des montagnes et des mers, notamment en suivant la route de la soie, vers l'Asie centrale et orientale ; et enfin de certains rois, Ashoka et Kanishka étant les plus célébrés par les textes bouddhiques. L'indifférence de principe du bouddhisme aux hiérarchies sociales allait à l'encontre des principes d'organisation de la société, ce qui limitait son influence, sans pour autant s'affirmer comme un ferment de révolution sociale, ce qui aurait pu attirer les catégories opprimées par le système : le bouddhisme n'a jamais été majoritaire en Inde. Dans le même temps qu'il se diffusait au-dehors du sous-continent, il s'étiolait en terre indienne, sauf là où il conservait la faveur du pouvoir, au Bengale et à Sri Lanka. Ce déclin n'a rien d'aussi énigmatique qu'on l'a prétendu, si l'on tient compte des transformations internes que connaissait à la même époque le brahmanisme, et de l'appui que lui donnaient les rois.

Du point de vue qui est le nôtre, l'effacement du bouddhisme de la mémoire indienne, et sa redécouverte au XIXᵉ siècle par les Européens puis par les Indiens, est un constat bien plus troublant. Les Européens ignoraient presque tout du passé indien de cette religion avant qu'Eugène Burnouf et ses collègues entreprennent dans les années 1840 d'en reconstituer l'histoire. Lorsque des bouddhistes birmans et sri-lankais s'avisèrent de faire un lieu de mémoire de Bodh Gaya, où Siddhartha était devenu « l'Éveillé » (*Bouddha*), ils y trouvèrent des temples desservis par des brahmanes. Pour que le bouddhisme renaisse dans la société indienne, il fallut attendre l'initiative d'Ambedkar, le leader des intouchables de l'Inde de l'ouest, qui s'y convertit, entraînant sa communauté d'origine, les Mahar. Pour justifier sa démarche, il s'appuya sur une théorie pseudo-historique qui faisait des intouchables les descendants d'anciens bouddhistes opprimés (c'est le sens du mot *Dalit* par lequel ils se désignent désormais). Mais cette tentative de réinvention ne déclencha pas le mouvement de masse attendu par Ambedkar, et le bouddhisme, apport majeur de la pensée indienne à la culture universelle, n'a probablement guère d'avenir dans le pays de ses origines.

La vitalité de la culture brahmanique et le succès des cultes de dévotion

Le succès des religions puraniques portées par les brahmanes va de pair avec celui de la culture sanskrite dans l'ensemble de l'Inde du nord, à partir du IVe siècle après notre ère, le cas du sud étant particulier puisque le tamoul y rivalise et y coexiste avec le sanskrit. Or c'est dans le sud que se produit une double mutation, qui donne une vitalité nouvelle à la piété populaire, et qui rénove l'enseignement et la pratique brahmaniques, et c'est depuis le sud que ces courants vont se répandre vers le nord, où ils rencontrent aux alentours du Xe siècle des formes nouvelles de religiosité shivaïte issues du vieux fonds des doctrines ascétiques.

À l'époque « classique », les brahmanes étaient loin d'être seulement des prêtres ou des philosophes[*]. Ils avaient aussi le quasi-monopole des savoirs que nous qualifierions de profanes, mais qui à leurs yeux étaient d'essence religieuse : la distinction entre le sacré et le profane n'a pas de validité dans l'Inde ancienne. Parmi ces savoirs, les mathématiques et l'astronomie, issues de la contemplation des nombres et des astres, illustrent cette continuité. Le plus célèbre des savants de l'âge « classique », Âryabhata, qui vivait à la fin du Ve siècle, élabora une conception du nombre abstrait, inventa le système de notation décimal

---

[*] Ces quelques lignes ne prétendent en aucun cas rendre justice à l'immensité et à la richesse de la production brahmanique : on renvoie le lecteur aux introductions aux différents aspects de la culture brahmanique qu'on peut trouver dans les ouvrages généraux de Louis Renou, Arthur Basham et Michel Angot, cités dans la bibliographie.

par position, que les savants arabes empruntèrent au VIIIe siècle, et développa, plus d'un millénaire avant Copernic et Galilée, une théorie scientifique établissant la rotation de la terre sur un axe, qui d'ailleurs ne fut pas reçue par ses contemporains. De même, les savoirs brahmaniques concernant l'homme et la société obéissaient au concept de *dharma* – l'ordre cosmique et l'ordre social ne faisant qu'un : ils visaient à dégager des principes d'harmonie, d'agencement parfait, et à porter remède aux dysfonctionnements du corps physique et du corps social. La médecine était une discipline spéculative avant d'être pratique, de même que ce que nous appellerions la sociologie qui, à partir de l'ancienne conception védique des *varna*, avait élaboré un ensemble de règles censées régir les rapports entre les parties du corps social, en en différenciant les fonctions et en en assurant le fonctionnement harmonieux[6]. L'analyse du langage est certainement le domaine de la connaissance où les brahmanes ont poussé le plus loin leurs investigations. Depuis Panini qui composa la première grammaire théorique du sanskrit et qui élabora pour ce faire un « métalangage » (un langage pour décrire la langue), sans doute au IVe siècle avant l'ère chrétienne, en passant par ses commentateurs Patañjali (–IIe siècle ?) et Bhartrihari (Ve siècle ?), la réflexion sur les faits de langue, élargie à une phonétique voire à une sémiotique, représente un axe majeur de la pensée brahmanique, qui est indissolublement liée à l'usage du sanskrit, langue d'essence divine, dont les éléments sont parfaitement ajustés (c'est le sens du mot sanskrit)[7]. Enfin, le théâtre et la poésie sont, au même titre que les autres arts de l'époque « classique », l'émanation de la culture brahmanique, où le raffinement littéraire était l'expression d'une exigence de perfection qui s'étendait à tous les domaines de l'existence[8]. Dans cette littérature sanskrite sophistiquée, le poète et dramaturge Kalîdâsa occupe une place de choix. Avec lui s'imposa une conception nouvelle, dans laquelle l'artiste brode sur le canevas mythologique une œuvre personnelle où les sentiments trouvent à s'exprimer, notamment dans sa pièce *Shakuntâla*, que les romantiques européens ont saluée comme un chef-d'œuvre absolu[9]. En fait, seuls les savoirs artisanaux échappaient au monopole brahmanique, mais la force de ce modèle était telle que les forgerons, et plus généralement les bâtisseurs, se construisirent des mythes qui faisaient d'eux les héritiers d'une divinité démiurge, Vishvakarman, et les descendants de brahmanes déchus.

Si cette culture de l'élite nous est bien connue, on sait par contre peu de chose de la culture religieuse des milieux populaires du nord de l'Inde à l'époque. L'impact des invasions du VIe siècle semble avoir déstabilisé à la fois le bouddhisme et le brahmanisme. Un dieu védique, Sûrya (le Soleil), réapparaît, sans doute à l'initiative de brahmanes rapatriés des pays situés à l'ouest de l'Indus. Dans l'Inde de l'ouest, une divinité locale, Ganesh, « celui qui lève les obstacles », connaît un succès qui conduit à son intégration dans le panthéon shivaïte. C'est probablement durant ces temps troublés que les anciennes croyances en la réincarnation prennent une dimension millénariste chez les vishnouites, qui espèrent la venue de la dernière incarnation de leur dieu, en la personne du brahmane Kalki ; l'attente du futur Bouddha, Maitreya, entretient également chez les bouddhistes ce sentiment d'expectative religieuse. C'est aussi vers le VIIIe siècle qu'émergent sous une forme nouvelle les anciens cultes de fertilité shaktiques, jamais vraiment absorbés par l'orthodoxie brahmanique, qui avait tenté de transformer la Déesse (appelée Pârvatî, Durgâ ou

Kalî) en énergie (*shakti*) de Shiva, ou en épouse porteuse de richesse de Vishnou (Lakshmî). Sous le nom de *Tantra* (c'est le titre des manuels diffusés par ces sectes) sont codifiées des doctrines ésotériques et des pratiques culturelles radicalement opposées au brahmanisme, qui connaissent un certain succès en Inde du nord-est, où elles influencent le bouddhisme. Le Cachemire devient à partir du IXe siècle le foyer d'une intense activité philosophique et religieuse, où se croisent les influences orthodoxes shivaïtes et le tantrisme, et qui donne naissance à une école de pensée novatrice illustrée par la figure du théologien Abhinavagupta (début du XIe siècle), tandis que dans la vallée du Gange se développe à la faveur du recul du bouddhisme mahayana un shivaïsme populaire qui trouve son expression la plus aboutie dans la secte des Nath, apparue entre le IXe et le XIe siècle.

L'évolution du sud est fort différente. Les brahmanes soutiennent l'épanouissement des sectes vishnouites (*Bhâgavata*) et shivaïtes (*Pâshupata*), qui y affrontent une influence jaïn et bouddhiste encore vivace. Les poèmes d'amour de l'ancienne littérature tamoule y sont transmués en hymnes religieux où est célébré l'amour du dévot et de son dieu, la *bhakti*. Les Âlvâr vishnouites (l'auteur le plus célèbre est la poétesse Andâl) et les Nâyanmâr shivaïtes (Appar est le plus connu) sont des gens du peuple qui chantent en tamoul les louanges de leurs dieux, alors que les rois pallava couvrent de temples la région où ils attirent par leurs donations les brahmanes. C'est aussi dans le sud que fleurissent les écoles de pensée qui ont poursuivi la réflexion philosophique dans la tradition des Upanishads et dans la confrontation avec la pensée bouddhique. Les sectes de Shankara (vers le VIIIe-IXe siècle), Ramanuja (au XIe-XIIe siècle), Mâdhva (au XIIIe siècle) sont fondées par de savants brahmanes, marqués par le renouveau religieux des régions dravidiennes d'où ils sont issus. L'enseignement de Shankara, originaire du Kerala, représente la tentative la plus aboutie du brahmanisme pour donner une réponse intellectuellement accessible à la philosophie des penseurs shramaniques. En outre, la secte des Shankarâchârya qu'il fonde leur emprunte pour la première fois de l'histoire du brahmanisme un instrument essentiel, l'institution du monastère (*matha*). Établis par ses successeurs aux quatre orients de l'Inde (Badrinâth au nord, Purî à l'est, Dwârka à l'ouest et Shringerî au sud), les grands établissements vont jouer un rôle majeur dans la diffusion d'un brahmanisme orthodoxe mais rénové. C'est la combinaison de ce brahmanisme rénové et de la religiosité dévotionnelle qui explique en dernière analyse le déclin du bouddhisme en Inde du sud, et son maintien à Sri Lanka, où les brahmanes n'exercèrent jamais d'influence comparable.

La diffusion de la culture indienne en Asie du Sud-Est

La transmission d'éléments fondamentaux de la culture indienne vers les régions situées à l'est du sous-continent, à partir du début de l'ère chrétienne, est un des phénomènes essentiels de l'histoire de l'Asie, qui a été longtemps négligé par les Indiens eux-mêmes [10]. L'une de ses caractéristiques originales est de n'avoir pas été accompagnée par des phénomènes de grande ampleur de conquête militaire. Qui furent les agents de cette diffusion ? Des aventuriers ? Des commerçants ? Des religieux ? Dans le contexte du mouvement national indien, l'historien R.C. Majumdar publia une série d'études sous le titre *Ancient Indian Colonies in the Far East*, où il développait la thèse selon laquelle les Indiens avaient été eux aussi des colonisateurs dans le passé : il en voyait pour preuve les noms indiens de nombreux rois d'Asie du Sud-Est (se terminant par *varman*, « cuirasse » en sanskrit). Ses collègues d'Indonésie contestèrent aussitôt cette thèse qui s'effondra lorsqu'ils purent prouver que ces rois avaient simplement adopté des noms indiens. On connaît pourtant par les annales chinoises le cas d'un aventurier brahmane venu fonder un royaume au Fu Nan, à l'embouchure du Mékong, au Ier siècle, et celui de guerriers shaka venus s'installer en Indochine au IVe siècle après avoir été chassés d'Inde par les Gupta. Une hypothèse plus convaincante s'appuyait sur le fait établi que les circuits commerciaux constituaient le moteur initial des contacts entre l'Inde et l'Asie du Sud-Est. Des inscriptions, réalisées à l'initiative de corporations marchandes indiennes, et souvent écrites en tamoul, l'attestaient. Mais il paraissait paradoxal que le seul vocabulaire d'origine indienne qui eût pénétré dans les langues d'Asie du Sud-Est était sanskrit et pâli, et que les zones où l'influence indienne était la plus marquée n'étaient pas les régions côtières, fréquentées par les marchands, mais les royaumes de l'intérieur. La théorie qui donnait un rôle décisif aux religieux apparut donc la plus satisfaisante. Elle présente le phénomène comme une extension outre-mer du processus de diffusion du brahmanisme et du bouddhisme à l'œuvre dans le sud et l'est de l'Inde, ce qui, par contrecoup, infirme l'idée reçue d'après laquelle il aurait été interdit aux brahmanes de traverser les océans. À des chefs locaux pour lesquels la légitimité lignagère de la société tribale à laquelle ils appartenaient, mais dont ils émergeaient, avait cessé de suffire, les lettrés indiens offraient une idéologie et des rituels de légitimation

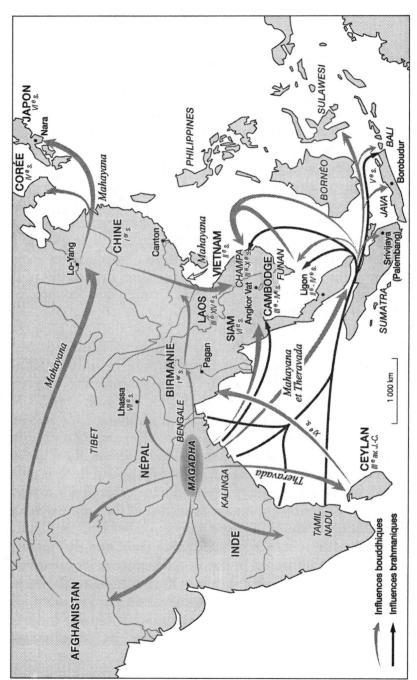

6. La diffusion de l'influence indienne en Asie

AFGHANISTAN

CORÉE IVᵉ s.
JAPON VIᵉ s.
Nara

Mahayana

Lo-Yang
CHINE Iᵉʳ s.
Canton

TIBET
Lhassa VIᵉ s.

NÉPAL

BENGALE
BIRMANIE Iᵉʳ s.
Pagan

MAGADHA

Mahayana

Mahayana

PHILIPPINES

SULAWESI

BORNÉO
BALI
Borobudur
JAVA Vᵉ s.
Srivijaya (Palembang)
SUMATRA

VIETNAM IIᵉ s.
CHAMPA IIᵉ-XIVᵉ s.
Angkor Vat
CAMBODGE IIIᵉ-IVᵉ s.
FUNAN
Ligor IIᵉ-IVᵉ s.
LAOS
SIAM VIᵉ s.

Mahayana et Theravada

1 000 km

KALINGA
INDE

TAMIL NADU

CEYLAN IIIᵉ av. J.-C.

Theravada

Vᵉ s.

Influences bouddhiques
Influences brahmaniques

religieuse du pouvoir, des codes de lois et des principes de gouvernement, ainsi qu'une mythologie et une littérature épique. Ils étaient porteurs d'un savoir avancé, d'une écriture plus facile à utiliser que les idéogrammes chinois. Les sociétés d'Asie du Sud-Est avaient déjà entamé leur processus de transformation interne lorsque les brahmanes indiens leur fournirent un instrument approprié de consolidation idéologique. Ce processus s'appuyait sur un essor de l'agriculture vivrière et exportatrice, ainsi que de l'artisanat, dans lequel le commerce avec l'Inde jouait un rôle de plus en plus grand. La plus ancienne inscription sanskrite (Ve siècle) retrouvée en Indonésie, à l'est de Bornéo, atteste que c'est un chef malais qui fit venir d'Inde des brahmanes pour célébrer en son honneur des sacrifices védiques, lui décerner un titre sanskrit et lui apprendre l'art de l'administration fiscale.

Dans ces processus d'indianisation partielle, les moines bouddhistes apportèrent une contribution puissante et originale. Ils ne pouvaient pas jouer aux côtés des rois un rôle aussi important que les conseillers brahmanes, mais ils étaient animés d'un zèle missionnaire qu'ils exercèrent en direction de la masse de la population. Leur extrême mobilité, leur curiosité insatiable, leur aptitude à l'apprentissage des langues en firent des passeurs de culture. Les grands centres monastiques du Bengale et de Sri Lanka servirent de bases à une circulation des élites lettrées, et après les villes d'étape de la route terrestre de la soie au début du millénaire, ce furent les cités portuaires du détroit de Malacca qui devinrent cinq siècles plus tard les lieux de rencontre entre la culture indienne et la culture chinoise. C'est finalement sous sa forme bouddhique et non sous sa forme brahmanique que la culture indienne s'exporta le plus durablement : les principes hiérarchiques sur lesquels était fondée la société des *varna* ne purent s'imposer hors de la péninsule.

On débat encore en Inde sur la question de savoir si c'est le Bengale ou le pays tamoul qui a exercé l'influence la plus décisive en Asie du Sud-Est avant la période médiévale. Il est probable que le royaume pallava a joué au début un rôle déterminant dans la diffusion de l'écriture, des pratiques religieuses et des modèles artistiques. À la fin du Ier millénaire, c'est le style pâla du Bengale qui l'emporta, notamment à la cour de Shri Vijaya, de part et d'autre du détroit de Malacca, où les conseillers bengalis des rois locaux étaient très nombreux. Peu après, l'influence tamoule s'imposa à nouveau durant la période chola, notamment à Sumatra où on trouve des bronzes locaux de type chola ; le mouvement est à double sens : les grands cultes royaux d'Angkor ont sans doute influencé les pratiques religieuses des Chola et la construction de leurs grands temples. Enfin, un tournant décisif fut pris au XIIe siècle lorsque les destructions faisant suite aux raids musulmans sur le Bengale et le Bihar poussèrent les moines survivants à s'installer très nombreux à Pagan (dans l'actuelle Birmanie) et au Tibet. À cette date, Sri Lanka resta le seul centre de diffusion du bouddhisme à l'ouest du golfe du Bengale, ce qui contribua au développement du bouddhisme théravâdique en Asie du Sud-Est au détriment du mahâyânisme, qui dominait lorsque le bouddhisme se diffusait depuis le royaume pallava ou depuis ceux du Bengale.

CHAPITRE 6

Des conquêtes turques à l'empire moghol

Avant d'aborder l'étude des cinq siècles durant lesquels la plus grande partie de l'Inde a été gouvernée par des princes musulmans, de l'établissement du sultanat de Delhi par Aibak (1206) à la mort du dernier grand empereur moghol, Aurangzeb (1707), période qui est aujourd'hui l'objet des plus vives controverses en Inde, il convient de rappeler quelques évidences. La première est que l'histoire de la diffusion et des transformations de l'islam en Inde ne doit pas être confondue avec l'histoire de la domination de régimes politiques musulmans, même si le lien entre le domaine politique et le domaine religieux est spécialement étroit au Moyen Âge en général, et en contexte islamique en particulier : c'est pourquoi l'on a choisi de traiter séparément histoire politique et histoire religieuse, comme on l'a fait pour l'Antiquité. La seconde est que près de six siècles séparent la prédication de Mahomet (l'hégire correspond à l'année 622 de l'ère chrétienne) de la création du sultanat de Delhi, un laps de temps considérable si on le compare à l'unique siècle qui conduit de l'hégire à la création de l'émirat de Cordoue. La troisième est que l'Inde est le seul grand pays de l'ancien monde à avoir été gouverné aussi longtemps par des princes musulmans sans être devenu majoritairement musulman. C'est dire que les théories qui partent du postulat que le choc des civilisations est le moteur de l'histoire ne tiennent pas, face au simple examen de l'histoire de l'Inde médiévale.

Entre 711 et 713, au moment même où des aventuriers berbères conduits par Tariq ibn Ziyad conquéraient l'Espagne, des soldats syriens sous les ordres d'un général arabe, Muhammad ibn Qasim, s'emparaient du Sind et de ses environs jusqu'à la ville de Multan et jusqu'au Kathiawar, et y établissaient un sultanat. Peu après, l'expansion s'arrêta, l'État ainsi créé prit ses distances par rapport au califat, s'ouvrit aux influences iraniennes et devint un bastion de la dissidence chiite jusqu'à sa conquête par les Turcs au début du XIe siècle. Il ne joua d'aucune manière le rôle d'une tête de pont pour l'établissement en Inde du pouvoir des successeurs de Mahomet : le califat n'en avait pas le projet, ses forces étaient occupées à contrôler le Moyen-Orient et le sud de la Méditerranée, et les royaumes indiens du Deccan et de la vallée du Gange étaient suffisamment puissants pour l'en dissuader. En outre, il n'existait pas de précédent dans l'histoire de l'Inde d'un contrôle politique exercé depuis l'Arabie ou la Mésopotamie : toutes les opérations de conquête étaient parties d'Iran ou d'Asie centrale. Par contre, la relative unification politique des contrées situées à l'ouest de l'Inde par le califat de Bagdad et l'essor économique qui l'accompagna dynamisèrent les échanges commerciaux à partir du milieu du VIIIe siècle, de sorte que les marchands d'Arabie, d'Irak et d'Égypte, déjà présents depuis longtemps, s'établirent en plus grand nombre sur les côtes occidentales de l'Inde qui fournissait tissus, épices, joyaux et lames d'acier.

L'esprit de conquête des Turcs islamisés

Au début du XIe siècle, Mahmoud, un chef de guerre descendant de mercenaires turcs au service de princes iraniens, s'affranchit de leur tutelle, adhéra à l'islam, s'établit en Afghanistan, à Ghazni, et entreprit une série de raids annuels sur l'Inde du nord, avec pour principal objectif de remplir son trésor et de se procurer des esclaves[1]. Il ne s'agissait pas pour lui d'établir en Inde un État stable, ni de convertir ses populations à l'islam, mais d'accumuler des moyens lui permettant de gérer ses possessions d'Afghanistan. Ces razzias visaient les lieux où étaient concentrées les richesses – les villes comme Multan, Mathura et Kanauj, et les temples comme celui de Somnath, au Gujarat. Les chroniqueurs au service de Mahmoud ont tous insisté sur la violence et le caractère dévastateur de ces expéditions ; pour faire passer ce nouveau converti pour un grand combattant au service de l'islam sunnite orthodoxe, ils ont mis l'accent sur les coups portés à l'hérésie chiite et aux cultes idolâtres pratiqués dans les temples indiens. Ces violences n'étaient pas inédites en Inde du nord : cinq siècles avant les Turcs, les Huns s'étaient comportés de manière identique, et sans doute bien d'autres avant eux. Mais, fait nouveau, il se trouva désormais des témoins pour rapporter en détail ces événements, et l'islam servit dorénavant de justification idéologique à ces opérations, au moins aux yeux de l'entourage immédiat des conquérants. L'intellectuel persan Biruni (973-1048), venu en Inde sur les pas des conquérants, en résume ainsi les effets : « Mahmoud ruina complètement la prospérité du pays et accomplit de singuliers exploits, réduisant les Indiens à des atomes de poussière épars. Leurs restes dispersés entretiennent naturellement la plus profonde aversion à l'égard des musulmans. »

133

Les Indiens ne devaient pas être si mal en point, puisque la dynastie ghaznévide maintint avec difficulté son autorité sur l'Afghanistan et une partie du Panjab, alors que la quasi-totalité de l'Inde restait gouvernée par des dynasties locales. Un siècle et demi plus tard, un nouveau groupe de mercenaires turcs, basés cette fois à Ghor, au centre de l'actuel Afghanistan, s'empara de Ghazni, puis entreprit à son tour de razzier les pays de l'Indus, entre 1175 et 1192. Ces chefs de guerre, Mohammed de Ghor, Kutb ud-din Aibak, puis Iltutmish, finirent par s'établir au Panjab, triomphèrent de la résistance des princes rajpoutes et des rois du Bengale, et s'emparèrent de la totalité de l'Inde du nord. Minée par de constantes rivalités internes, cette dynastie ghoride s'effondra bientôt, mais non pas l'institution du sultanat de Delhi, fondé en 1206 par Aibak puis par son gendre Iltutmish, qui obtint la reconnaissance de son autorité par un calife de Bagdad affaibli. Au même moment, Gengis Khan se lançait à la conquête de l'Asie. Le succès foudroyant des guerriers mongols, qui n'épargna que l'Inde, forme la toile de fond de l'histoire du sultanat de Delhi, qui succomba près de deux siècles plus tard, en 1398, au raid destructeur de Tamerlan, lointain successeur de Gengis Khan.

Le sultanat de Delhi[2]

Les fondateurs du sultanat de Delhi étaient initialement des mercenaires (*mamluk*, en français mamelouks) achetés par leurs maîtres : c'est pourquoi on emploie parfois pour les désigner le terme de « dynastie des esclaves », mais à tort, car ils s'étaient émancipés par leur rébellion. En revanche, les troupes restaient soumises à la personne de leurs chefs, qui étaient leur seule famille, ce qui contribua largement aux succès de cette armée de métier, face à des guerriers levés par les princes rajpoutes sur la base de fidélités féodales fluctuantes. En outre, la tactique extrêmement mobile des cavaliers-archers turcs, et plus tard mongols – était redoutablement efficace contre des armées lentes à la manœuvre, dont les éléphants montés constituaient généralement l'élément central. Ce régime militaire comportait néanmoins de graves faiblesses : le risque permanent de putsch – l'esclave fidèle se transformant en esclave parricide –, l'absence de règles établies de succession, et la facilité avec laquelle une légitimité pouvait s'acquérir, la proclamation du nom d'un nouveau sultan à la mosquée lors du prêche du vendredi valant reconnaissance de souveraineté.

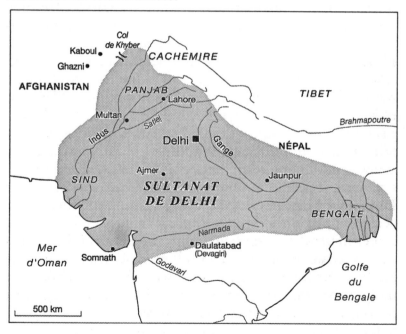

7. *Le sultanat de Delhi au début du* XIVe *siècle*

135

Si le sultanat de Delhi subsista près de deux siècles, il faut en chercher les raisons ailleurs que dans son organisation politique interne. Le régime bénéficia d'abord de l'appui d'un nombre croissant de musulmans venus de tout le Moyen-Orient et de l'Asie centrale, d'où ils fuyaient les exactions et les persécutions des armées mongoles qui avaient balayé la résistance du califat : l'Inde joua le rôle de principal pays de refuge pour cette élite musulmane, qui s'installa dans les villes, notamment Lahore et Delhi, et mit ses talents au service du nouveau régime. Il faut d'ailleurs relativiser le caractère étranger de ces nouveaux venus : ainsi l'installation d'Iraniens en Inde n'avait jamais cessé tout au long de son histoire, certains s'indianisant complètement, d'autres conservant leur langue et leurs pratiques religieuses (comme les parsis zoroastriens, puis les musulmans chiites de différentes obédiences). Le sultanat de Delhi contint la poussée des Mongols selon un processus identique à celui que l'Inde avait connu pendant des siècles : les avant-derniers envahisseurs servant de rempart contre une nouvelle vague. La différence est que les Turcs, musulmans de fraîche date, ne cherchèrent pas de légitimité auprès des brahmanes, s'intéressèrent fort peu au pays où ils s'étaient installés, et vécurent à l'écart de la masse de sa population. Leur pouvoir resta surimposé aux structures locales d'autorité qu'ils laissèrent nécessairement subsister. En d'autres termes, les sultans de Delhi furent plus occupés à prendre et à conserver le pouvoir dans le cercle de leur entourage immédiat qu'à convertir leurs sujets.

Vers la fin du XIIIe siècle, les sultans de Delhi entreprirent de contrôler le Deccan, suivant la logique bien établie de la géopolitique indienne. Mais ils accordèrent à ce projet une priorité particulière : le caractère prédateur de ces États militaires les attirait vers ces contrées, productrices en particulier d'or et de diamants. Le premier épisode de cette expansion intervint sous le règne d'Ala ud-din Khalji (1296-1316) qui chargea Malik Kafur, un Indien du Gujarat attaché à son service, d'organiser une grande expédition militaire qui sillonna et ravagea l'ensemble de la péninsule, jusqu'à l'extrême sud du pays tamoul, entre 1309 et 1311. Cette conquête une fois réalisée, selon la tradition indienne, la plupart des princes des États conquis furent réinstallés après avoir reconnu le pouvoir du vainqueur et s'être fait dépouiller de leurs richesses. Le second épisode eut lieu une quinzaine d'années plus tard, lorsqu'une nouvelle dynastie d'origine turque, celle des Tughluk, s'efforça de déplacer vers le Deccan le centre de son pouvoir. Sultan parricide, Mohammed Tughluk (1325-1351) se fit construire en 1327 une nouvelle capitale, Daulatabad, sur le site de l'antique Devagîri (dans l'actuel Maharashtra), et tenta de contraindre la population de Delhi à s'y installer[3]. Cette opération volontariste se solda par un échec politique, mais eut des conséquences de grande portée pour l'histoire médiévale en installant dans l'Inde méridionale une aristocratie civile et militaire d'origine persane et turque.

Les sultans Khalji et Tughluk s'efforcèrent aussi d'accroître les ressources indispensables à la solde de leurs mercenaires par des dispositifs bureaucratiques, comme leur contemporain Philippe le Bel dans la France capétienne. Ils confisquèrent les biens mal acquis de leurs courtisans, taxèrent impitoyablement les activités des riches marchands, établirent des registres fiscaux pour dresser l'assiette de l'impôt foncier, fixèrent le prix des denrées de première nécessité, contrôlèrent le transport et le commerce des grains, et battirent monnaie plus que de raison. Mohammed Tughluk voulut contrôler la circulation monétaire en imposant une monnaie de bronze garantie par l'État, ce que ne lui permit pas son autorité insuffisante, et l'opération se solda par un échec cuisant, qui contribua à entraîner dans sa chute son instigateur. Mais ces tentatives peu abouties préfigurent l'établissement d'une administration stable que les empereurs moghols parvinrent à mettre sur pied deux siècles plus tard. La condition de leur réussite eût été un minimum de collaboration des lettrés indiens disposés à gérer la comptabilité du fisc : le successeur de Mohammed Tughluk, Firoz Shah, obtint en effet l'appui des brahmanes, multiplia les grands travaux utiles à l'économie et abolit la torture. Mais ses successeurs perdirent toute autorité après la prise et le saccage de Delhi par Tamerlan, en 1398. Bien avant cet événement traumatique, deux sultanats concurrents avaient été fondés dans des régions éloignées du centre : au Bengale en 1338, et au Deccan en 1347 ; un autre pouvoir s'érigea en sultanat en 1404 au Gujarat, des chefs afghans organisèrent une importante principauté indépendante à Jaunpur, près de Bénarès, et le Cachemire connut un essor remarquable sous la direction éclairée de Zain-ul Abidin (1420-1470). À Delhi, les faibles sultans de la dynastie des Sayyid laissèrent la place en 1451 à un nouveau clan d'origine afghane, les Lodi, qui rétablit un sultanat et créa une nouvelle capitale à Agra, au sud de Delhi, mais fut finalement évincé par Babur, le fondateur de l'empire moghol, en 1526.

Le royaume de Vijayanagar et les sultanats du Deccan

Deux États majeurs se constituèrent presque simultanément dans le Deccan au milieu du XIVᵉ siècle, à la suite de l'échec final de l'expansion vers le sud du sultanat de Delhi, et se disputèrent deux siècles durant les territoires du centre de la péninsule. L'un était un sultanat, l'autre un royaume dans la tradition brahmanique, de sorte que leur confrontation apparaît à certains égards comme l'expression de l'opposition entre l'islam et l'hindouisme (le terme apparaît à cette époque). Les choses sont en réalité plus complexes. Ces États n'étaient pas religieusement homogènes : les musulmans ne représentaient qu'une faible minorité dans le sultanat, qui était administré grâce à l'assistance de nobles hindous, et ils étaient présents en petit nombre dans le territoire (et dans les armées) de Vijayanagar. Leur rivalité reproduisait celle qui opposait quelques siècles plus tôt les royaumes du Deccan : le sultanat bahmani, fondé en 1347 à Gulbarga, au nord du Karnataka, par Bahman Shah, officier dissident de l'armée de Delhi, était, de par sa position géographique, l'héritier du royaume rashtrakuta, mais, par l'identité et le projet de ses dirigeants, le continuateur des ambitions du sultanat ; le royaume de Vijayanagar (« la Cité de la Victoire »), fondé entre 1336 et 1346 au centre du Karnataka par le clan Sangama (le site s'appelle aujourd'hui Hampi), regroupait des territoires qui, après avoir fait partie des royaumes pallava et chalukya, avaient constitué le cœur d'une principauté créée par les Hoysala, dynastie tribale marquée tardivement par l'influence brahmanique, et finalement victime des raids de Malik Kafur. D'après des inscriptions retrouvées sur place, les Sangama auraient été des guerriers locaux au service des Hoysala, locuteurs de kannada, langue du Karnataka[4].

Toutefois, les récits de fondation de Vijayanagar présentent une autre version, élaborée tardivement et probablement apocryphe, mais extrêmement significative de l'image que les rois de Vijayanagar ont voulu laisser d'eux-mêmes. Selon ces récits, cinq frères (allusion évidente aux cinq frères Pândava du *Mahâbhârata*), issus d'une famille princière de Warangal, citadelle du pays andhra conquise par Malik Kafur, auraient été emmenés en captivité à Delhi, convertis de force à l'islam, et renvoyés par les

Tughluk comme gouverneurs du territoire des Hoysala, situé loin de leur région d'origine. Ils s'y seraient reconvertis à l'hindouisme sous l'influence du brahmane Vidyâranya (alias Mâdhavâcharya), supérieur du monastère de Shringerî (au sud du Karnataka), centre de la secte de Shankara. Ce lettré de tradition védantique, et son frère Sâyana, auteur d'un commentaire des Védas qui fait autorité, ont joué un rôle essentiel dans l'établissement et la transmission écrite des grands textes védiques, et dans l'affirmation de la secte de Shankara comme gardienne de l'orthodoxie brahmanique. Peu importe la vérité factuelle de cette histoire : son intérêt réside dans la fonction qu'elle attribue à la religion brahmanique comme force de résistance au pouvoir de Delhi identifié à l'islam, et accessoirement dans l'explication qu'elle fournit du rôle croissant joué dans le royaume par les guerriers andhra, locuteurs de télougou, devenu langue officielle. Cela dit, le royaume de Vijayanagar ne s'est jamais défini comme un État voué à la lutte contre l'islam, à la différence de l'Espagne de la *Reconquista*, sa contemporaine, à laquelle on pourrait être tenté de le comparer.

Les frères Sangama, qui se succédèrent au pouvoir, imposèrent leur autorité à l'ensemble des riches régions rizicoles et maritimes situées au sud de la péninsule, au point de coloniser en quelque sorte le pays tamoul dont l'unité s'était brisée depuis des siècles avec l'effacement de l'État chola. La dynastie qu'ils avaient fondée maintint une pression militaire constante contre le sultanat bahmani, qui contribua à son éclatement en quatre sultanats rivaux au début du XVIᵉ siècle. Entre-temps, le clan militaire Tuluva usurpa le pouvoir de la dynastie Sangama, mais maintint et développa la puissance du royaume, sous Krishnadeva Râya (1509-1529). Lorsque les Moghols établirent leur pouvoir en Inde du nord, le royaume de Vijayanagar (dit aussi du Carnatic) était la puissance dominante dans le Deccan. On dispose à son sujet des descriptions des Portugais qui s'établirent à Goa en 1510 avec son appui, et d'un poème didactique écrit en télougou par Krishnadeva lui-même, dans lequel il énonce, sur le modèle de l'*Arthashâstra*, les principes d'un bon gouvernement, les devoirs du roi et les moyens de s'assurer de la fidélité de ses sujets : la volonté de publier ses conceptions politiques, si manifeste chez Ashoka, s'était perpétuée en Inde.

Le trait le plus caractéristique de cette administration était la volonté de contrôler les puissantes familles de notables locaux, en les contraignant à résider à la cour, ou à y paraître pour les grandes fêtes religieuses annuelles où étaient renouvelées les allégeances et payées les taxes sous forme de cadeaux. Un moyen de contrôle efficace consistait à établir des agents brahmanes dans les provinces, chargés de collecter les impôts sur la base de registres détaillés, et d'interdire aux seigneurs locaux de se bâtir des châteaux et d'entretenir des milices privées : on retrouve en Inde les ingrédients de l'absolutisme naissant en Europe à la même époque. Si la tentative se solda finalement par un échec, c'est semble-t-il à la suite d'une erreur stratégique qui brisa la résistance d'un régime reposant en dernière analyse sur la force de son armée : le dernier roi, Râmarâja, crut pouvoir profiter de l'éclatement du sultanat bahmani pour pousser ses intérêts en manipulant les rivalités des successeurs des Bahmani. Cette opération échoua : ces différents sultans s'allièrent finalement contre Vijayanagar, et lui infligèrent une défaite sans appel à Talikota en 1565. La ville de Vijayanagar fut rasée, mais les sultanats ne s'emparèrent pas du royaume qui se maintint, sans pour autant retrouver sa grandeur passée.

Il est vrai que la cité elle-même était indispensable à la bonne marche d'un État qui portait son nom. Localisée dans une large vallée parsemée de collines pierreuses, c'était l'une des plus vastes et des mieux organisées de son époque, avec un réseau d'adduction d'eau perfectionné et des quartiers regroupés autour de leurs lieux de culte (temples dédiés à des divinités shivaïtes et vishnouites, mais aussi mosquée et sanctuaire jaïn). Il semble qu'elle ait pu compter environ 500 000 habitants à son apogée. À sa fonction de capitale royale et militaire s'ajoutait celle de métropole commerciale et religieuse. Les rois de Vijayanagar avaient organisé la région métropolitaine qui l'entourait en y développant une agriculture irriguée très productive, qu'ils taxaient sur la base d'une connaissance précise du rendement des terres. Ils contrôlaient de riches gisements de diamants, d'or, de fer, et des bancs d'huîtres perlières, et ces ressources leur permettaient d'importer les chevaux qui

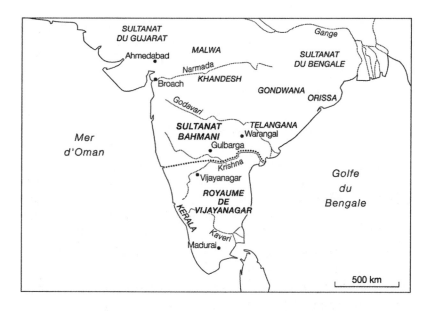

7bis. Le Deccan médiéval au XVᵉ siècle

leur manquaient pour leurs armées. Le commerce, déjà très actif dans le sud de l'Inde exposé aux courants d'échanges maritimes, s'en trouva stimulé, et les marchands comme les princes multiplièrent les créations de temples nouveaux et la restauration des anciens sanctuaires. Répartis dans l'ensemble du territoire du royaume, ces lieux de richesse et de savoir jouèrent un rôle important dans la préservation et la rénovation des traditions culturelles du sud, entretenant des bâtisseurs et des sculpteurs qui construisaient des tours de temples toujours plus hautes, des troupes de musiciens qui développèrent le style carnatique, et des danseuses qui portèrent à la perfection l'art du Bhâratanatyam.

La fondation de l'empire moghol

L'effondrement de Vijayanagar ne fut en rien l'effet des conquêtes de Babur et de ses successeurs, qui ne touchèrent que le nord de l'Inde. Contemporain de Krishnadeva, Zahir ud-din Mohammad, dit Babur (« la panthère »), né en 1483, était un descendant de Tamerlan, qui s'était emparé de Delhi un siècle plus tôt et avait tenté de reconstituer l'empire de Gengis Khan[5]. Au cours du XIVe siècle, l'influence turque était devenue prépondérante chez une partie des tribus mongoles, qui s'étaient converties à l'islam. Vers la fin du XVe siècle, ces communautés chagataï furent chassées des hautes vallées d'Asie centrale où elles étaient établies par de nouveaux venus, les Ouzbeks, et s'installèrent en Afghanistan. Le jeune prince Babur, âgé d'une vingtaine d'années, s'empara de Kaboul en 1504, et y prit le titre persan de shah. De là, il s'efforça de reconquérir sa patrie d'origine, mais faute d'y parvenir, il dirigea ses ambitions vers le Panjab, suivant l'exemple de ses prédécesseurs turcs. La faiblesse du sultanat Lodi lui facilita la tâche. Il s'empara de Lahore, puis de Delhi et d'Agra à l'issue de la bataille décisive de Panipat en 1526. Mais il mourut prématurément en 1530, la santé ruinée par l'alcool, et son fils aîné, Humayun (« le fortuné »), lui succéda. Il dut affronter la rivalité de ses frères, mener campagne contre les sultanats régionaux qui avaient réaffirmé leur pouvoir sur le Gujarat, le Bengale et le Deccan. Il fut mis en déroute dans la vallée du Gange par un aventurier afghan, Farid Suri, qui l'évinça, prit le nom de règne de Sher Shah, et gouverna l'Inde du nord durant douze ans (1533-1545), sans avoir de successeur à sa hauteur. Humayun se réfugia en Iran, et ne sortit de sa retraite qu'en 1555, pour mourir d'accident un an plus tard.

Cette séquence d'événements n'avait rien que de très banal dans l'histoire de l'Asie centrale et de l'Inde du nord, et ne laissait pas présager l'établissement d'un État stable. Néanmoins, c'est durant cette période que se formèrent les éléments qui allaient assurer la pérennité de ce qu'il est convenu d'appeler l'empire moghol pour le distinguer de l'empire mongol de Gengis Khan[6]. À cette date, le système des sultanats restait la norme politique en Inde. Le pouvoir s'appuyait sur une classe militaire formée d'émirs théoriquement au service exclusif du prince, donc privés de droits héréditaires, à laquelle s'étaient agrégés des segments de l'aristocratie rajput et des lettrés musulmans ou hindous qui leur tenaient lieu de secrétaires. Les sultans rémunéraient cette noblesse militaire en lui affectant une partie des droits fiscaux, appelés *jagir* en persan. Il ne s'agissait pas de fiefs, mais de revenus assignés, qui n'étaient pas en principe transmissibles héréditairement, mais que naturellement leurs détenteurs tentaient de céder à leurs descendants. Sher Shah innova à tous les niveaux : en fondant la promotion de ses officiers sur le mérite et non sur la naissance ; en les payant en argent grâce au butin amassé au

Bengale dont il avait pris le contrôle, puis grâce à une administration fiscale fondée sur des enquêtes précises sur la valeur des terres ; en prélevant les impôts en espèces ; enfin en rétablissant en Inde un monnayage en argent de titre et de poids fixes, garanti par l'État : cette nouvelle monnaie, la roupie, qui a survécu à tous les régimes successifs depuis quatre cent cinquante ans, fut le symbole et l'instrument de ce nouveau cours politique.

Le règne d'Akbar

L'historien est particulièrement bien renseigné par les sources indo-persanes sur le règne d'Akbar (1556-1605) qui de son vivant fut très attentif à son image, faisant compiler par son chroniqueur attitré, Abul Fazl, le *Livre d'Akbar* (*Akbar Nama*)[7], dont la troisième partie, l'*Aïn-i Akbari*, est un manuel rassemblant des textes de loi, des statistiques, notamment fiscales, et des renseignements détaillés sur le fonctionnement du gouvernement et de la cour. Cette abondante documentation fournit des matériaux pour faire de lui ultérieurement, aux yeux des Indiens laïcs et modernistes, le modèle du souverain musulman bon administrateur et tolérant, voire une sorte de réincarnation de la figure d'Ashoka, tandis que les musulmans orthodoxes, se fondant sur des écrits critiques d'Abdelkader Badauni, un mollah qui traquait chez Akbar les signes de dérive religieuse, virent en lui un personnage orgueilleux à la limite de l'hérésie. Par un effet de symétrie, on fit du dernier grand empereur de la dynastie, Aurangzeb (alias Alamgir), qui régna de 1658 à 1707, l'archétype du souverain orthodoxe, intolérant et impopulaire. La réalité est moins schématique.

L'accession au pouvoir d'Akbar, fils d'Humayun, à l'âge de quatorze ans, fut assez comparable à celle de Louis XIV un siècle plus tard : élevé en exil en Iran par un précepteur chiite, il dut se défaire d'encombrants protecteurs et s'imposer dans une atmosphère de fronde permanente. Mais à d'autres égards, la comparaison avec son contemporain Henri IV est plus pertinente : il se voulut un souverain de ralliement et de consensus. À son avènement en 1556, le pouvoir moghol n'était pas encore consolidé, ni territorialement ni institutionnellement. Akbar dut commencer par reconquérir son empire. Pendant une quinzaine d'années, entre 1561 et 1576, il mena campagne sur campagne, parvenant à neutraliser les chefs rajpoutes et tribaux, à annexer les sultanats musulmans indépendants du nord, se heurtant à une résistance déterminée de certains souverains (notamment lors du siège de Chittor dont presque tous les défenseurs rajpoutes se sacrifièrent dans le feu selon la coutume du *jauhar*), mais s'efforçant par ailleurs de tisser des alliances avec les clans les plus puissants, scellées par des mariages avec des princesses rajpoutes. Durant la seconde moitié de son long règne, Akbar chercha sans succès à élargir le cercle de son autorité vers l'Asie centrale (vieux rêve de retour aux sources), vers le Deccan où les sultanats vainqueurs de Vijayanagar résistèrent à ses ambitions, et vers l'Iran où l'empire safavide atteignait son apogée sous Shah Abbas Ier.

Simultanément à ses campagnes militaires, Akbar parvint à asseoir son autorité civile à l'aide de trois instruments : un trésor public et une administration bien gérés, un rituel de cour visant à en imposer aux factions, et une politique d'ouverture vis-à-vis des élites non musulmanes.

La gestion financière héritée de Sher Shah fut perfectionnée par deux ministres de premier plan, le musulman Turbati, son vizir, et l'hindou Todar Mal, son *diwan*. Ils instituèrent une hiérarchie minutieuse de grades (*mansab*), correspondant chacun à un emploi et à une obligation militaire, définie par le contingent fourni à l'armée du prince. À la place de l'affectation des revenus en *jagir* à titre personnel aux officiers du régime, à chaque grade fut attaché un salaire proportionnel, payé en espèces à partir des ressources fournies au Trésor par les impôts de telle ou telle région. Toute promotion se traduisait donc par des revenus supérieurs tirés d'une région différente, ce qui encourageait la mobilité et évitait la constitution de fiefs familiaux. L'impôt foncier était prélevé, au moins dans les régions du cœur de l'empire, sur la base de registres (*zabt*), où la production de chaque terroir était détaillée et évaluée en argent. La perception était affermée aux chefs des familles locales les plus puissantes, auxquels fut donné le titre persan de *zamindar* (« maître du sol ») [8]. Le maintien de l'ordre intérieur fut confié à un corps de gendarmerie chargé d'assurer la sécurité des routes et d'en surveiller l'entretien, et l'administration civile de douze grandes provinces (*suba*) de l'empire fut assurée par des gouverneurs assistés d'inspecteurs.

Le développement d'un rituel de cour a été interprété comme l'amorce d'une religion impériale, mais sa motivation première était de nature politique. Akbar mit en place autour de sa personne un cérémonial réglé par le lever du souverain, se montrant à ses sujets et leur imposant son autorité par la seule vue qu'ils avaient de lui (ce qu'on appelle le *darshan* du dieu, dans la pratique religieuse hindoue) ; suivaient des audiences publiques (*darbar*), l'après-midi étant consacrée à des activités plus privées. Ce rituel de Roi-Soleil fut pratiqué pour un temps dans le cadre d'une nouvelle capitale entièrement artificielle, qu'Akbar fit construire à quelque distance d'Agra : Fatehpur Sikri, établie dans une localité favorite de l'empereur, non pas comme Versailles parce que c'était un

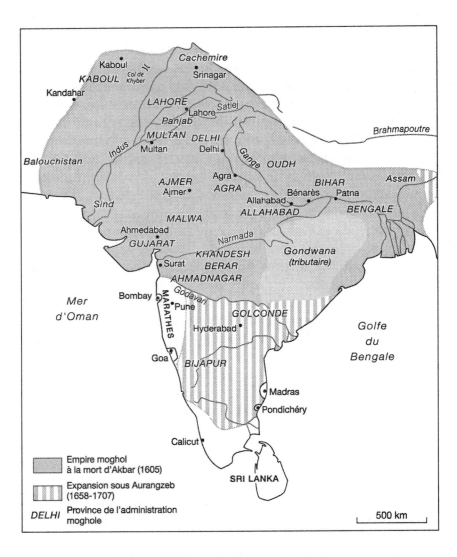

Kaboul
KABOUL
Col de Khyber
Kandahar
Cachemire
Srinagar
LAHORE
Lahore
Satlej
Panjab
MULTAN
DELHI
Multan
Delhi
Gange
OUDH
Balouchistan
Indus
Brahmapoutre
AJMER
Ajmer
Agra
AGRA
BIHAR
Bénarès
Patna
Assam
Sind
Allahabad
ALLAHABAD
BENGALE
MALWA
Narmada
Ahmedabad
GUJARAT
Gondwana
(tributaire)
KHANDESH
BERAR
Surat
AHMADNAGAR
Mer
d'Oman
Bombay
MARATHES
Godavari
Pune
GOLCONDE
Hyderabad
Golfe
du
Bengale
Goa
BIJAPUR
Madras
Pondichéry
Calicut
SRI LANKA

Empire moghol
à la mort d'Akbar (1605)

Expansion sous Aurangzeb
(1658-1707)

DELHI   Province de l'administration
moghole

500 km

8. L'Inde moghole au XVIIᵉ siècle

terrain de chasse, mais parce qu'y avait résidé un saint homme musulman appartenant à une confrérie soufie, dont Akbar avait fait son mentor et qui, après sa mort, fut inhumé sur ce site. Plus tard, Akbar s'attribua un rôle d'officiant en prononçant des prêches lors de la grande prière du vendredi, puis il prétendit arbitrer des conflits entre docteurs de la loi, s'identifiant, sans en avoir le titre, aux califes, commandeurs des croyants. Cependant, la référence musulmane déterminante n'était pas chez Akbar celle de l'islam conquérant des califes, mais celle des mystiques soufis, devenus particulièrement populaires en Inde. On débat encore sur la question de savoir si la confrérie qu'il mit en place à la fin de sa vie et où il enrôla ses plus proches courtisans était l'amorce d'une religion nouvelle, d'une secte soufie, ou tout simplement un ordre honorifique. Toujours est-il que le millénaire (en années lunaires) de l'hégire, qui tombait en 1591, fit fleurir des croyances messianiques, qu'Akbar utilisa à son profit.

La volonté d'ouverture aux élites non musulmanes dont Akbar était conscient qu'elles représentaient la majorité de la population se manifesta d'abord par une politique d'alliances avec les grands lignages rajpoutes, puis par des mesures symboliques, telles que l'interdiction de l'abattage des vaches ou la suppression de l'impôt perçu sur les non-musulmans (*jiziya*) qui était tombé en désuétude, mais dont l'abolition proclamait publiquement une sorte d'égalité civique. Enfin, Akbar est célèbre, d'ailleurs plus chez les Européens que chez les Indiens, pour avoir fait venir à sa cour des lettrés, appartenant à toutes les cultures et à toutes les religions représentées dans son empire : des brahmanes qu'il séduisit en faisant traduire en persan de grands textes sanskrits ; des adeptes de nouvelles sectes, comme les sikhs, dont il appréciait les tendances monothéistes, et des ascètes jaïns dans lesquels il voyait des sortes de soufis.

149

Il invita des jésuites de Goa dont il appréciait la culture encyclopédique, les talents scientifiques et les goûts artistiques, et qui s'imaginèrent qu'ils pourraient le convertir.

L'empire moghol de Jahangir à Aurangzeb

Après la mort d'Akbar en 1605, son fils aîné Salim, qui s'était rebellé contre lui mais était revenu en grâce, prit le pouvoir sous le nom de règne de Jahangir, en dépit d'intrigues qui visaient à imposer à sa place son fils aîné Khusrau. L'image qu'on a gardée de lui comme d'un souverain esthète plus adonné aux plaisirs de la cour qu'aux affaires de l'État, tombé sous la coupe d'un clan persan mené par son épouse favorite Nur Jahan, mérite d'être nuancée à la lumière de son autobiographie, et d'être complétée par l'évocation des graves révoltes paysannes qu'il fit réprimer de façon sanglante. Son fils cadet Khurram, après avoir fait assassiner Khusrau et tous les autres prétendants mâles, devint empereur sous le nom de Shah Jahan (1628-1658) : la succession par élimination, pratiquée de longue date en Inde, par les empereurs maurya comme par les sultans de Delhi, redevint la marque de ce régime.

Shah Jahan est généralement présenté comme le « Grand Moghol » par excellence. Cette réputation de magnificence, établie de son vivant, est illustrée par la construction d'une nouvelle capitale sur le site de Delhi, Shahjahanabad, avec le Fort Rouge en son cœur, par l'édification du Taj Mahal, mausolée en l'honneur de son épouse favorite, Mumtaz Mahal, morte en couches en 1631, et par la fabrication du Trône du Paon chargé de pierres précieuses. Le style architectural qui prévalait en Inde s'inspirait de la tradition persane, mais il y avait en outre chez ce souverain un désir de mise en scène, un goût du grandiose qui frappa durablement les Indiens, sensibles aux images spectaculaires. Le coût de cette politique somptuaire était peu de chose au regard du financement des expéditions militaires qui impliquaient une armée de plus en plus considérable. Shah Jahan tenta à son tour de reconquérir l'Asie centrale, et d'établir durablement sa suprématie dans le Deccan. Il lui fallut doubler le nombre de ses soldats : l'armée comportait désormais deux cent mille cavaliers et archers, ainsi que quarante mille artilleurs et mousquetaires. Le poids de la fiscalité s'accrut en conséquence et se traduisit par des difficultés pour la paysannerie, d'autant qu'une série de mauvaises moussons entraînèrent de graves famines, notamment en 1630 au Gujarat. Pour se ménager un appui auprès des milieux orthodoxes musulmans dont l'influence grandissait, Shah Jahan, d'abord prudemment, puis de façon plus nette, rompit avec la politique de tolérance d'Akbar, détruisit des temples, appliqua les préceptes de la *sharia*, et favorisa les pèlerinages de ses sujets à La Mecque. La fin agitée de son règne fit apparaître les symptômes d'une grave crise de régime : la rivalité opposant son fils aîné, Dara Shukoh, à son troisième fils, Aurangzeb, se doublait d'une opposition entre deux conceptions idéologiques. Le premier avait hérité d'Akbar une attirance particulière pour la culture de l'Inde ancienne. Il affirmait que les Upanishads étaient les livres secrets mentionnés par le Coran, les avait fait traduire en persan ; il avait écrit lui-même en persan et fait traduire en sanskrit un traité soutenant la thèse selon laquelle les « deux océans » de l'islam et de l'hindouisme pouvaient se mêler harmonieusement[9].

Aurangzeb était ambitieux, secret, porté sur les pratiques ascétiques au point de passer pour un renonçant, et fin connaisseur de la *sharia*. Bon soldat, il s'était aguerri au Deccan et s'était fait une clientèle dans l'armée, alors que

Dara résidait le plus souvent à la cour. Il disposait de l'appui financier de Mir Jumla, célèbre aventurier persan qui avait mis la main sur les trésors de Golconde. La guerre de succession qui éclata entre les fils de Shah Jahan, dès que leur père tomba malade, mobilisa les unes contre les autres les meilleures troupes de l'empire, sous les yeux impuissants du souverain relégué dans son fort d'Agra. Elle vida le trésor, ravagea le nord de l'Inde et ruina la paysannerie. Victorieux, Aurangzeb fit éliminer ses frères et établit son autorité sur un pays exsangue.

Le long règne d'Aurangzeb (1658-1707) est très complexe. Jamais le territoire de l'empire n'avait été aussi étendu, en particulier en direction du Deccan, dont les sultanats furent absorbés. Mais sa capitale d'Aurangabad, d'où il mena la lutte pour le contrôle du sud et où se trouve son modeste tombeau, symbolise aussi l'échec d'une politique d'extension qui se heurta à de nouveaux adversaires, les Marathes. L'image qui est donnée de ce souverain dans l'Inde d'aujourd'hui met l'accent sur le caractère répressif de sa politique à l'égard des hindous, notamment des marchands, qui se soulevèrent à deux reprises : en 1669 à Surat, le principal port de l'empire, pour dénoncer les exactions du cadi local, les marchands quittèrent la ville, et obtinrent gain de cause ; dix ans plus tard, à Delhi, contre la restauration de la *jiziya*, les habitants des quartiers populaires essayèrent d'empêcher l'empereur de se rendre à la mosquée, et leur manifestation fut réprimée dans le sang. Aurangzeb fit détruire des temples hindous construits sans son autorisation par des seigneurs locaux suspects d'insubordination, et taxa les pèlerinages. Les sikhs, qui avaient pris position pour Dara, furent aussi la cible d'une répression impitoyable, et se radicalisèrent en transformant leur secte en organisation militaire. Il construisit sa propre image de souverain musulman, publiant un recueil de jurisprudence qui est encore utilisé de nos jours. Pourtant, il s'efforça avec succès de conserver l'appui des grandes familles rajpoutes, faisant du prince Jai Singh le noble le plus titré de l'empire et le vice-roi du Deccan, et de tous les empereurs il fut celui qui recruta le plus grand nombre d'hindous au service de l'État.

L'autorité moghole contestée

L'autorité d'Aurangzeb se heurta à des difficultés croissantes : selon les lectures qui en sont faites, les raisons sont à chercher dans la résistance de pouvoirs régionaux à ses ambitions centralisatrices, la réaction des hindous et des sikhs à sa politique religieuse, ou bien le dysfonctionnement des finances de l'empire. Il importe de considérer ces phénomènes avec une profondeur historique suffisante, et de porter attention aux données locales. Ainsi l'histoire de la succession du prince du Marwar, Jaswant Singh, obéit-elle à un scénario bien rodé : certains Rajpoutes entretenaient une tradition de rébellion, qui se manifesta lorsque l'empereur moghol voulut faire élever à sa cour le très jeune fils du prince défunt. Son entourage organisa une évasion rocambolesque, la répression qui s'ensuivit entraîna les armées impériales dans une guerre de guérilla où elles s'usèrent, et l'un des fils rebelles de l'empereur, Mohammed Akbar, chercha refuge auprès de ces mêmes Rajpoutes. De même, la formation du *Khalsa*, la communauté des Purs, par le dernier gourou des sikhs, Gobind Singh, en 1699, est l'acte ultime d'une évolution vers la militarisation de la secte, qui avait débuté pour affronter la répression de Jahangir dirigée contre des membres d'un groupe qui avait soutenu son fils rebelle Khusrau.

153

On examinera de plus près le cas des Marathes qui jetèrent le plus sérieux défi à l'autorité impériale [10]. Les brahmanes, qui furent au service des rois marathes avant de s'arroger pour eux-mêmes le pouvoir en tant que premiers ministres (*Peshwa*), représentèrent le fondateur de cette construction politique, Shivaji, sous les traits d'un monarque hindou idéal. Les chroniques apologétiques qu'ils écrivirent en marathi alimentèrent par la suite un mouvement régionaliste dont l'expression politique se réclame aujourd'hui encore de Shivaji : le parti Shiv Sena (« l'Armée de Shivaji ») puise dans cette histoire des arguments pour sa politique à la fois anti-musulmane et anti-centralisatrice. À l'inverse, les Britanniques, qui affrontèrent au début du XIXe siècle la résistance des derniers chefs marathes, et trouvèrent un siècle plus tard chez les brahmanes de l'Inde de l'ouest leurs adversaires politiques les plus coriaces, dépeignirent Shivaji et ses successeurs comme des seigneurs féodaux adonnés au brigandage, et leurs conseillers brahmanes sous les traits de prêtres ambitieux et comploteurs. Ils firent traduire des documents choisis tirés des archives marathes et firent longtemps obstacle à la libre consultation des originaux, ce qui montre à quel point l'histoire était devenue un enjeu politique.

Historiquement, les Marathes ne s'identifiaient pas à tous les habitants de la région parlant la langue marathi : par ce terme, les sultans du Deccan désignaient les chefs de groupes armés, généralement issus de la caste paysanne dominante locale (les Kunbi), qui s'étaient mis à leur service ou étaient en état de rébellion contre eux. Depuis leurs châteaux forts établis au sommet des Ghâtes, les Marathes contrôlaient le plat pays de façon intermittente, y effectuant des razzias ou participant à sa vie économique, sociale et religieuse (l'hindouisme dévotionnel y était très actif autour du sanctuaire de Pândharpur). Au cours du XVIIᵉ siècle, une famille marathe, les Bhonsle, s'illustra au service du sultanat d'Ahmadnagar, qui résistait aux tentatives de conquête d'Akbar et de ses successeurs sous la direction d'un ancien esclave *habshi* (africain) émancipé, Malik Amber, à la tête de troupes presque exclusivement composées de Marathes. Après le déclin d'Ahmednagar, Shahjî Bhonsle offrit ses services au sultanat voisin de Bijapur, puis aux Moghols, et finit par jouer son propre jeu.

Son second fils, Shivaji (1630-1680), fut élevé par sa mère dans la solitude d'une forteresse des Ghâtes, Pune (Poona). Il imposa très jeune son autorité aux seigneurs marathes des environs, se fit construire une capitale nouvelle, Raigarh, puis se tourna vers la mer et s'empara du port de Kalyani situé aux abords immédiats de l'actuelle Bombay. Les Moghols, qui commençaient à supplanter les sultans du Deccan, cherchèrent alternativement à amadouer et à contrecarrer Shivaji, qui, en réponse, organisa un coup de main audacieux contre les officiers moghols. Puis il lança une attaque contre la grande cité marchande de Surat, principal port de l'Inde moghole, qu'il pilla en règle, ce qui lui permit d'amasser un trésor de guerre considérable. Jai Singh, le principal prince rajpoute au service des Moghols, fut envoyé pour le contraindre à accepter la suzeraineté moghole, et à joindre ses forces à celles des Moghols pour la conquête de Bijapur. Convoqué à la cour d'Aurangzeb à Agra, Shivaji refusa de se plier à l'étiquette, fut menacé d'exécution pour rébellion, finit par s'échapper en se déguisant en ascète, obtint pour son fils nommé officier le pardon impérial, rompit à nouveau et, à court d'argent, pilla une seconde fois Surat, en 1670.

Cette histoire d'un audacieux seigneur de la guerre comme l'Inde en avait tant connus se poursuivit par un épisode spectaculaire de réinvention de la tradition, qui vit se dérouler en plein XVIIe siècle un rituel védique conçu comme une reconstitution historique : en 1674, au milieu d'un déploiement d'une splendeur inouïe et d'une avalanche de cadeaux, qui coûta ce qu'avait rapporté le dernier raid sur Surat, Shivaji mit en scène son couronnement après une préparation poussée, au cours de laquelle un savant brahmane qu'il avait fait venir de Bénarès le purifia, lui noua le cordon sacré, l'instruisit dans les Védas, et lui conféra le statut de Rajpoute en lui inventant une généalogie le rattachant à la lignée solaire. L'événement fut « retransmis » par les réseaux brahmanes d'un bout à l'autre de l'Inde, et donna à Shivaji une assurance qui lui permit de s'imposer aux autres Marathes, de traiter d'égal à égal avec les Rajpoutes, et d'opposer sa légitimité à celle de l'empire. Néanmoins, à sa mort, en 1680, il n'existait pas à proprement parler d'État marathe, et les interminables et sanglantes querelles de succession entre les fils de ce souverain polygame furent exploitées par les Moghols, de sorte que la dynastie Bhonsle ne garda qu'une autorité symbolique. Au XVIIIe siècle, la réalité du pouvoir passa aux mains des *peshwa*, premiers ministres brahmanes qui organisèrent un État bien administré, et d'officiers marathes qui se taillèrent des fiefs dans les régions périphériques du royaume.

La fin du règne d'Aurangzeb fut marquée par des signes inquiétants pour la survie de la puissance moghole. Une fraction des impôts (le quart dans les régions où se faisait sentir l'autorité marathe) échappait au contrôle du pouvoir central. L'inflation des prix réduisait le salaire réel des officiers, les conduisant à limiter les contingents mis à la disposition de l'empire, à s'endetter auprès des prêteurs hindous, ou à prendre leur autonomie : après 1707, certains gouverneurs et non des moindres, les *nawab* de l'Oudh, dans la vallée du Gange, ceux du Bengale, et le *nizam* d'Hyderabad devinrent financièrement indépendants. La mort d'Aurangzeb fut suivie par les habituelles guerres de succession, qui achevèrent de vider le trésor de l'empire et de démoraliser ses troupes. Le coup de grâce fut donné par la coalition d'un aventurier persan et de tribus afghanes, qui mirent à sac la ville de Delhi en 1739. L'image nostalgique du crépuscule de l'empire moghol fut brossée par des écrivains en langue persane et en ourdou, dont les œuvres devinrent à la mode au cours du siècle suivant dans les milieux musulmans cultivés de l'Inde du nord. Elle fut reprise par les historiens coloniaux britanniques, prompts à comparer ce qu'ils qualifiaient pompeusement de *Pax britannica* à l'incapacité d'un régime décrit comme despotique à juguler l'anarchie indienne. En réalité, la décadence de l'empire ne fut pas synonyme d'effondrement de toute autorité ni de déchéance économique. Elle doit être interprétée en gardant à l'esprit qu'il s'agissait d'un régime militaire au même titre que ses prédécesseurs, qui avait recruté ses soldats dans le vaste marché de la main-d'œuvre militaire qui s'était développé dans l'Inde médiévale, mais qui n'avait jamais pu prendre le contrôle des dynamiques sociales et culturelles à leur source[11].

CHAPITRE 7

Le « beau Moyen Âge » indien

La rencontre de l'Inde médiévale et de l'islam : le thème est familier à tous les Indiens, Pakistanais ou Bangladais, il figure dans tous les livres d'histoire, il est présent dans tous les débats politiques, il déborde même de l'Asie du sud pour servir d'argument à des pamphlets où la manipulation du passé sert à désigner les ennemis du présent. La connaissance des éléments d'un débat aussi important est indispensable à qui veut comprendre comment l'Inde, mais aussi le Pakistan et le Bangladesh d'aujourd'hui, font face ou tournent le dos à leur histoire commune.

Le caractère lancinant de cette controverse ne doit pourtant pas détourner l'attention d'autres phénomènes non moins importants de l'histoire culturelle et religieuse de l'Inde médiévale, qui ont façonné les formes de la civilisation indienne telles que nous la connaissons aujourd'hui : l'essor de ses langues et de ses littératures vernaculaires, la vitalité des courants religieux de l'hindouisme dévotionnel et du soufisme, la puissance créatrice des poètes, des musiciens, des peintres, des architectes, des artisans. Et peut-être aussi l'émergence du système des castes comme cadre sociologique de la société hindoue, qu'on a trop facilement située dans le passé le plus ancien en arguant de la place de l'idéologie des *varna* dans la pensée brahmanique telle qu'elle s'exprime dans les *Dharmashastra*, mais qui ne se révèle dans toute sa force qu'au travers des descriptions postérieures au XVIᵉ siècle. Existe-il un lien entre ces trois phénomènes, la diffusion de l'islam, l'essor des cultures vernaculaires, l'affirmation du système des castes ?

L'Inde et l'islam : le débat

La diffusion de l'islam représente un tournant apparemment majeur dans l'histoire de la civilisation indienne. La netteté de cette image est accentuée par deux facteurs : l'abondance des informations dont disposent les historiens, qui contraste avec la pénurie à laquelle ils se trouvent confrontés pour les périodes antérieures ; et le contexte politique de la fin du XXᵉ siècle, qui a fait de cette période la plus controversée de l'histoire du sous-continent, les tenants d'un hindouisme militant et les défenseurs de l'islam y puisant des arguments pour mobiliser leurs troupes.

Aux yeux d'un grand nombre d'historiens indiens et de leurs émules[1], l'installation en Inde de nombreuses communautés musulmanes, notamment de conquérants nomades récemment islamisés, et les conversions qui ont suivi auraient rompu l'unité de la civilisation indienne, fondée jusque-là sur un système religieux relativement homogène, dominé par les valeurs sociales, morales et culturelles diffusées par les brahmanes. Il est facile de souligner ce qui différencie l'islam, religion monothéiste fondée sur un message prophétique unique, recueilli dans un livre exclusif, du foisonnement polythéiste d'un système religieux qui ne se pense pas de façon définie et qui met l'accent sur les fonctions rituelles de ses prêtres. Il est aussi facile de souligner que l'établissement d'États dirigés par des souverains musulmans rend désormais caduc le processus de légitimation requérant l'action des brahmanes pour confirmer le pouvoir des rois.

Développé principalement par des historiens influencés par les courants hindouistes militants, l'argument se poursuit en mettant l'accent sur la violence des conquérants, sur les destructions qu'ils ont opérées, s'attaquant tout particulièrement aux temples hindous et aux monastères bouddhiques, qui avaient accumulé à l'époque d'immenses richesses attirant les raids de guerriers en quête de butin, et qui symbolisaient l'idolâtrie contre laquelle avait combattu Mahomet (il était courant à l'époque d'attribuer les cultes pré-islamiques d'Arabie à l'influence du polythéisme indien). Aux yeux de ces historiens, l'idéologie du jihad aurait non seulement fourni une justification commode à des opérations de pillage, mais aurait perpétué, après le moment initial de la conquête, un climat de violence permanente et un rapport de domination réduisant en esclavage les plus faibles, poussant à la conversion les plus opportunistes et conduisant les autres à adopter des procédures de survie. C'est ainsi que le système des castes aurait acquis une rigidité beaucoup plus marquée à cette époque, dans le but de protéger les communautés hindoues contre la pénétration de l'islam, et que la liberté des femmes aurait été sérieusement restreinte par mesure de protection, en particulier en Inde du nord où la pratique du *purdah* se serait généralisée dans les communautés hindoues de haute caste. Cette approche historique glorifie les épisodes de résistance à l'islamisation, qu'il s'agisse des hauts faits des Rajpoutes, prêts à se sacrifier et à sacrifier leurs femmes et leurs enfants dans des holocaustes (*jauhar*), plutôt que de tomber vivants aux mains des conquérants, ou des raids audacieux de Shivaji présentés comme des actes inspirés par le modèle des héros de l'Antiquité. Elle souligne le rôle joué par l'Inde du sud, présentée comme une terre de refuge, et sur la sauvegarde des textes fondamentaux de l'hindouisme par ses brahmanes.

Ces thèses sont contestées par d'autres historiens au nom de deux types d'arguments : les uns soulignent ce qu'ils estiment être les éléments bénéfiques de la diffusion de l'islam, les autres relativisent l'ampleur du traumatisme. Beaucoup d'historiens pakistanais tendent à entretenir l'image d'un islam égalitaire, qui d'une part aurait attiré à lui les segments mobiles, dynamiques et entreprenants de la société hindoue, dont l'énergie aurait été, selon eux, jusque-là bridée par le système des castes, et qui d'autre part aurait séduit les couches les plus opprimées et les moins bien intégrées de la société, c'est-à-dire les intouchables et les populations tribales. D'autres chercheurs, comme K.N. Chaudhuri[2], considèrent que l'Inde a été intégrée dans une « zone d'influence islamique », qu'il présente comme une sorte de sphère de coprospérité asiatique, et dont le moteur, situé initialement au Moyen-Orient, se serait progressivement déplacé vers l'est, pour faire de l'Inde la plus grande puissance manufacturière du monde au XVIIᵉ siècle. Le grand commerce international, animé principalement par des marchands musulmans, aurait donc en quelque sorte désenclavé l'économie indienne et assuré les bases de sa prospérité, bien avant que les négociants européens ne viennent en capter les circuits. Certains historiens, regroupés au sein de l'université indienne d'Aligarh, fondée par des intellectuels musulmans modernistes, soulignent que sous les Moghols, les structures de l'État moderne se sont mises en place en suivant une évolution parallèle à celle que connaît l'Europe à la même époque, où les États guerriers médiévaux se transforment peu à peu en monarchies absolutistes centralisées reposant sur une fiscalité stable. Dans ce processus d'ensemble, la référence à l'islam perd sa spécificité, et le rapport souvent tumultueux du souverain à ses sujets est interprété dans la perspective de la construction de l'État et de la résistance à l'absolutisme. Ces historiens affirment que le rapport du pouvoir central aux pouvoirs régionaux, fait d'un mélange de tolérance et de répression, était à peu près le même quelle que fût l'identité religieuse des acteurs politiques en présence. Cette thèse conduit à contextualiser la violence des conquérants, et à minimiser l'ampleur des destructions. Ainsi, Romila Thapar montre que le fameux temple de Somnath continue de fonctionner après les raids de Mahmoud, et bénéficie de donations de musulmans locaux ; elle soutient que les chroniqueurs ont gonflé l'importance des destructions de temples pour célébrer l'islamicité (douteuse à d'autres égards) des princes dont ils étaient les thuriféraires, et que la pratique consistant à démolir des édifices religieux pour en construire d'autres à leur place n'était pas le seul fait des souverains musulmans[3]. Plus généralement, la non-islamisation de la majorité de la population indienne serait l'effet non d'une résistance déterminée des vaincus, mais d'une absence de détermination des vainqueurs.

Enfin, beaucoup d'auteurs soutiennent qu'il est inexact de présenter l'islam comme un bloc homogène, de réduire l'histoire religieuse de l'Inde à celle de la politique religieuse de ses souverains, et que les phénomènes d'interaction l'emportent sur les épisodes de confrontation. Ce n'est pas parce que les princes sont musulmans que leurs relations avec les hommes de religion sont faciles, d'abord parce que l'islam est pluriel : le chiisme s'est développé en Inde dans les milieux marchands, puis dans les cours marquées par l'influence persane, et la rivalité qui l'oppose au sunnisme paralyse toute velléité de stratégie d'islamisation. Et puis parce que les intérêts politiques commandent aux souverains de ménager la majorité de la population : la politique de tolérance active pratiquée par Akbar n'en est pas le seul exemple, et la plupart des souverains, y compris Aurangzeb, ont dû faire des concessions pour capter l'allégeance des puissants lignages hindous établis dans les régions qu'ils tentaient de contrôler. De leur côté, les chefs de ces lignages ont généralement accepté de reconnaître la suzeraineté de Delhi, allant jusqu'à donner leurs filles en mariage à ces souverains musulmans en gage d'allégeance. Quant aux phénomènes d'interaction culturelle, ils se manifestent aussi bien au sein des élites dirigeantes que dans les milieux populaires.

La culture de l'élite et les formes de diffusion de l'islam

Avant les sultanats, l'islam s'est diffusé principalement par les marchands arabes et persans ayant contracté des alliances dans tous les ports de l'océan Indien occidental (Sind, Gujarat, Konkan, Kerala, Sri Lanka). L'installation de communautés arabo-persanes y est bien antérieure à la naissance de l'islam, et c'est à ces communautés anciennes qu'il faut attribuer la diffusion du judaïsme et du christianisme nestorien. Une autre source d'islamisation est la conversion au chiisme ismaélien de marchands gujarati, qui en seront les agents de diffusion le long des routes commerciales.

Sous les sultans, on ne voit pas à l'œuvre de projet explicite de la part des dominants turcs de convertir la masse de la population. Dans les zones continentales, il n'y a pas de conversion massive et soudaine comme dans le Machrek et le Maghreb de la première expansion, cinq siècles plus tôt. Il existe une disproportion numérique énorme entre la

164

population indienne de l'époque et la population conqué-
rante : de ce point de vue, la conversion des régions peu peuplées de l'Iran ou du sud de la Méditerranée était bien plus
facile, d'autant que cette population était déjà familiarisée
avec des formes de monothéisme. Dans le contexte des
conquêtes mongoles du XIIIᵉ siècle, l'Inde, seul pays épargné,
devient un refuge pour les musulmans d'Asie occidentale,
qui s'y installent très nombreux, beaucoup plus nombreux
que les conquérants turcs. C'est cette population musulmane cosmopolite, repliée en Inde, qui va constituer l'élément majeur de l'implantation de l'islam en Inde du nord,
puis, après le sac de Delhi par Tamerlan, jusque dans le Deccan. Elle comprend un grand nombre d'oulémas, qui font
des villes d'Inde du nord (notamment de Lahore) des grands
centres d'enseignement coranique. Mais cette islamisation
se manifeste surtout à travers la prédication de mystiques
soufis : après Hujwiri arrivé dès 1071, Muin ud-din Chishti
s'installe en Inde en 1192, au moment de la fondation du
sultanat, et Baba Farid au début du XIIIᵉ siècle. Leur style
répond à la sensibilité religieuse des Indiens. Ces « gens de
la voie » (*tariqa*) mettent davantage que « gens de la loi »
(*sharia*) l'accent sur le caractère révélé du Coran, sur la relation d'amour et de dévotion entre Allah et ses fidèles, ce qui
les rapproche des adeptes de la *bhakti*, sur la quête incessante
de la vérité, ce qui les rapproche des sectes shramaniques, et
sur les vertus des rites sensibles et des pratiques corporelles,
notamment de la musique et de la danse, ce qui les rapproche des yogis[4]. Organisés en confréries menant parfois une
vie de type monastique, sur les lieux où sont inhumés leurs
saints fondateurs qui deviennent l'objet d'un culte dont ils
sont les officiants, ils offrent aux laïcs (y compris aux femmes
et aux esclaves) une dimension émotionnelle que leur
refusait l'islam des oulémas. En Inde, la confrérie la plus

influente est celle des disciples de Chishti (dont le tombeau à Ajmer devient le foyer du soufisme), parmi lesquels Niza-muddin Auliya et le poète Amir Khusrau, qui au temps des Khalji jouissent d'une grande renommée à la cour de Delhi, et plus tard Salim Chishti, le mentor de l'empereur Akbar. Particulièrement ouverts aux traditions culturelles locales, ces soufis en réinterprètent les thèmes, comme Jayasi, poète du XVIe siècle, qui met en scène l'histoire de la belle reine raj-poute de Chittor, convoitée par Ala ud-din Khalji (repré-senté comme un roi puissant mais dépourvu de légitimité), et qui se suicide à la mort de son époux.

La culture de cour des sultans, puis celle des empereurs moghols, va rester marquée par les influences persanes, mais se détache en partie de ses connotations islamiques, et se nourrit des traditions populaires indiennes [5]. Elle est trans-mise par une éducation formalisée où le persan occupe la place de choix, bien plus que l'arabe. Les palais et les tom-beaux sont plus imposants que les mosquées, l'art de la pein-ture, d'abord complément de la calligraphie, s'en émancipe et représente des thèmes non islamiques. Beaucoup de sou-verains, qui ont épousé des filles de princes rajpoutes, sont sensibles à l'esthétique indienne et se font traduire des œuvres sanskrites : inaugurée par Firoz Shah, cette pratique est systématisée par Akbar, qui organise un atelier de traduc-teurs ; Shah Jahan confie à un parsi la rédaction d'une ency-clopédie des religions (*Dabistan al-madhabib*) ; son fils Dara fait traduire les Upanishads sous le titre « Le grand secret ». Les soufis gardent une grande popularité dans les cours où l'on croit à leurs pouvoirs magiques : ayant accès à la fois aux princes et au peuple, ils contribuent à nourrir la culture de l'élite d'influences populaires. C'est ainsi qu'Akbar, grand amateur de musique, attire à sa cour musiciens et poètes, notamment Tansen et Sour Das, et que s'y introduit la pratique du chant dhrupad en langue braj, développée à la cour d'un roi rajpoute, Mansingh Tomar (1486-1516). Aux instrumentistes persans vont se joindre les chanteurs populaires hindous. Le patronage des souverains se détache de son contexte religieux originel, comme dans les cours des princes de la Renaissance européenne. Cette tendance est plus marquée encore dans l'art de la peinture[6], développé dans le cadre d'ateliers qui sont l'objet de tous les soins des empereurs eux-mêmes, soucieux de leur image, tout comme nos princes de la Renaissance. La peinture de portraits est l'œuvre d'artistes persans et indiens au service de l'idéologie impériale, notamment sous Jahangir, mécène anxieux, puis elle s'en émancipe pour faire place à l'inspiration personnelle avec un peintre comme Govardhan, avant de décliner au XVIIIe siècle.

Dans ces conditions, le lien entre domination politique et adoption de l'islam n'est pas évident. Le concept de « conversion » est-il approprié pour décrire ces processus ? Quelle est la chronologie du phénomène ? Quelles sont les catégories sociales qui ont été concernées par les phénomènes de « conversion », et selon quelle logique ? D'une région à l'autre, les modalités diffèrent. Ainsi, dans les villes de la vallée du Gange, les groupes d'artisans et d'artistes vivant au contact des cours musulmanes, comme les tisserands ou les musiciens, adhèrent volontiers à l'islam : leur statut social traditionnellement inférieur dans la hiérarchie des castes s'en trouve rehaussé, et leur choix est en cohérence avec la société dans laquelle ils évoluent. Il en va de même de groupes tribaux ou de populations semi-nomades peu intégrées dans le système des castes, comme les Meo et certains Jats de la région de Delhi. Par contre, les intouchables et les basses castes rurales sont très peu concernés :

167

l'islam, pas plus que le bouddhisme, n'est un système religieux qui conteste activement l'ordre social établi, il y est seulement indifférent.

Dans les régions périphériques, on connaît assez bien le cas du Bengale et du Cachemire. Comment le Bengale oriental (aujourd'hui Bangladesh), région située aussi loin des centres du pouvoir du sultanat et de l'empire, est-il devenu musulman[7] ? Cette zone, jusqu'alors couverte de jungles, est à partir du XVe siècle un front pionnier sur les plans agricole, culturel et religieux, colonisé par des Bengalis venus de l'ouest, s'imposant à des populations tribales qui n'avaient jamais été hindouisées : le mode d'intégration est, à cette époque et dans ce lieu, non celui de la caste, mais celui de l'islam : c'est par ce biais que le Bengale oriental est devenu une terre de culture aux deux sens du terme. Dans ce processus d'islamisation très lent, qui s'achève au XVIIIe siècle, l'administration moghole joue un rôle mineur, se contentant d'attribuer des terres et de faire rentrer les impôts : l'essentiel vient de l'action des prédicateurs itinérants soufis, et de celle d'humbles entrepreneurs de mise en culture gratifiés par un pèlerinage à La Mecque. Ce sont des gens de religion qui y jouent un rôle comparable à celui des moines défricheurs dans l'Occident médiéval. L'islam de la charrue désacralise la forêt et ses dieux, comme l'exprime le mythe local d'Adam retourné de La Mecque au Bengale, et se faisant donner par l'archange Gabriel une charrue, un joug et une paire de buffles avec ce commandement divin : « L'agriculture sera ton destin. » C'est cet islam bien peu coranique qui sera à partir du XIXe siècle la cible des fondamentalistes. Le cas du Cachemire est un peu différent, mais les dates du phénomène sont les mêmes : une population paysanne, lasse de la domination des brahmanes et des clans guerriers locaux, se tourne vers le mysticisme proposé par des soufis venus de Perse. La tradition locale attribue à une femme et à un prince du Ladakh bouddhiste un rôle dans la création d'un ordre soufi qui porte le nom typiquement brahmanique de confrérie des Rishi, dont les membres se comportent exactement comme des renonçants hindous, et qui prêche l'unicité du dieu des musulmans et des hindous : le passage à l'islam se fait en quelque sorte par intégration et réinterprétation de formes antérieures de religiosité, entre le XIVe et le XIXe siècle.

Cultes dévotionnels et cultures populaires « vernaculaires »[8]

Dans sa version populaire, le mouvement d'islamisation doit être resitué dans une tendance culturelle beaucoup plus large, où les courants dévotionnels hindous ont une place prépondérante, et qui va bien au-delà, puisqu'elle entraîne, à l'échelle de l'ensemble de l'Inde, l'essor d'une production littéraire et artistique s'exprimant dans les langues populaires régionales. Aujourd'hui encore sous-estimée par beaucoup d'auteurs, cette tendance majeure de l'histoire médiévale a été qualifiée de « vernacularisation » par Sheldon Pollock, spécialiste d'histoire culturelle, qui souligne que l'Europe et l'Inde ont connu au même moment de leur histoire un processus de formation d'identités culturelles à partir des parlers populaires régionaux, tandis que le sanskrit et le latin restaient langues de haute culture mais perdaient leur monopole[9]. Ce phénomène est au départ totalement indépendant du développement de l'islam : la culture arabo-persane est aussi aristocratique que la culture sanskrite. On le voit à l'œuvre à partir du VIIIe siècle, dans les inscriptions où la place du sanskrit se réduit au bénéfice de celle des langues régionales, dans la traduction dans ces langues des grandes œuvres sanskrites, et dans l'apparition d'une littérature vernaculaire. Il se produit d'abord dans le sud de l'Inde, sous les Rashtrakuta et les Chola. En Inde du nord, il est plus tardif, la prépondérance brahmanique y donnant au sanskrit un appui durable, et les formes populaires de la *bhakti* s'y exprimant dans le cadre de sectes comme celle des Nâths shivaïtes qui exercent une influence considérable dans les régions du Gange avec Gorakhnâth (XIᵉ-XIIᵉ siècle). Par contre, les prédicateurs soufis du XIIIᵉ siècle contribuent largement à l'essor de la culture vernaculaire, et très vite les cours hindoues l'adoptent, assurant le succès de deux ancêtres du hindi et de l'ourdou, la langue braj (dans laquelle Vishnudas donne une version du *Mahâbhârata*), et la langue awadhi (dans laquelle Tulsi Das compose un *Râmâyana*). À la fin du XVᵉ siècle, Kabir, qui incarne mieux que tout autre cette culture nouvelle, exprime par une image forte les vertus de la langue populaire (*bhâsa*) : « Le sanskrit est comme l'eau du puits, mais la *bhâsa* est comme l'eau vive du ruisseau. » Les formes nouvelles d'expression religieuse, leur accessibilité au plus grand nombre requéraient l'emploi de la langue populaire, et en assuraient la promotion. On ne peut manquer de rapprocher les œuvres de ces poètes indiens des *Fioretti* de saint François d'Assise, lui aussi issu d'une société urbaine en plein essor.

La dimension la plus visible de cette culture populaire est la poésie habitée par l'hindouisme dévotionnel qui, après avoir fleuri dans le sud tamoul, prend son essor en Inde de l'ouest et au Bengale. Des chanteurs illettrés, généralement issus de castes inférieures, s'inspirent initialement de brahmanes qui ont rénové la tradition par l'expérience de la *bhakti* : le Tamoul Ramanuja (fin XIᵉ siècle), le Bengali

Jayadeva (fin XIIe siècle), auteur du *Gîtagovinda*, poème en l'honneur de Krishna, qui devient un texte de référence pour des générations de mystiques, et le Marathe Jñândev (fin XIIIe siècle), auteur du premier commentaire de la *Gîtâ* en marathi. Jñândev est à l'origine de la secte vishnouite Varakari basée à Pandharpur, le sanctuaire d'un dieu-héros pastoral, Vithobâ, qui devient un foyer de religiosité populaire. Autour de son successeur Namdev (XIVe ou XVe siècle), imprimeur d'étoffes (ou tailleur), s'y constitue un cercle de poètes qui font pour la première fois entendre la voix des milieux les plus humbles : un potier, un jardinier, un orfèvre, un barbier, un huilier, un usurier, une servante, une prostituée et un intouchable (le Mahar Chokhamela). Dans le langage de la dévotion commencent à s'exprimer des sentiments de révolte sociale : « À quoi bon la caste, à quoi bon le rang [...] la même impureté imprègne le monde entier : s'il en est ainsi, qu'est-ce donc que le pur et l'impur ? [...] Maudits soient les brahmanes et les ascètes. » Deux siècles plus tard, Pandharpur reste un lieu d'inspiration pour les gens modestes : Toukaram (1598-1649), petit boutiquier de caste paysanne *kunbi* de la région de Pune, quitte son village pour suivre les pèlerins de Pândharpur en composant des chants dévotionnels dans lesquels il exprime la conscience collective d'un peuple ; il aurait fait l'admiration du jeune Shivaji. Sa légende relate un épisode qui résume parfaitement l'image qu'il a laissée : contraint par les autorités brahmaniques jalouses de son influence auprès des jeunes brahmanes de jeter ses œuvres à la rivière, elles seraient réapparues miraculeusement intactes. Ces poètes ne visent pas à détruire la société, mais à ôter aux brahmanes le monopole de l'expression religieuse : dans le contexte indien, le projet est révolutionnaire. Il réapparaîtra à la période coloniale dans la même région et sous une autre forme, avec le mouvement « non

171

brahmane » d'affirmation des basses castes inspiré par Phule, puis la lutte menée par Ambedkar pour la défense des droits des intouchables.

L'hindouisme a rarement été aussi créatif qu'aux débuts de l'empire moghol, et dans l'Inde du nord, les brahmanes jouent le premier rôle : les courants dévotionnels de sensibilité vishnouite y sont en plein essor aux XVe et XVIe siècle. Ils prennent deux formes : celle de la figure de Râma, investie par Râmânanda (environ 1400-1470) et ses disciples, les Râmânandi, d'une symbolique nouvelle, qui fait du héros de l'ancien temps l'incarnation des valeurs d'une religion dépassant les contingences sociales dans le renoncement et l'union à la divinité, et qui donnera naissance un siècle plus tard au *Râmâyana* hindi de Tulsi Das. Et celle, plus populaire encore, de la dévotion à Krishna, sous sa forme de dieu pastoral, enfant et jeune homme, et non plus de mentor d'Arjuna : le mouvement a débuté au Bengale avec Jayadeva, il s'y poursuit avec Chaitanya (1486-1534) et se diffuse en pays braj, au sud de Delhi, avec Vallabha (1479-1531). Ces deux brahmanes, dotés d'un grand charisme, prêchent une religion d'amour ouverte à tous, où Krishna est adoré comme un Enfant-Roi dans les bras de sa mère adoptive Yashodâ, et où le jeune couple divin de Krishna et de Râdhâ offre aux fidèles une image aimable de la passion religieuse, loin des images terribles de Kalî et de Shiva. Mais par ailleurs tout les sépare : Chaitanya est un fou de Dieu, un rebelle, incarnant un courant mystique typiquement bengali, qui se perpétue de nos jours chez les chanteurs baûls ; Vallabha est un lettré, fondateur de temples et ardent propagateur du culte des images, dont les disciples, bien en cour au temps d'Akbar (ils s'efforceront d'annexer la figure du grand poète et musicien Sour Das, ami de Tansen), seront plus tard victi-

172

mes de la répression d'Aurangzeb. Contemporaine de Chaitanya, la poétesse mystique Mira Bai (1498-1547) va plus loin encore : née princesse rajpoute, elle refuse de se sacrifier sur le bûcher de son époux, choisit Ravidas, un intouchable, pour gourou, et consacre sa vie à l'adoration de Krishna qu'elle chante dans les *bhajan* en langue rajasthani qui lui valent d'être toujours considérée en Inde comme la figure la plus expressive de la *bhakti*.

Un dernier courant se distingue des précédents par son évolution vers l'adoration d'un dieu unique, non incarné, indicible et non représentable car dépourvu d'attributs. Ses créateurs ont subi les influences de la *bhakti* vishnouite, de l'ascétisme shivaïte et du soufisme, mais ils se situent résolument au-delà. Kabir (1440-1518) et Nanak (1469-1539) en sont les figures les plus marquantes [10]. Kabir est un tisserand de Bénarès, qui appartient à une communauté en voie de conversion à l'islam : il porte un nom arabe, mais il a été influencé par Râmânanda et son père était proche des ascètes shivaïtes. Installé à son métier à tisser, il incarne l'Inde des petits artisans. Avec son franc parler, dans une langue poétique et savoureuse (« le tisserand a tendu son métier entre la terre et le ciel »), il s'insurge contre l'hypocrisie des savants et des renonçants, pandits, mollahs, yogis et cheikhs (« ils ne connaissent pas le mystère de leur propre moi, et font la description du Paradis ! ») ; il prêche un dieu intérieur, une foi personnelle irréductible à l'hindouisme et à l'islam (« ceux-là sont bons cavaliers qui se gardent du Véda et du Coran », « ceux qui sont montés dans la barque se sont noyés, ceux qui sont restés sans appui ont traversé ») ; il proclame la mort des dieux (« Tous les dieux sont morts, qui passaient pour sages. La terre passe, le ciel passe, les quatre Védas passent, et la Sunna passe avec le Coran »). Dénoncé au sultan, condamné à mort mais non exécuté, il choisit, dernier trait d'impertinence, de finir son existence non à Bénarès où tous les hindous rêvent de mourir, mais à Maga-har où l'on est censé renaître sous la forme d'un âne, et où ses admirateurs hindous et musulmans ont chacun construit un mausolée en son honneur. Kabir n'a pas fondé de secte, et aujourd'hui seuls quelques millions d'Indiens, dont beau-coup d'intouchables, se réclament encore de son ensei-gnement.

C'est son contemporain, le gourou Nanak, qui a fait des paroles de Kabir l'une des références de la secte des disciples (« sikh ») qu'il a fondée, et les textes des poètes mystiques populaires ont été inclus au côté de ses préceptes dans le livre sacré, l'*Âdi Granth*, compilé par les soins de ses successeurs. Mais la communauté sikh s'est transformée au cours de deux siècles qui ont suivi en une organisation fortement structu-rée, étrangère à l'esprit de Kabir, si ce n'est dans sa propen-sion à résister à l'ordre établi – en l'occurrence à l'empire moghol, à partir du règne de Jahangir. Nanak cherche à construire une théologie positive, à édifier une église et à fixer des pratiques dévotionnelles ; son dieu, le « Vrai Maître », s'exprime par son Verbe et se manifeste par sa Grâce, seule capable de briser la chaîne du *karma* et de libé-rer l'homme : ce message appelle non au renoncement mais à l'action et à l'adoration. Contrairement à Kabir, Nanak était issu d'une caste de statut élevé, celle des marchands khattri du Panjab, ainsi que les neuf gourous qui lui succédè-rent à la tête de la secte. Mais il proclamait l'idéal d'une société sans castes, et les disciples se recrutaient dans toutes les couches de la société, notamment dans la communauté paysanne des Jats du Panjab. La religion qu'il a fondée ne cherche pas, comme on le dit souvent, à faire la synthèse de l'hindouisme et de l'islam : elle se situe au-delà, ou en marge, dans la continuité avec des mouvements médiévaux de

« protestation », au sens où les Réformés, dans l'Europe de la même époque, entendaient le terme.

La société des castes à l'issue du Moyen Âge [11]

Tous les mouvements populaires que nous venons d'évoquer expriment un ressentiment à l'égard de la hiérarchie des castes : est-ce parce qu'elle s'est durcie, ou parce que la domination de pouvoirs qui l'ignorent permet de la remettre en cause ? La seule certitude est qu'à partir de cette période, ce système d'inégalité graduée, comme l'a défini au XXe siècle le leader intouchable Ambedkar, n'est plus accepté comme allant de soi. En présentant les grands traits de ce qu'il est convenu d'appeler le système des castes, l'historien risque l'anachronisme. D'un côté, il est tributaire des textes védiques et des *Dharmashastra* qui présentent une organisation idéale du corps social en trois, puis en quatre catégories appelées *varna*, ce qui signifie initialement « couleurs », mais qu'on peut traduire par « ordres » [12]. Il dépend d'autre part d'observations relatées généralement par des auteurs extérieurs à la société indienne ; pour les plus anciens, il s'agit de voyageurs chinois, arabes ou persans, pour les plus récents, de loin les plus nombreux, de missionnaires, de savants ou d'administrateurs européens. C'est seulement à partir du XVIIIe siècle que ces descriptions donnent l'image d'un système global, organisant l'ensemble de la société en une multiplicité de groupes endogames, appelés par les Indiens les *jati* (« naissances », d'où « espèces »). Ces groupes sont généralement, mais pas toujours, spécialisés professionnellement. À ce stade, *varna* et *jati* sont traduits indifféremment par castes, terme d'origine hispano-portugaise, qui énonce la valeur éminente donnée dans ce système à la préoccupation de pureté. Ultérieurement, d'autres savants et d'autres administrateurs, cherchant à relier de façon ordonnée le système des *varna* à celui des *jati*, ont réservé le terme de caste aux *varna*, et inventé celui de sous-caste pour les *jati*. Mais il s'agit historiquement de deux concepts différents, celui de *varna* ayant été élaboré en premier dans le système brahmanique de représentation de l'ordre invariable du monde et de la société, celui de *jati* énonçant dans le langage du quotidien une réalité sociale variable selon les lieux et les époques, mais organisée autour de la préoccupation constante du statut du groupe.

D'après cette description, reprise par l'ethnologie classique, les *jati* endogames sont des cercles d'alliance, avec une tendance à l'hypergamie qui entretient la dynamique du système mais limite la mobilité sociale (on cherche à marier sa fille à un homme appartenant à un groupe immédiatement supérieur mais jamais l'inverse). Les *jati* se hiérarchisent les unes par rapport aux autres en vertu d'un système de valeurs de nature religieuse et non pas économique comme le serait une organisation de classes, par référence au classement idéal de la société en *varna*, élaboré par les brahmanes. Le critère de hiérarchisation est celui qui résulte du degré croissant de pureté, ou du degré décroissant de pollution, qui permet, limite ou interdit l'accès au sacré, et qui est plus ou moins lié au métier exercé. Dans le cas d'une société paysanne sédentaire, les *jati* entretiennent des relations d'interdépendance, d'échanges de travail, de biens et de services. Ces échanges définissent des relations de complémentarité mais non pas d'égalité. Il en résulte que les *jati*, qui ne sont pas des classes sociales définies par leur contrôle des moyens de production, se comportent souvent comme telles : les castes situées vers le sommet de la hiérarchie exerçant un contrôle sur la terre, on peut les qualifier de castes dominantes, mais c'est un contresens que de parler comme on le fait parfois de castes riches et de castes pauvres. La force de ce modèle classificatoire et hiérarchique aurait été suffisante pour qu'il se maintienne dans les secteurs de la société sud-asiatique ayant adhéré au bouddhisme, au christianisme, voire à l'islam.

La thèse favorite des orientalistes du XIXe siècle était que les *jati* résultaient d'une complexification du système des *varna* hérités de la « conquête âryenne ». D'autres chercheurs soutenaient qu'à l'origine, les *jati* étaient des corporations de métiers, dont la soi-disant fermeture de l'Inde sur elle-même aurait entraîné la transformation en groupes endogames exclusifs. D'autres encore présentaient l'évolution vers l'endogamie comme un mécanisme de défense contre des agressions extérieures, représentées en particulier par les incursions musulmanes, la structure fermée de la société jouant le rôle d'une armure invisible contre les *mlechcha*, les « barbares » étrangers. Ces thèses, encore défendues de nos jours en Inde pour servir d'argument à des controverses concernant notamment le rôle de l'islam dans l'histoire de l'Inde, ne résistent guère à l'examen historique, qui suggère que cette société de castes n'a jamais été en position de monopole, qu'elle a été, tout au long de l'histoire de l'Inde, en relation dialectique avec des groupes non englobés.

Rien ne permet d'affirmer l'antiquité de l'état des choses constaté au début de la période coloniale par les observateurs européens, aussi soucieux que leurs prédécesseurs et informateurs brahmanes d'organiser de façon intelligible la diversité du réel. Certains auteurs modernes ont poussé la critique jusqu'à prétendre que la caste était une invention de l'ethnologie coloniale [13]. Sans aller aussi loin, il est vraisemblable que les sociétés indiennes médiévales fonctionnaient de façon nettement plus flexible que ne le laisse penser l'image figée du système des castes. Il est aussi évident qu'il n'existait pas un système des castes valable pour toute l'Inde, mais des systèmes régionaux très divers, correspondant souvent au territoire d'un royaume médiéval. Des monographies historiques comme celle qui a été consacrée au petit royaume de Pudukottai, en pays tamoul, montrent que les *jati* ont souvent été organisées en système à l'initiative des rois et de leurs administrateurs brahmanes, soucieux d'en faire un moyen de gouvernement des hommes et d'organisation des territoires.

Enfin, un trait manifeste de la société indienne au début du XVIIIe siècle est le nombre des gens de guerre et la place prépondérante qu'ils occupent dans la société – qu'il s'agisse de musulmans, d'hindous, de sikhs. Pour ce qui est des hindous, cette fonction a depuis longtemps cessé d'être le monopole de castes royales de haut statut – s'il l'a jamais été : paysans, marchands, brahmanes même, chacun est armé et beaucoup vivent de la guerre ou du brigandage. Jusqu'aux ascètes, autre catégorie visible de cette société, qui sont souvent organisés militairement et dont les combattants sont particulièrement redoutés, qu'il s'agisse des sannyâsi hindous ou des fakirs musulmans. La violence sociale semble donc généralisée, et la capacité de l'État à faire régner la justice fort limitée. Pourtant cette société médiévale, plus anarchique que ne la décrivent les textes normatifs des brahmanes, fonctionne mieux que ne le prétendront les Britanniques, soucieux de justifier leur domination au nom de l'ordre et de la justice. La puissance créatrice dont l'Inde fait preuve dans le domaine culturel s'enracine dans l'essor économique des villes, de la production artisanale et des échanges marchands. Le débat sur l'islamisation, si actuel soit-il, perd de sa pertinence dans cette perspective.

CHAPITRE 8

L'Inde, atelier du monde : apogée et déclin

Pour comprendre comment l'Inde est devenue au XIXᵉ siècle la plus grande colonie de la première puissance mondiale, pour tenter d'expliquer son déclin économique de longue durée, ainsi que son rebond récent, il faut situer son histoire en contraste avec celle de la mainmise espagnole et portugaise sur l'Amérique, deux siècles et demi plus tôt, et prolonger la perspective jusqu'à la mainmise européenne sur l'Afrique, un siècle plus tard, et jusqu'aux entreprises de l'ensemble des puissances mondiales visant à contrôler la Chine. C'est la puissance productrice de l'Inde qui y avait attiré les marchands européens. Mais le poids économique et la puissance politique de l'empire moghol, comme ceux de l'empire chinois, excluaient toute entreprise de conquête brutale du type de celle des conquistadores. Durant une longue période, l'entreprise mercantile et militaire européenne en Inde resta donc très marginale. Alors qu'en l'espace de quelques décennies les Hispano-Portugais imposaient leur loi à l'Amérique du Sud, il s'écoula deux siècles et demi, voire trois siècles, avant la mainmise britannique sur l'Inde. Or c'est durant cette longue période de gestation que l'Inde atteignit l'apogée de sa puissance économique, au point de devenir l'un

des deux pôles principaux du négoce mondial, l'autre étant
l'Europe occidentale.

L'expansion économique médiévale [1]

À partir du XIVe siècle, l'Inde connaît une phase d'expansion agricole, qui dure jusqu'à la fin du XVIIe siècle. On ne peut pas en mesurer précisément l'ampleur et l'extension géographique, mais on en voit les signes manifestes, dans les chroniques du sultanat comme celle de Barani ou dans le grand nombre de fondations de villages datées de cette époque. Rien n'est plus faux que l'image d'une paysannerie immobile et incapable d'initiative, que les Britanniques ont forgée au XIXe siècle : le décollage de l'agriculture indienne à la fin du XXe siècle a des précédents. L'espace cultivé, aussi bien dans les régions dominées par le sultanat de Delhi que dans le royaume de Vijayanagar, s'étend dès les XIVe et XVe siècles, notamment grâce à des travaux hydrauliques considérables. Ainsi Firoz Tughluk fait édifier barrages et canaux pour détourner les eaux de la Yamunâ en direction du district aride de Hisar, ce qui y permet des doubles cultures, d'hiver (*rabi*) et d'été (*kharif*). Les norias, d'origine persane, apparaissent en Inde du nord, et les sultans accordent des prêts pour le creusement de puits. Les paysans de la région de Delhi intensifient leur production, pour répondre à la demande d'une ville en forte expansion peuplée par des immigrants mangeurs de blé, céréale d'hiver. Une catégorie de cultivateurs entreprenants se développe, qui s'enrichit, s'appropriant une large part des surplus : de ses rangs émerge une nouvelle classe dirigeante locale (les *chaudhuri*), qui n'hésite pas à entraîner les paysans dans la rébellion entre 1332 et 1342, quand le pouvoir généralise la perception des impôts aux espaces nouvellement cultivés, mais qui finit aussi par en prendre à terme la perception, se transformant en *zamindar*. Des phénomènes identiques se produisent au Deccan, où le plateau aride du Karnataka est irrigué autour de la cité de Vijayanagar, ce qui fournit des excédents agricoles exportés vers le monde arabe, et où la taxation se systématise, ce qui produit de la même façon de graves révoltes paysannes dans le delta de la Kâverî (1426-1429), dirigées explicitement « contre les brahmanes, les chefs locaux, les militaires de Vijayanagar, et les autres détenteurs d'offices royaux », selon une inscription conservée en pays tamoul. Dans les riches régions rizicoles, les castes paysannes dominantes exploitent le travail servile des intouchables et parviennent à dégager des surplus considérables qui servent à la construction de temples mais aussi à l'édification de nouveaux ouvrages hydrauliques. C'est aussi une période où dans les régions côtières se développent les plantations des cocotiers et la production d'épices, et dès le XVIᵉ siècle les paysans indiens sont prompts à adopter les nouvelles plantes venues d'Amérique, comme le piment, le tabac et le maïs.

L'innovation est également très visible dans le domaine artisanal. Il semble que le rouet soit une invention médiévale, attestée au XIIᵉ siècle en Iran, à partir de 1350 en Inde, et à peu près au même moment en Europe ; le cardage du coton se modernise aussi : la productivité des opérations de cardage et de filature aurait sextuplé. Par contre, les métiers à tisser sont connus depuis longtemps et n'évoluent guère : c'est par l'accroissement du nombre des tisserands que la production des tissus se développe. La population porte davantage de vêtements que dans l'Antiquité, et leur qualité devient une marque de statut social.

Les étoffes se diversifient, de la toile (*pat*) ordinaire au calicot, à la percale, à la mousseline, et aux tissus mélangés de soie et de coton. L'art de la teinture utilise des mordants et des couleurs végétales de grande qualité, et celui de la peinture sur étoffes se perfectionne : le chintz (*chitrapat*, étoffe peinte) devient à la mode, et l'essor de la demande aboutit à l'invention de l'impression sur toile, difficile à dater précisément. La production de soie locale permet à l'Inde de se passer des importations en provenance de Chine. Enfin, le Cachemire commence à exporter ses châles dans toute l'Inde. Cette production est l'œuvre d'artisans travaillant à domicile, sauf pour les tissus les plus coûteux destinés aux cours, qui sont produits dans des ateliers (*karkhana*) pouvant regrouper des centaines de travailleurs. Une autre innovation, venue de Chine, est celle du papier, qui remplace les supports végétaux, et devient d'usage courant à partir du XIVe siècle. L'orfèvrerie et la joaillerie portent à la perfection les techniques d'incrustation, de sertissage et d'émaillage. La métallurgie de l'acier produit les meilleures lames du monde, qui sont exportées dans tout le monde musulman, et celle du bronze et du cuivre se spécialise dans la refonte. L'artisanat du bâtiment est en plein essor : des techniques nouvelles en Inde, comme celles de l'arc, de la voûte et du dôme, et l'usage du mortier de chaux, y contribuent. La construction navale indienne produit désormais la plupart des navires utilisés en mer d'Oman, dans des chantiers situés sur la côte occidentale de la péninsule, entre le Gujarat et le Kerala.

Ces traits suggèrent une certaine similitude entre l'Inde et l'Europe médiévale. En revanche, le statut des artisans diffère. La question est assez complexe : la période du XIe au XVe siècle est marquée en Inde du nord par un essor spectaculaire du nombre des esclaves, pour la plupart prisonniers de guerre ou victimes de razzias contre les tribus *âdivâsi*, pour certains amenés d'Afrique orientale (les *habshi*). Il existe à Delhi, à Multan, et à Kaboul, de grands marchés où les esclaves et les chevaux sont achetés ou échangés, et lorsque Tamerlan s'empare de Delhi en 1398, il saisit une centaine de milliers d'esclaves indiens, dont beaucoup d'artisans et de gens de métier. Mais au XVIe siècle cette catégorie semble avoir disparu, et il n'est plus question que de castes héréditaires d'artisans hindous ou musulmans. L'émancipation par conversion à l'islam ne suffit pas à expliquer le phénomène, et il faut probablement en conclure que le système esclavagiste ne s'est jamais profondément implanté dans un pays où la main-d'œuvre était abondante, compétente, très spécialisée, organisée mais peu revendicative, et très bon marché, au témoignage des voyageurs européens qui la comparent à celle de leur pays. En outre, les artisans indiens sont moins liés à leur métier que ne le prétend une conception schématique du système des castes : en cas de chômage, il n'est pas rare qu'ils retournent à la terre, qu'ils changent de profession, ou qu'ils deviennent soldats.

La production artisanale de luxe est stimulée par la demande croissante des cours princières, et par l'exportation en direction des pays du monde musulman et de l'Asie orientale. Les dépenses militaires constituent le poste le plus important du budget des princes ; elles sont récurrentes et contribuent aux profits considérables des fournisseurs, caravaniers et marchands en tout genre ; le rôle accru de la cavalerie entraîne une forte croissance de l'industrie des cuirs, où les artisans musulmans côtoient désormais les tanneurs intouchables. La haute société est le moteur d'une économie où l'artisanat de luxe et les services domestiques procurent un nombre croissant d'emplois : par exemple

Abul Fazl, le chroniqueur officiel d'Akbar, change tous les ans la totalité de sa garde-robe ; les serviteurs sont très nombreux, chaque noble a plusieurs épouses qui ont chacune une dizaine de servantes. Les femmes jouent un rôle croissant dans la demande de tissus. Ce n'est pas seulement la cour des sultans puis des empereurs qui est concernée : les rois rajpoutes, les princes du Deccan, les gouverneurs des provinces de l'empire et les simples militaires postés dans des petites garnisons de province ont tous les mêmes goûts de luxe, le même désir de paraître. La production régionale tend à se spécialiser, ce qui stimule le commerce intérieur : les fils de soie produits au Bengale sont tissés au Gujarat, l'indigo produit près d'Agra est exporté au Gujarat et au Bengale. L'artisanat textile est piloté par un système d'avances par les marchands aux artisans, les premiers assurant le suivi du produit (pratique appelée *dadni*). Les marchands portent le produit d'un artisan à l'autre, chaque ouvrier étant très spécialisé : ils se procurent par ce moyen des quantités déterminées à un prix fixé d'avance et contrôlent la qualité du produit. Les artisans travaillent à la demande, sont incapables de stocker et de profiter des prix élevés. Les marchands eux-mêmes opèrent « à flux tendu », ils peuvent manier de très grandes quantités de liquidités, qui servent à payer un très grand nombre d'artisans, mais très peu de capital est immobilisé : pas de machines ni de bâtiments, pas de prêts à long terme, seulement les avances *dadni* et des matières précieuses. Ils tendent d'ailleurs à utiliser de plus en plus des lettres de change, les *hundi*, pour effectuer des transferts d'argent d'une place à l'autre. Par contre, les marchands de mer immobilisent des capitaux dans leurs navires, et l'importance des sommes en cause conduit des personnages de la cour, comme l'empereur Shah Jahan lui-même, à investir dans la constitution d'une flotte marchande. Mais en règle générale, il n'existe pas de tendance à l'accumulation bourgeoise de capitaux ; les marchands dépensent leurs excédents en fondations charitables et en construction de temples ou de mosquées.

Le rôle moteur du commerce maritime interasiatique dans la croissance indienne est aujourd'hui mis en avant par les historiens. Les bouleversements suscités par les conquêtes mongoles ont affecté la route terrestre de la soie et entraîné un report des circuits commerciaux entre la Chine et le bassin méditerranéen vers les routes maritimes. Les Chinois eux-mêmes se sont efforcés de contrôler ces routes lors de leurs grandes expéditions sans lendemain menées au début du XVe siècle jusqu'en Afrique orientale. L'océan Indien forme un espace homogène, où, comme en Méditerranée, les relations sont plus faciles de port à port que des côtes vers l'intérieur du continent ; sur ces routes maritimes circulent des marchands de toutes origines, Karimi et Juifs égyptiens, Hadrami d'Arabie du sud, Gujarati et Tamouls ; la prépondérance des marchands musulmans s'y affirme mais n'est pas totale. Dans cette évolution, l'établissement des sultanats du Bengale (1336), du Gujarat (1401) et de Malacca (1403) sont des moments déterminants. On dispose de nombreux témoignages, à commencer par celui du grand voyageur tangérois Ibn Battuta, sur ce commerce qui présente encore de grands risques – les naufrages et les actes de piraterie sont monnaie courante – mais qui n'a rien d'une aventure exceptionnelle[2]. L'esprit d'entreprise, le flair commercial, la puissance financière sont caractéristiques de l'époque : l'émergence des hommes d'affaires indiens au XXIe siècle a quelques précédents.

À partir du XIVe siècle, les tisserands du Gujarat et du

Panjab fournissent en vêtements de coton une grande partie de la population du Moyen-Orient, et ceux des régions côtières du golfe du Bengale jouent le même rôle pour les pays d'Asie du Sud-Est, avant d'y être concurrencés par les marchandises apportées par les marchands du Gujarat. Dans le grand port de Chine du sud, Zaitun (actuel Quanzhou), on trouve des marchands persans, mais aussi tamouls, qui y ont laissé une inscription dans leur langue. Le port de Malacca au début du XVIe siècle est organisé par quartiers selon les origines : on y trouve un millier de Gujarati, qui ont le monopole du commerce avec le Moyen-Orient, et autant de Tamouls (appelés Keling), qui ont celui du golfe du Bengale : parmi ces derniers, le plus riche marchand de la ville, qui monopolise le commerce de la muscade et du clou de girofle jusqu'en Chine et auquel les Portugais devront s'associer pour s'ouvrir le commerce des épices. L'ancien port de Kollam (Calicut, au Kerala) est le centre mondial du commerce du poivre au XIVe siècle. Les hommes d'affaires tamouls (hindous) et gujarati (musulmans, parsis ou jaïns) y sont changeurs, prêteurs et font le commerce du textile. Les chrétiens, juifs et musulmans y assurent le commerce maritime. Mais le territoire est contrôlé par un roi hindou qui porte le titre de « seigneur de la mer » (*Zamorin*) : en échange de taxes il y assure l'ordre public et l'approvisionnement des marchands. À cette époque, des familles marchandes basées dans les ports indiens établissent des principautés dans les îles proches, aux Maldives, à Ceylan, et obtiennent des postes importants dans l'administration des sultanats. À l'ouest de l'Inde, les ports d'Arabie du sud et ceux du golfe Persique sont peuplés de marchands indiens, et notamment d'un certain nombre d'hindous, qui y font le négoce des tissus de coton. Dans l'autre sens, nombreux sont les marchands condottiere d'origine persane qui viennent chercher fortune en Inde, comme Mahmoud Gawan, *diwan* du sultanat Bahmani, ou plus tard Mir Jumla, marchand de chevaux puis trafiquant de diamants et financier d'Aurangzeb. Sur les mêmes routes circuleront les Arméniens basés dans les faubourgs d'Ispahan, dont le réseau commercial couvre l'Inde entière, le Tibet et la Chine.

Au Gujarat, le port de Surat supplante Broach et Cambay comme débouché des productions de l'empire moghol : au début du XVIIe siècle, les princes et officiers y investissent massivement dans l'achat de navires, qui sont affrétés par les marchands locaux ; à la fin du siècle, ces derniers sont devenus propriétaires de la grande majorité de la flotte marchande, l'un d'entre eux, un musulman, en possédant un quart. Mais ce sont les commerçants hindous et jaïns (les *bania*) qui sont les maîtres de la place : ils ont su le mieux tirer parti de la présence des compagnies européennes. Parmi eux, on peut distinguer les courtiers travaillant pour le compte de gros clients, notamment les compagnies européennes (tels les Parekh, associés à la compagnie britannique, qui vont mener en 1669 une grève des marchands contre les autorités mogholes coupables d'extorsion, et qui se posent comme les défenseurs des brahmanes), des changeurs-prêteurs (tel Shantidas Jhaveri, homme de confiance de la cour d'Agra), et des grands commerçants indépendants qui contrôlent le commerce de certaines catégories de produits. Le jaïn Virji Vora, qui contrôle au XVIIe siècle l'ensemble du négoce du poivre transitant par le port, est le plus puissant et le plus riche personnage de Surat : son capital se monte à plus de 50 millions de roupies (environ le revenu annuel de la cour impériale), ses réseaux vont de Moka à Malacca, et il est capable d'imposer sa loi aux agents des différentes compagnies européennes, de leur servir d'intermédiaire auprès des autorités impériales, et finalement de banquier : en 1669, les Britanniques lui doivent 6 millions de roupies, principalement utilisées pour le financement de leurs opérations privées (le commerce dit interlope). Mais il est la principale victime des raids de pillage de Shivaji (qui a au contraire épargné les Parekh) et son entreprise ne lui survit guère. Dans d'autres ports, on rencontre le même type de personnages, tels les Chetti de Pulicat, à la tête de flottes qui ont le monopole du commerce avec la Birmanie. Tous ces capitalistes essayent de diversifier leurs investissements, et jouent avec plus ou moins de succès sur les rivalités entre les différents acteurs de la vie politique et économique de l'Inde.

L'expansion économique du sud de l'Inde sous le royaume de Vijayanagar, qui se poursuit même après la chute de sa capitale en 1565, est bien attestée. Des recherches récentes qui tirent parti de l'extrême richesse épigraphique, archéologique et textuelle concernant Vijayanagar récusent l'image d'un État despotique dominant des villages aux techniques stagnantes, et montrent le rôle dynamisant des investissements agricoles de l'État et des temples, et de la redistribution par le mécénat des surplus de la taxation agraire[3]. Vijayanagar est un royaume prospère, dont la production artisanale et agricole est en plein essor : par exemple, entre 1500 et 1550, les revenus tirés d'un canton donné en prébende sont multipliés par quatre. Il est exportateur de soie, de riz, d'épices et de fer, ses techniques métallurgiques sont très avancées. Le *wootz*, acier sud-indien, est recherché au Moyen-Orient depuis l'Antiquité pour la fabrication des lames de Damas, et les techniques de coulage du bronze ont atteint la perfection depuis l'époque chola. Alors que les grands ouvrages hydrauliques et les fortifications requièrent la concentration de milliers d'ouvriers, la production artisanale se fait dans des ateliers familiaux, rarement liés à un seul patron, extrêmement spécialisés et donc interdépendants. Ce sont des entrepreneurs libres qui proposent leurs produits sur un marché, et qui s'organisent pour défendre leurs intérêts. Le commerce y est assuré par des groupes commerçants diversifiés, qui ont hérité de l'organisation des anciennes guildes (comme les Cinq Cents d'Aihole), mais ne fonctionnent pas dans une logique de monopole. Les frappes monétaires témoignent de cette expansion : à côté de la monnaie d'or (appelée « pagode » par les Portugais) dont la tradition remonte à l'Antiquité, on émet en grandes quantités des pièces, les *panam*, faites d'un alliage or-cuivre ou de cuivre. On pourrait être tenté de voir dans les caractéristiques du développement médiéval de l'Inde du sud comme une préfiguration du décollage économique moderne de cette région. Mais il faut garder à l'esprit que les structures sociopolitiques restent très contraignantes, et que la domination des brahmanes se renforce avec le mouvement massif de donations aux grands temples du sud (Tirupati, Srirangam, Tiruvannamalai, Kanchipuram, Tanjore et Madurai), qui culmine au XVIᵉ siècle. Ces temples jouent un rôle essentiel de médiation sociale, et attirent des pèlerins de l'Inde entière qu'ils nourrissent, ce qui entretient leur prestige ; ils deviennent des lieux de concentration de richesses, suscitent l'essor urbain en attirant marchands et artisans à qui ils offrent exemptions, protection et clientèle. Certaines *jati* d'artisans bien organisées, comme les tisserands Kaikkolar, et les Kammalar, travailleurs du métal et du bois, bénéficient de ce patronage pour améliorer considérablement leur rang social. Mais les prélèvements nécessaires à l'entretien des temples peuvent provoquer des révoltes, comme en 1429, quand artisans et paysans s'unissent pour lutter contre le fisc royal et les demandes des brahmanes.

La mondialisation de l'économie indienne

Le XVIᵉ siècle est marqué simultanément par la formation de l'empire moghol et par l'implantation durable en Inde des marchands européens. Le premier, par sa capacité à amasser des recettes fiscales bien plus considérables que ses prédécesseurs, et par sa propension à les dépenser rapidement, stimule la production de luxe existante. Disposant d'un revenu annuel de 60 millions de roupies, la cour impériale est probablement la plus dépensière du monde. Les chercheurs indiens de l'université d'Aligarh, affinant les estimations faites par les historiens britanniques de la période coloniale, soutiennent qu'entre un tiers et la moitié du produit agricole était prélevé par l'impôt, exigé en espèces – une « performance » supérieure à celles des systèmes fiscaux européens ou chinois. S'il en est ainsi, la majeure partie des flux financiers est contrôlée par l'État, qui pousse à la commercialisation des produits de la terre, et qui impose son monopole de la frappe monétaire, obligeant les usagers à faire refrapper leurs roupies dans les ateliers monétaires impériaux, le taux de dépréciation des pièces anciennes étant supérieur à la taxe prélevée pour les refrappes.

Les marchands européens arrivent dans un espace économique déjà structuré et animé par des flux intenses d'échanges, qu'ils s'efforcent de capter : mais ils représentent peu de chose face à la puissance impériale montante. Les grands ports qui les accueillent, comme Surat ou Calicut, font l'essentiel de leur commerce à l'intérieur de l'espace asiatique. Le Gujarat est à cet égard un pôle économique majeur pour l'ensemble de l'océan Indien. Ses grands commerçants, *bania* et musulmans, ont des correspondants à toutes les escales et des pilotes comme celui qui va conduire le premier navigateur portugais, Vasco de Gama, dans les eaux indiennes, en 1498. Son aventure n'est en rien comparable à celle de son contemporain Christophe Colomb : les ports auxquels il accoste sont fréquentés depuis plus d'un millénaire par les marchands issus du monde méditerranéen. Au cours de la décennie suivante, les expéditions se multiplient, et les Portugais s'établissent en 1510 dans un site exclusif qui leur a été cédé par Vijayanagar, celui de Goa, à partir duquel ils établissent un réseau de comptoirs fortifiés servant de tête de pont à leurs opérations marchandes, à Malacca, Ormuz (à la sortie du golfe Persique), Calicut et Colombo.

Aux yeux des Indiens, les Portugais ne sont qu'un nouvel avatar des innombrables voyageurs occidentaux, arabes, juifs et autres venus sur les côtes de l'océan Indien en quête d'épices, de pierres précieuses, de perles ou d'esclaves. Les Indiens ne perçoivent pas immédiatement la portée de deux faits nouveaux : ces Occidentaux sont en train de tisser un réseau maritime mondial incluant les côtes de l'Asie orientale, de l'Afrique et de l'Amérique, et les navigateurs portugais sont animés d'un esprit de croisade qui leur fait considérer les marchands musulmans (qu'ils appellent Maures) non seulement comme des rivaux commerciaux, mais aussi comme les porteurs d'une religion qu'ils ont combattue et éradiquée de leur pays. Mais la présence portugaise repose sur un très petit nombre d'hommes, et son impact sur l'économie indienne reste marginal : à l'époque, l'Inde est probablement de cent à cent cinquante fois plus peuplée que le Portugal, et les marchands indiens, notamment les grands commerçants du Gujarat, restent maîtres d'une très grande partie des échanges extérieurs du pays. Au XVIIᵉ siècle, le réseau maritime portugais atteint son extension maximale puis entame son déclin, face à la puissance nouvelle de l'entreprise marchande hollandaise.

Dès la période portugaise, les Flamands sont présents dans le commerce de l'Inde. Anvers représente un centre de commerce et d'information où se forge un intérêt pour l'Asie, et lorsqu'en 1579 les Provinces-Unies protestantes proclament leur indépendance, juste avant l'annexion du Portugal par l'Espagne de Philippe II, leurs marchands lancent des missions d'information en Asie. À leur retour est fondée une Compagnie des Terres lointaines, transformée Compagnie unie des Indes orientales en 1602 sous l'autorité d'un Conseil de dix-sept directeurs. Cette compagnie hollandaise se contente de s'assurer des comptoirs et des escales là où les profits les plus considérables sont envisageables. Elle concentre ses activités sur les ports de Surat, de Masulipatnam et de Pulicat. En revanche, elle pénètre Ceylan d'où elle évince les Portugais, et certaines îles de l'Indonésie, pays producteurs d'épices. Les Anglais fondent eux aussi une Compagnie des Indes orientales en 1600, sous le règne d'Élisabeth Iʳᵉ. Cette Compagnie deviendra vite rivale de la Compagnie hollandaise, mais elle dispose à cette époque de moyens assez limités, et ne peut pas faire le poids dans les régions productrices d'épices, de sorte qu'elle se rabat sur l'Inde et en particulier sur le Gujarat, où, faute d'épices, les marchands britanniques pourront faire le commerce, à l'époque moins rentable, des textiles. La cour impériale d'Agra voit un avantage à utiliser ces nouveaux venus contre les corsaires portugais qui gênent le commerce de Surat et attaquent les navires conduisant des pèlerins en Arabie. Jahangir leur accorde des privilèges en échange du convoyage des pèlerins sous la protection de la marine anglaise. À partir du milieu du siècle, le déclin des Portugais, qui perdent Mascate, donne aux Anglais une position forte dans la mer d'Oman, en association avec les puissants négociants gujarati musulmans qui dominent le commerce des textiles.

À l'époque, les commerçants européens ont pris conscience que la Chine, le Japon, et surtout l'Inde, pouvaient produire de grandes quantités de biens manufacturés de qualité à des prix défiant toute concurrence. Les compagnies de commerce, créées au tout début du XVIIe siècle par les Hollandais et les Anglais, imités tardivement par les Français, jouissent d'un monopole garanti par les autorités de la métropole qui les met à l'abri de la concurrence nationale ; elles disposent de capitaux concentrés, de procédés comptables et de systèmes d'assurances permettant la régulation des profits et des pertes. Elles vont importer les marchandises asiatiques en quantités croissantes au cours du siècle. Elles se transforment en donneurs d'ordre, en utilisant la capacité des artisans indiens à copier des modèles correspondant aux goûts de la clientèle européenne, et en s'appuyant sur la collaboration des marchands prêts à leur servir de courtiers. La performance commerciale des Anglais va consister à imposer sur le marché européen ces cotonnades tellement appréciées en Asie mais encore peu connues à l'Ouest, puis à en orienter la production, par un système de commande sur échantillons et de fixation par contrat des prix et des quantités à livrer. Forte de cette avance, la Compagnie anglaise installe des comptoirs exclusifs dans les régions qui lui permettent de s'approvisionner : le premier est établi sur l'emplacement actuel de Madras en 1640, sous le nom de Fort Saint George. En 1674, elle obtient, à l'occasion du mariage du roi d'Angleterre avec une princesse portugaise, la cession du site sur lequel sera établi le port de Bombay, et en 1690 elle crée un comptoir au Bengale, à Fort William, qui donnera naissance au grand port de Calcutta. Au long du siècle, le volume des textiles exportés par la compagnie britannique est passé entre 1619 et 1680 de 26 000 pièces à 1 500 000 pièces de cotonnades par an.

La mondialisation de l'économie indienne, bien avant la colonisation britannique, pourrait s'interpréter comme l'effet de l'adjonction d'une riche clientèle européenne à la clientèle des cours princières, la première supplantant progressivement la seconde comme élément moteur du dynamisme économique. Le tableau est en réalité beaucoup plus complexe, et les réseaux de la mondialisation bien plus ramifiés. En effet, les compagnies de commerce européennes vendent beaucoup moins à l'Inde qu'elles ne lui achètent. Elles soldent leurs achats avec des métaux précieux, or et argent, qui proviennent essentiellement des mines de l'Amérique espagnole, et qui servent en Inde à la confection de bijoux et à la frappe de roupies, l'or étant thésaurisé et l'argent monétisé. Mais pour maximiser leurs profits, les agents des compagnies s'engagent aux côtés des marchands indiens dans le commerce de produits de moindre valeur à plus courte distance : les cotonnades indiennes de qualité moyenne, calicots et madras, leur servent à acquérir des épices dans l'archipel indonésien, du thé en Chine, des esclaves en Afrique. Ils évincent progressivement leurs associés indiens du commerce interasiatique. C'est ainsi que l'Inde devient en quelque sorte l'atelier du monde, mais qu'elle perd le contrôle de ses marchés extérieurs qui passe aux mains des compagnies européennes.

Si l'on observe de plus près l'économie indienne de cette

période, l'image devient moins nette. D'abord, la capacité d'intervention fiscale et d'impulsion économique de l'empire moghol, vantée par les historiens de l'université d'Aligarh, a été remise en question par des recherches récentes qui tendent à prouver que seule une partie de l'Inde du nord était réellement soumise à une taxation régulière[4]. Ensuite, il est clair que l'économie agricole se développe dans des zones pionnières comme le Bengale, le Panjab, ou les régions rizicoles du Deccan, et que l'économie artisanale se diffuse à partir de foyers très actifs, comme le Gujarat, à l'ensemble du pays. Mais il est douteux que le niveau de vie de la masse de la population progresse : la consommation de produits artisanaux d'usage courant n'est pas tirée par une demande accrue. Certains historiens soutiennent que la population aurait augmenté de 50 % en deux siècles, atteignant 180 millions d'habitants vers 1700, 20 % de la population mondiale. Mais rien ne prouve que cette croissance démographique présumée soit le signe d'une croissance globale. Les artisans et les paysans sont victimes de fréquentes famines : celle de 1630, qui décime la population du Gujarat, la région la plus dynamique de l'Inde, est probablement accentuée par les déséquilibres sociaux résultant de la croissance des besoins en produits artisanaux. Enfin, en dépit de l'importance de la demande, les ateliers indiens ne présentent aucune tendance à se mécaniser davantage, l'essentiel des innovations datant du XIVe siècle. Par comparaison avec la Chine ou l'Europe, l'absence de moulins est frappante.

Inversement, on assiste à des phénomènes indéniables de développement, qui gagnent de proche en proche les différents secteurs de l'économie. La spécialisation régionale s'accentue et la production se diversifie : on le constate à l'évidence dans la production des cotonnades, dont la gamme débute avec les produits simples et bon marché comme les cotons solides que les Européens appellent calicots (*bafta* au Gujarat, *ambati* à Patna), étoffes généralement écrues, assez grossières mais d'une résistance particulière, très prisées sur le marché asiatique où l'on s'en sert pour faire des toiles de voile, des emballages, des tentes. Des cotonnades plus fines, appelées *parkala* (percales), sont des tissus blanchis, tissés plus serré et plus fin, utilisées par exemple pour faire des chemises. Les étoffes dont la production connaît le plus grand essor sont des tissus teints et imprimés qu'on appelle couramment en France des madras ou des indiennes, et les chintz, imprimés et brodés. Enfin, la mousseline, extrêmement fine, spécialité du Bengale, concurrence la soie, également produite en Inde. Dans le domaine de la teinture, la position de l'Inde devient dominante sur le marché mondial. La culture des plantes tinctoriales et en particulier de l'indigo y est générale depuis le Gujarat jusqu'au Bengale. L'indigo permet toutes les nuances du noir au bleu clair, et les autres couleurs sont obtenues à partir des racines ou du pollen d'autres végétaux, et de terres colorées. La qualité de la teinture dépend des mordants utilisés : les artisans indiens utilisent toutes sortes de fixateurs issus de plantes comme le myrobolan, qui donnent à la teinture de ses étoffes une résistance incomparable. Enfin, dans un domaine où la mode règne en maître, la richesse des motifs et la finesse du dessin répondent aux goûts de luxe et de fantaisie de la haute société européenne d'Ancien Régime, et le chatoiement des couleurs à la sensibilité africaine.

Un autre signe de développement est l'essor des transports intérieurs, qui résulte de la spécialisation croissante des régions : le Bengale est excédentaire en riz et en sucre, le Gujarat déficitaire en céréales, le sel est nécessaire partout. Les transports terrestres restent largement assurés par les caravaniers banjara, qui conduisent des centaines d'animaux de bât sous escorte armée, mais le commerce lui-même est organisé par des marchands basés au Rajasthan ou au Gujarat, qui au cours du XVIIe siècle se répandent dans toute l'Inde du nord, où ils seront connus plus tard sous le nom de Marwari. Certains d'entre eux fondent au XVIIIe siècle une compagnie financière puissante, les *Jagath Seth* (« les banquiers de l'univers »), qui se spécialisera dans les avances aux princes gagées sur les impôts à venir. Les autorités mogholes ont fait construire ou empierrer de nombreuses routes, et même, ce qui était relativement nouveau en Inde, des ponts sur piliers immergés. Ces transports améliorés sont organisés selon deux axes principaux : un axe ouest-est, allant de Lahore au Bengale, et un axe nord-sud, partant de la région d'Agra, se dirigeant vers le grand marché de Burhampur puis vers Surat, le port principal de l'Inde moghole, et vers le centre du Deccan. La navigation fluviale représente une alternative largement utilisée à l'époque : le bas Indus jusqu'à Multan, le Gange et la Yamunâ sont parcourus par des bateaux à rames ou à voiles. La construction des navires de mer est également une grande spécialité indienne, où les parsis ont une position dominante. On utilise des bois de teck disponibles près des côtes occidentales de l'Inde, et des cordages de fibres de coco (le coir), bien plus souples et imputrescibles que les cordages occidentaux en chanvre. Les bateaux sont d'une telle qualité que les compagnies européennes renou-vellent leur flotte décimée par les naufrages en faisant construire des copies de leurs propres bateaux, qui, étant donné le prix très bas de la main-d'œuvre indienne, leur reviennent bien moins cher qu'en Europe : les chantiers navals du Gujarat du XXIe siècle ont hérité d'une tradition vieille d'un demi-millénaire

Le débat sur le déclin économique de l'Inde

L'étude de l'économie indienne pendant la période précoloniale a été longtemps menée dans une perspective qui visait à y puiser des arguments dans le débat de fond opposant deux tendances historiographiques. Les historiens nationalistes indiens, s'attachant à l'étude des causes du retard de développement de l'Inde contemporaine (« sousdéveloppement », comme on disait à l'époque) qu'ils comparaient, par exemple, à l'avance du Japon, y voyaient l'effet d'une mainmise progressive du négoce européen sur les secteurs les plus rentables d'une économie manufacturière présentée comme exceptionnellement puissante et prospère à la période moghole, et décadente à partir du début du XVIIIe siècle. Certains allaient jusqu'à affirmer qu'il existait en Inde des ferments de capitalisme qui avaient été étouffés par la domination coloniale. Inversement, beaucoup d'historiens occidentaux, imbus de préjugés de supériorité raciale ou s'inspirant plus subtilement des théories sociologiques de Max Weber, affirmaient volontiers que les valeurs idéologiques dominantes en Inde et le système social des castes qui leur était associé étaient incapables de donner naissance à un capitalisme local susceptible de tenir tête aux défis de l'Occident. Ils soulignaient en outre que l'instabilité et le caractère prédateur des États militaires n'était pas propice au développement des régions qu'ils dominaient.

Ces approches déterministes ne sont plus guère aujourd'hui soutenables sous cette forme, mais elles ont fait progresser la recherche, aiguillonnée par ce qui reste un des débats majeurs de l'historiographie indienne. L'attention se porte désormais sur l'analyse de la situation économique et sociale du pays au XVIIIe siècle : beaucoup d'historiens affirment que le déclin politique de l'empire moghol après la mort d'Aurangzeb ne s'accompagne pas d'une récession économique : l'inflation qui sévit est le signe d'un maintien de la consommation. L'essor de villes nouvelles comme Lucknow, Hyderabad et Mysore, et l'activité florissante de cités anciennes comme Bénarès, montrent que les pouvoirs régionaux et les potentats locaux ont pris le relais de la cour moghole. Continuant de percevoir l'impôt pour leur propre compte, ils contribuent à dynamiser les échanges, et poursuivent une politique de mécénat, tandis que les marchands indiens prospèrent en association avec les compagnies européennes[5]. Certains affirment que ce sont les marchands indiens eux-mêmes et d'autres groupes sociaux en ascension, comme les *zamindar*, fermiers de l'impôt, qui ont incité les compagnies à s'impliquer davantage dans les affaires indiennes, y trouvant leur intérêt et mettant ainsi en place les conditions de leur propre déclin. Cet argumentaire « révisionniste » est contesté par les historiens nationalistes, qui repoussent l'idée d'une élite indienne collaborant à son propre asservissement. En fait, la vision indienne du XVIIIe siècle est inextricablement mêlée à l'histoire des débuts de la colonisation britannique, alors que seul le Bengale est concerné, à partir des années 1750, et que des États indépendants comme le Panjab connaissent leur apogée politique et économique bien après 1800. C'est dans l'histoire contrastée de chacun des États régionaux successeurs de l'empire moghol qu'il faut chercher, une fois de plus, des réponses nuancées aux grands débats qui agitent les milieux intellectuels indiens. Il n'est en tout cas plus acceptable de généraliser à l'ensemble de l'Inde du XVIIIe siècle l'image nostalgique du crépuscule de Delhi et d'Agra.

CHAPITRE 9

Les paradoxes du *Raj* britannique

En 2005, le premier ministre indien, Manmohan Singh, l'homme de la libéralisation de l'économie, est venu relancer l'ancien débat sur l'impact de la colonisation, en évoquant à Oxford, à l'occasion de la remise de son doctorat *honoris causa*, les apports positifs de la domination britannique – le *Raj*, terme que nous emploierons désormais : « bonne gouvernance », formation de l'État de droit et des principes du pluralisme démocratique, promotion de la science et de la technologie, préservation du patrimoine culturel, apport de la langue anglaise comme passeport pour le monde moderne, sans parler du cricket. Insistant sur la relation de réciprocité établie entre les deux cultures, il citait Gandhi et le poète Rabindranath Tagore, qui écrivait près d'un siècle plus tôt : « Aujourd'hui l'Occident nous a ouvert sa porte. Ses trésors sont à notre portée. Nous les prendrons, et nous lui apporterons les dons venus des rivages ouverts de l'immense humanité de l'Inde. » Ce faisant, Manmohan Singh n'obéissait pas à un effet de mode révisionniste, mais exprimait avec sa franchise coutumière et son sens aigu des impératifs du présent une approche décomplexée du passé colonial, dans la nouvelle perspective d'une Inde émergente. J.-L. Racine résume cette attitude en ces termes : « La page de l'Inde postcoloniale est tournée [...]. L'Inde émergente s'engage, à contrepied de ses intellectuels critiques mais à l'image de leur propre parcours transcontinental, dans une grande entreprise de repossession du monde, qui marque l'entrée dans les temps post-postcoloniaux[1]. » Est-ce à dire que pour les Indiens, l'heure de la « fin de l'histoire » ait sonné ? On peut en douter.

La prise de position de Manmohan Singh a suscité un tollé chez certains Indiens, une gêne chez d'autres. Il prenait habilement à contre-pied les discours convenus et contradictoires de ses adversaires politiques, les nationalistes hindous, chantres du passé précolonial et champions de l'Inde émergente, et ceux de ses alliés incertains, les nationalistes-marxistes de la vieille école, et les nostalgiques gandhiens reconvertis dans la défense de l'environnement et dans les luttes altermondialistes. Cela dit, sur le fond de la question, on peut sérieusement douter des performances historiques du *Raj* en matière de bonne gouvernance, et on ne saurait ignorer les aspects les plus flagrants du pillage colonial. En Inde, le débat est plus ancien que dans tout autre pays colonisé : dès la fin du XIXe siècle, il oppose les partisans de la thèse impériale britannique exprimée de façon péremptoire par le vice-roi Lord Curzon selon qui le *Raj* est un bienfait providentiel que l'Inde n'a pas su recevoir, et les premiers nationalistes pour qui cette domination a détruit leur prospérité et perverti leur culture. Plus tard, des intellectuels formés en Occident, comme Nehru, ont résolu l'ambivalence de leur expérience en élaborant la thèse d'une Angleterre aux deux visages, bénéfique et maléfique, à l'image pourrait-on dire de la déesse Durga. Quant aux historiens indiens et européens, ils se sont d'abord employés à analyser la question en termes d'impact de la domination impériale sur une Inde perçue comme passive, puis leur attention s'est portée vers l'étude des limites de cet impact, des dynamiques propres à l'Inde, des éléments de résistance et de continuité.

Le passé colonial de l'Inde présente des traits déroutants. La colonisation d'un quasi-continent à l'initiative d'une compagnie privée de marchands basée dans une île lointaine apparaît comme un phénomène singulier, si l'on se place du point de vue indien. Pour la première fois de son histoire, le pays est conquis depuis la mer et non par les voies du nord-ouest, ses équilibres géopolitiques s'en trouvent bouleversés, les ports supplantent les capitales continentales. Mais très vite une frontière est établie par la force des armes pour colmater la voie traditionnellement ouverte des invasions : innovation radicale, car jamais dans l'histoire de l'Inde aucun pouvoir n'avait créé de *limes* ou de « grande muraille ». De puissance navale et commerciale, le *Raj* se transforme en puissance terrestre, l'armée britannique moderne s'y forge, l'aristocratie de la métropole y trouve un champ d'action et y réinvente ses valeurs, notamment à travers le sport et le scoutisme. Pour la première fois aussi, la souveraineté cesse de s'incarner dans une personne et par conséquent d'être soumise aux aléas des luttes successorales, affichant une cohérence interne et une continuité inédites. Le nouveau pouvoir imposé à l'Inde est bureaucratique, anonyme, insaisissable, au moins jusqu'au changement symbolique qui à partir de 1858 institue l'empire des Indes et réhabilite de manière très artificielle l'autorité des princes indiens. Le *Raj* est le point de départ d'un empire qui s'est voulu universel : selon l'expression convenue, l'Inde en était le joyau : mais elle en était surtout la raison d'être et l'instrument indispensable. Qu'eût été cet empire sans ses cipayes (les soldats indiens de l'armée impériale, en première ligne sur tous les champs de bataille asiatiques puis européens), sans ses coolies (les travailleurs indiens des colonies britanniques, qui y remplacèrent les Africains après l'abolition de l'esclavage), et sans ses *rayat* (les paysans indiens lourdement imposés, qui financèrent l'entreprise coloniale au moins autant que les capitalistes britanniques) ? Ce qui faisait dire aux impérialistes que les Indiens trouvaient leur avantage au *Raj* et prospéraient sous son ombrelle pacificatrice, et aux nationalistes que l'impérialisme britannique était parvenu à diviser pour régner, à faire participer les Indiens à leur propre asservissement, à leur faire supporter le coût de leur propre conquête et celui de la politique hégémonique de la Grande-Bretagne.

Un autre paradoxe, maintes fois souligné, est que l'entreprise de domination coloniale coïncide avec les progrès de la démocratie en métropole (aussi bien dans le cas britannique que dans le cas français). Dès 1783, Edmund Burke, le plus incisif des libéraux britanniques, dénonçait les pratiques d'oppression et d'extorsion des coloniaux britanniques en Inde, et la menace de tyrannie qu'elles risquaient de réintroduire en métropole. En dépit de ces critiques et après des tentatives avortées de transformer l'Inde à l'image de la métropole, le *Raj* s'est accommodé de la société indienne telle qu'elle était, accentuant même son conservatisme et durcissant ses hiérarchies. Les Indiens n'ont pas manqué de souligner que l'Inde perdait sa liberté au moment même où les États-Unis, puis les anciennes colonies espagnoles d'Amérique, conquéraient la leur. À terme, cette contradiction essentielle de l'entreprise coloniale allait éclater et fournir un argument imparable aux nationalistes démocrates, et une légitimité au mouvement de décolonisation.

Dernier paradoxe, et non le moindre : ce sont les produits de l'artisanat indien qui ont attiré les marchands anglais et dont le commerce a fait la fortune, mais les exigences de l'industrie cotonnière métropolitaine vont tarir ce commerce, et les changements de la mode à l'époque victorienne vont étouffer les désirs de splendeur et de fantaisie exotique de la clientèle européenne. Le *Raj* édifie son économie sur la négation de ce qui l'a fait naître, trouvant dans le système de fiscalité agraire mis en place par l'empire moghol sa principale source de revenus, et dans les dépenses militaires son premier poste de dépenses. À cet égard, l'empire britannique s'inscrit dans la continuité de l'empire moghol.

L'état de l'Inde dans la seconde moitié du XVIIIᵉ siècle

Les historiens britanniques de la période coloniale dépeignaient l'état de l'Inde au milieu du XVIIIᵉ siècle sous des traits sombres, insistant sur la situation d'anarchie et de violence qui régnait, pour justifier l'imposition de leur domination dans sa version pacificatrice – qualifiée de *Pax britannica*, terme dérivé de *Pax romana*. En revanche, depuis deux décennies, un groupe d'historiens européens et indiens[2] a entrepris de réinterpréter cette période en mettant l'accent sur les dynamiques politiques, économiques et sociales à l'œuvre jusqu'au milieu du siècle suivant, ce qui, selon ces historiens, explique les conditions dans lesquelles l'autorité britannique va pouvoir s'imposer.

Dans les régions où s'exerce l'hégémonie des Marathes s'opèrent des glissements d'autorité décisifs. Sous le long règne du roi Shahu (1708-1749), une lignée de ministres brahmanes appartenant à la caste Chitpavan prend de facto le contrôle de l'État, qu'elle organise en établissant la capitale à Pune (Poona). Administrateurs hors pair, ces *peshwa* organisent la perception de l'impôt, établissent une bureaucratie peuplée de brahmanes et font de Pune un centre commercial et bancaire. Le fondateur de cette lignée, Balaji Vishvanat, et son successeur Baji Rao (1720-1740), se comportent comme des chefs d'État sans en avoir le titre, selon un processus qu'on retrouve à la même époque au Japon et au Népal. Mais à la périphérie, la réalité du pouvoir est aux mains de seigneurs locaux. Au cours du siècle émergent trois lignages puissants. Celui des Gaekwad, au Gujarat, se voit reconnaître par le *peshwa* une autonomie poussée, impliquant qu'ils gardent désormais pour eux la plus grande partie du revenu fiscal qu'ils sont chargés de collecter. Ils établissent leur capitale à Baroda (alias Vadodara) qui restera jusqu'à l'indépendance de l'Inde le siège d'une principauté bien administrée. Celui des Holkar établis au Malwa, au carrefour des routes commerciales du Deccan, crée une capitale nouvelle à Indore, et entreprend sous la direction d'une femme, Ahilya Bhai, de créer un État moderne. Celui des Sindhia, d'abord établi au Malwa, s'installe dans la forteresse de Gwalior, à proximité de ce qui reste de l'empire moghol : la puissance de leur chef Mahaji (1761-1794) repose essentiellement sur le contrôle intermittent, mais fort rentable, des villes et des campagnes de la vallée du Gange. Le système de gouvernement marathe est devenu un édifice extraordinairement complexe, dont la nature déroute et interpelle la plupart des observateurs étrangers. Un voyageur français, le comte de Modave, écrit dans ses Mémoires : « Il y a des gens en Europe qui pensent que les Marathes sont régis par un gouvernement républicain. Monsieur de Voltaire est de cette opinion. Cela vient de la confusion des relations qui se publient en Europe. Le gouvernement des Marathes est monarchique de nature et anarchique par l'effet de quelques circonstances [...] L'empire marathe est une confédération entre des princes indépendants et qui ont un intérêt uniforme pour le maintien de leurs usurpations, mais nullement un gouvernement libre comme on le suppose mal à propos[3]. »

Le seul lignage princier du Rajasthan qui fasse le poids face au dynamisme des Marathes est la dynastie rajpoute des Kachchwaha, établis à Amber. Cette famille, qui a offert ses services aux Moghols depuis Akbar, en a tiré un bénéfice considérable. Au début du XVIIIe siècle, l'effacement moghol permet au prince Sawai Jai Singh de devenir quasiment indépendant et d'amasser des revenus qui lui permettent de bâtir à proximité d'Amber une splendide capitale qui porte son nom : Jaipur. Dans les anciennes provinces de l'empire moghol, un certain nombre de gouverneurs constituent des dynasties qui ne reconnaissent que symboliquement l'autorité impériale. C'est le cas des nababs (*nawab*) du Bengale, et des *nizam* d'Hyderabad. Plus près de Delhi, Safdar Jang, membre d'un clan iranien de l'entourage princier des Moghols, constitue dans la province de l'Oudh une dynastie de nababs qui se rendent indispensables à la survie des empereurs de Delhi, et qui font de Lucknow, à la fin du siècle, l'une des cités les plus brillantes de l'Inde du nord. On notera que toutes ces capitales nées au XVIIIe siècle sont devenues les métropoles régionales de l'Inde d'aujourd'hui.

Selon un processus habituel, le coup fatal à l'autorité impériale est porté par des attaques venues du nord-ouest. C'est la dernière des manifestations historiques de la tendance millénaire des tribus afghanes à tirer parti de la moindre faiblesse du pouvoir établi dans les plaines pour lancer des raids dévastateurs sur le Panjab et sur le Doab, et y établir des détachements permanents. Entre 1725 et 1731, un clan pachtoune, celui des Abdali, et un aventurier jusque-là au service de la dynastie safavide d'Iran, Nadir Shah, s'affirment dans l'est de l'Afghanistan. Nadir Shah met à sac la ville de Delhi en 1739, ramenant un énorme butin, notamment le fameux Trône du Paon. Il est assassiné en 1747. Peu après, le chef d'un des lignages abdali, Ahmed Khan, qui prend le titre de shah, fonde la dynastie durrani. Ultime héritier de la tradition des Ghaznévides, il profite des dissensions internes de la cour moghole pour s'emparer d'une large partie du Panjab, de la ville de Multan, nœud commercial essentiel, et du Cachemire, à l'occasion d'une dizaine de raids qui ravagent les plaines l'hiver – Ahmed Shah bat en retraite pendant l'été dans les montagnes avec son butin. Mais son autorité n'est pas reconnue par les nombreux clans qui, comme les Rohilla, profitent de l'aubaine pour s'installer dans les campagnes du Panjab. À sa mort, en 1772, elle est contestée de toutes parts, malgré la défaite qu'il a infligée aux Marathes à Panipat en 1761. Ces épisodes apparemment confus sont très instructifs : c'est la première fois qu'on peut suivre avec une grande précision les mécanismes de l'établissement en Inde du nord de populations nomades issues de l'Afghanistan. Un siècle plus tard, les Britanniques seront confrontés au même problème : après un échec initial au début des années 1840, ils parviendront à contenir durablement cette dynamique guerrière, donnant par là même une légitimité à leur pouvoir de fait.

Mais durant l'intervalle de près d'un siècle qui sépare ces deux épisodes, c'est une autre autorité, celle des sikhs, qui s'affirme au Panjab dans cette sorte de vide de pouvoir laissé par l'implosion moghole. Leur communauté, organisée militairement depuis 1699 par leur dernier gourou, Gobind Singh, a tenu tête aux troupes impériales moghodes, contribuant à leur affaiblissement. Après son assassinat en 1708, la secte connaît une mutation profonde. Recrutant dans la caste paysanne des Jats, dominante au Panjab et dans la région de Delhi, elle commence à attirer des Marathes, comme Banda Bahadur, qui se met à la tête d'une véritable armée sikh, s'arrogeant un titre princier et s'affichant comme le leader d'une lutte dirigée ouvertement contre l'islam. Lorsque les Durrani s'attaquent à ces régions, les sikhs sont en mesure de leur opposer une résistance organisée, contrairement aux Moghols. Forts de ces victoires, les sikhs établissent leur pouvoir à Lahore, puis dans l'ensemble du Panjab. Le plus puissant d'entre eux, Ranjit Singh (Singh, « Lion » en hindi, est un nom couramment employé à partir de cette époque par la plupart des princes indiens, aussi bien rajpoutes que sikhs), fonde à l'extrême fin du XVIIIᵉ siècle un puissant royaume englobant la plus grande partie du Panjab, dont il va chercher à faire un État moderne.

Enfin, dans le sud de l'Inde, resté à l'écart de ces troubles, une nouvelle force politique émerge au Karnataka, avec la prise de pouvoir dans la principauté de Mysore d'un général musulman, Haider Ali. Avec son fils et successeur Tipu Sultan, il crée lui aussi les éléments d'un État moderne, puissamment organisé, qui représentera un défi redoutable aux entreprises de conquête européennes.

Tous ces traits, on le voit, remettent en cause l'image d'un effondrement des structures d'autorité dans l'Inde du XVIIIᵉ siècle : il s'agit plutôt des signes de la formation d'États nouveaux, qui à certains égards peuvent être perçus comme les rudiments de nations autonomes. C'est dans ce contexte que les compagnies de commerce européennes commencent à jouer le rôle d'acteurs politiques parmi d'autres. Leur rivalité locale, qui reflète celle de leurs métropoles, se termine par l'établissement du *Raj* britannique, qui va briser cette dynamique et relancer un processus de centralisation décisif pour l'avenir de l'Inde.

L'engrenage de l'engagement britannique

L'approche historique classique expliquait la dynamique coloniale par des facteurs propres aux métropoles européennes. La mainmise britannique était analysée comme l'effet des tensions entre les États européens du XVIIIe siècle, nées en Europe et dans les îles à sucre, et traduites dans un champ stratégique secondaire où s'affirmait la volonté britannique de prendre le contrôle des principales voies maritimes de l'Orient. Alors que le projet hollandais était fondamentalement commercial, le projet britannique était considéré comme plus stratégique, même si l'objectif de profit constituait toujours sa motivation profonde. En revanche, les tendances nouvelles de l'historiographie de l'Inde mettent l'accent sur ce qui, dans l'Inde du XVIIIe siècle, était susceptible de susciter cette implication européenne, en particulier sur la régionalisation du pouvoir faisant suite au déclin moghol, et sur l'essor des affaires des grands marchands indiens ayant partie liée avec ces grands États régionaux d'une part, et avec les compagnies européennes de commerce d'autre part. Les deux approches se complètent : on ne peut ignorer le jeu de la rivalité franco-britannique en Amérique et en Asie, mais il faut donner toute sa place sur l'échiquier aux acteurs indiens, notamment dans la perspective qui est la nôtre.

Jusqu'au milieu du XVIIe siècle, la France ne joue qu'un

rôle effacé dans cette histoire. Ce sont des navigateurs bretons de Saint-Malo qui fondent une première compagnie, en 1601, et leurs expéditions commerciales restent épisodiques[4]. En 1664, Colbert entreprend, au nom d'une conception mercantiliste, d'établir une Compagnie française des Indes orientales sur le modèle hollandais, mais l'initiative vient de l'État et les capitaux sont pour l'essentiel issus du Trésor royal. Le projet se concrétise avec une expédition lancée en 1671, qui a pour objet de montrer aux Indiens la grandeur du roi de France plus que de faire effectivement du commerce, et qui se termine par un fiasco. Mal dirigée, elle ne parvient pas à s'imposer face à la puissance des Hollandais basés à Ceylan, et finit par créer un fragile comptoir à Pondichéry, qui ne sera fortifié qu'en 1685. Peu après, la compagnie française s'installe à Chandernagor, à proximité de Calcutta. Mais elle fait faillite en 1706. Une seconde compagnie, créée en 1719 avec l'appui de l'aventureux financier John Law, devient une affaire rentable et fait de Pondichéry un comptoir prospère. Elle arme davantage de navires que la compagnie britannique, et réalise des profits considérables, grâce au gonflement de la demande et à travers un réseau d'intermédiaires indiens procurant aux marchands français aux meilleures conditions les produits de l'agriculture et de l'artisanat indien[5]. L'étape suivante, au cours des années 1730-1740, consiste pour la compagnie française à battre ses propres roupies et à les faire circuler dans toute l'Inde avec le consentement des autorités mogholes, puis à obtenir de ces dernières le titre officiel de *nawab*. Fort de cette légitimité et des moyens financiers dont il dispose localement, le gouverneur Dupleix (1742-1753) implique la compagnie dans des alliances avec des chefs locaux, marathes puis musulmans, et constitue une petite armée de mercenaires à l'instar d'un quelconque prince indien, pour agrandir ses territoires et opérer la jonction entre le pays tamoul et le Bengale. Son émule et rival Robert Clive, agent puis gouverneur de la compagnie anglaise, en fait autant, ce qui entraîne des heurts à partir des années 1750, qui vont se transformer en conflit ouvert lorsque éclate en Europe la guerre dite de Sept Ans (1756-1763), qui se termine en Inde à l'avantage de la Compagnie britannique. Le traité qui y met fin ne laisse à la France que cinq comptoirs, tandis que la Grande-Bretagne a pris dans le même temps le contrôle de la totalité du Bengale. Mais les autorités métropolitaines, tant en France qu'en Angleterre, ne sont pas convaincues de l'intérêt de ces entreprises. Ceux dont on fait les principaux artisans de la conquête, Joseph Dupleix du côté français, Robert Clive puis Warren Hastings du côté anglais, seront considérés comme outrepassant leur mission. À leur retour en métropole, ils seront confrontés à des procès, acculés à la ruine et même au suicide dans le cas de Clive.

La compréhension de ces événements gagne beaucoup en justesse si on en fait une lecture indienne et non coloniale. On date habituellement la mainmise britannique sur le Bengale de la bataille de Plassey (1757), mais elle a été en fait préparée dès le milieu du siècle, et ne devient définitive qu'après la fin de la guerre de Sept Ans, à l'issue de la bataille de Baksar (1764), qui oppose les troupes de la Compagnie britannique à l'ensemble des forces indiennes capables de leur résister. La lutte contre les Français a accéléré un processus antérieur, qui découle des liens que la Compagnie avait tissés avec les grands marchands indiens établis dans les ports et les cités de l'intérieur. Tous les princes indiens étaient endettés auprès de ces marchands, qui leur avançaient l'argent des impôts : c'était le cas des *nawab* du Bengale, liés à la firme marwari des Jagat Seth établie à Murshidabad, leur capitale. Un jeune *nawab* nommé Siraj ud Daula leur avait extorqué une somme énorme de trente millions de roupies pour financer ses entreprises de conquête contre son propre cousin. Il avait également voulu taxer les Français, les Hollandais et les Anglais de sommes plus modestes : quelques centaines de milliers de roupies. Pour contraindre ces derniers à céder, il avait fait occuper et piller Calcutta, repris par Clive qui, avec l'appui des Jagat Seth excédés par les demandes du *nawab*, monnaye la défection des troupes du prince à Plassey. Durant les années qui suivent, la Compagnie renforce ses troupes face à de nouveaux *nawab* affaiblis, et après sa victoire de Baksar, obtient de l'empereur moghol en 1765 un décret lui confiant le titre de *diwan*, c'est-à-dire l'administration des finances de la totalité du Bengale. Un engrenage se met alors en place, qui conduit la Compagnie britannique à accroître le nombre de ses cipayes et à étendre ses territoires pour les payer, en laissant à ses agents toute latitude pour mettre le pays en coupe réglée : l'armée du Bengale comprend plus de 20 000 soldats indiens dans les années 1760, chiffre qui sera doublé dans les années 1780. À cette date, l'engagement anglais a donc pris un caractère irréversible. Mais rares étaient ceux qui envisageaient que l'Inde deviendrait le point de départ d'un empire colonial mondial. La colonisation britannique n'était pas le fruit d'un plan mûrement établi et soigneusement exécuté.

Que sont donc venus faire « aux Indes », comme on disait à l'époque en français, les Européens en général, et les Britanniques en particulier (il y a parmi eux beaucoup d'Écossais et d'Anglo-Irlandais) ? La première réponse est bien connue : de l'argent facile. Mais on fait davantage de profits par le commerce ou par l'établissement de plantations dont tout le produit est exporté, que par l'exploitation directe d'un pays qui coûte cher en dépenses de pouvoir : au XIXᵉ siècle, les dépenses de maintien de l'ordre et d'entretien de l'armée représenteront à peu près 50 % du budget de l'Inde. Les impôts indiens rapportent, mais le coût de leur perception est relativement élevé. L'économie de plantations restera marginale en Asie du sud, localisée au Bengale, en Assam et à Ceylan. Jamais l'Inde ne deviendra une colonie d'exploitation. Certes, les compagnies étaient mues par la perspective de réduire le prix de revient des marchandises qu'elles exportaient en Europe, et de vendre sur le marché intérieur indien des produits britanniques au lieu de solder leur déficit avec des métaux précieux : mais ce calcul n'impliquait pas nécessairement une mainmise politique sur le pays.

D'autres facteurs ont donc contribué à l'établissement du *Raj*. Les calculs des stratèges de la Navy y ont leur place : il s'agit pour les Anglais de prendre le relais des Hollandais sur les routes maritimes de l'Asie dans le but d'éviter que d'autres (la France en l'occurrence) ne le fassent, selon une logique de substitution analogue à celle qui conduira deux siècles plus tard les États-Unis à s'engager en Asie du Sud-Est lors du retrait de l'Angleterre, des Pays-Bas et de la France. À cela s'ajoute au début du XIXᵉ siècle une intuition géostratégique qui perçoit la Russie comme la future puissance dominante du continent, et qui vise à contenir son extension vers les pays du sud de l'Asie et à bloquer son accès aux mers chaudes. Parallèlement, la bourgeoisie anglaise va se trouver des raisons idéologiques pour soutenir l'entreprise de domination, présentée comme civilisatrice et porteuse de progrès, selon un discours qui mêle des considérations issues de la philosophie des Lumières, de l'entreprise missionnaire des nouveaux mouvements évangéliques et de la défense des valeurs libérales face au modèle révolutionnaire français.

Reste à comprendre comment la domination britannique a pu durer. Bien entendu, l'entreprise s'appuie sur des moyens considérables, ceux de la première puissance navale mondiale, ceux d'une industrie qui décolle, ceux d'une nation forte de sa victoire sur la France napoléonienne. Le *Raj* forge une arme dont ses prédécesseurs avaient toujours été dépourvus : des moyens de communication rapides, routes, chemins de fer, télégraphe. Mais c'est une arme à double tranchant, qui deviendra un instrument de l'unification de l'Inde par les Indiens eux-mêmes. L'entreprise s'appuie aussi sur un système parlementaire qui exerce un contrôle de plus en plus exigeant sur les hommes, et parvient à éliminer de la scène indienne les agents corrompus de la Compagnie pour les remplacer par des administrateurs à qui l'on inculque le sens de l'État, et qui finissent par former un corps d'élite – il n'y a pas de carrière administrative en métropole et ces *civil servants* sont l'équivalent britannique des préfets de la France postnapoléonienne. Ils vont assurer la continuité de l'institution et promouvoir une politique définie, stable, qu'aucun bouleversement politique brutal ne vient mettre en cause. La domination britannique est loin d'avoir été pacifique, mais elle a éliminé les guerres intestines et les conflits de succession. Les chefs de guerre y perdent leur raison d'être, mais leurs soldats peuvent s'employer dans l'armée du *Raj*.

D'autres catégories y trouvent leur avantage. Les marchands, très tôt associés aux opérations de la Compagnie, ont globalement bénéficié de la sécurité assurée par le *Raj*, et de ses investissements dans le domaine des transports, qui ont contribué à la réussite de groupes capitalistes issus des communautés bania du Marwar, des marchands khattri du Panjab, des Nattukottai Chettiar du pays tamoul, et de groupes non hindous tels que les parsis de Bombay et les grands marchands chiites Khoja (dont l'Agha Khan est le chef) et Bohra, originaires du Kutch et du Gujarat. Les lettrés brahmanes ont toujours rêvé d'une stabilité qui garantirait leurs privilèges, et d'un pouvoir qui reconnaîtrait leur prééminence sociale mieux que les princes musulmans. Ils retrouvent leur situation de conseillers du pouvoir, se rendent indispensables dans les opérations d'établissement des droits sur la terre (les *settlements*), d'interprétation de la loi hindoue, et imposent leur vision du système des castes jusque dans les recensements, entrepris à partir de 1871 avec leur active collaboration. L'appropriation du savoir sur l'Inde par les Britanniques dépendait d'eux, et le programme impérial rencontrait leur vision du monde, fondée sur une conception classificatoire : rien d'étonnant à ce que les brahmanes aient été les acteurs de la rationalité bureaucratique qui réalisait leur rêve aristocratique d'unification de l'Inde[6].

Ceci dit, les Anglais se sont-ils réellement donné les moyens de dominer l'Inde ? Une tendance de l'historiographie coloniale minimise la profondeur et l'extension du phénomène. L'impact du *Raj* aurait été, pour schématiser, géographiquement marginal et socialement superficiel. Au moins jusqu'au milieu du XIXe siècle, la Compagnie britannique, dans sa parcimonie, a cherché à économiser sur les dépenses de l'administration, ce qui limitait sérieusement ses capacités d'intervention. Son souci de rentabilité immédiate se traduisait par une volonté d'extraire de la population le maximum d'impôts compatible avec un niveau acceptable de mécontentement et avec un niveau de mortalité ne compromettant pas le renouvellement des générations, et donc de la population imposable. Que les administrateurs coloniaux aient conservé fort longtemps le titre de *collectors*, c'est-à-dire de receveurs des impôts, en dit long sur la nature du *Raj*. Peu nombreux, les agents britanniques ont largement pratiqué une administration indirecte, comme leurs prédécesseurs moghols, soit par le système du protectorat, soit en déléguant des tâches de responsabilité à leurs subordonnés indiens. Ils ont utilisé les instruments fiscaux et juridiques légués par les Moghols, ont reconnu les structures sociales existantes, et ont dû limiter leurs interférences dans le domaine du droit personnel, ce qui entrait en contradiction avec les valeurs qu'ils affichaient. Ils ont fini par administrer l'Inde de façon très différente d'une région à l'autre, par s'adapter à sa diversité, par improviser, ce à quoi les préparait leur pratique de l'administration locale dans la métropole. Mélange d'autoritarisme et de pragmatisme, le système n'a jamais été figé, et il a laissé se développer en son sein des courants de contestation assez précoces, donnant naissance à un mouvement nationaliste, et finalement à des États dont l'un au moins, l'Union indienne, a hérité de ce pragmatisme en matière de gestion de la diversité.

L'expansion territoriale du *Raj* et ses limites

Elle résulte d'une combinaison complexe d'opérations militaires et de manipulations politiques des rivalités de personnes à l'intérieur de cours princières et entre principautés qui depuis longtemps se faisaient la guerre. Une fois le contrôle du Bengale assuré après la bataille de Baksar en 1764, la Compagnie britannique n'a pas de plan de

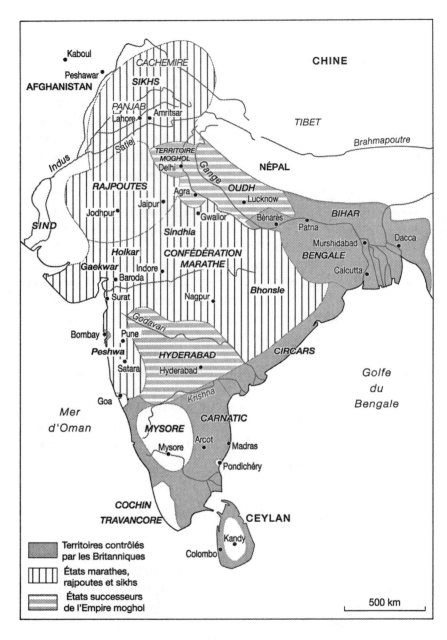

9. L'Inde vers 1800

conquête arrêté. Mais son armée est devenue la plus efficace, la mieux payée, la plus entraînée et la plus disciplinée
de l'Inde. Recrutée dans la vallée du Gange, elle dépasse
au début du XIXe siècle 150 000 hommes. En face d'elle, il
n'existe aucune puissance militaire cohérente. La confédération marathe est affaiblie par la rivalité des grandes familles princières. L'absence de légitimité des souverains de
l'État de Mysore limite leurs capacités d'action. Seul le
Panjab de Ranjit Singh, dont l'armée est équipée et entraînée par des anciens officiers de l'armée napoléonienne,
représente une puissance redoutable, à laquelle la Compagnie évitera de s'affronter. Les Britanniques exercent des
pressions sur les princes des États contigus du Bengale,
comme l'Oudh à qui la Compagnie donne en quelque
sorte procuration pour s'emparer en son nom des territoires qui restent encore entre les mains de l'empereur
moghol. L'établissement du *Raj* en Inde du sud et de
l'ouest se heurte à des obstacles plus sérieux, qui ne seront
surmontés qu'à la faveur de l'effort de guerre consenti par
la Compagnie dans le contexte des rivalités impériales
créées par les ambitions napoléoniennes en Europe. La
Compagnie cherche à utiliser le *nizam* d'Hyderabad et le
nawab d'Arcot contre les Marathes et Mysore, puis à paralyser les initiatives du sultan Tipu qui se rapproche de
la France. La conquête française des Pays-Bas pousse les
Anglais à s'emparer des colonies hollandaises et notamment de Ceylan entre 1796 et 1798, et la nomination
comme gouverneur de Richard Wellesley, qui va s'appuyer
sur ses frères cadets Henry et Arthur (Wellington, le futur
vainqueur de Waterloo), relance la politique de conquête
qui se traduit par la défaite de Tipu, puis des Marathes,
au tournant du siècle. Après 1814, la fin des guerres napoléoniennes laisse les mains libres au *Raj* pour parfaire sa

domination en Inde centrale, face aux troupes de combattants irréguliers (les *pindari*) qui continuent à se mettre au service de princes marathes ou à opérer pour leur propre compte.

En 1818, les différentes enclaves britanniques en Inde forment un territoire d'un seul tenant où les communications terrestres entre Bombay, Madras et Calcutta sont désormais assurées ; la totalité de l'île de Ceylan est conquise. Mais en Inde centrale et occidentale subsistent des centaines de territoires contrôlés par des princes protégés. Les uns vont au fil des années être annexés de fait ou de droit, au fur et à mesure des besoins de l'administration du *Raj*, tandis que d'autres conservent leur souveraineté sous un régime de protectorat inventé en Inde par les Britanniques : dans chaque État de quelque importance, un résident britannique contrôle les finances et la politique extérieure du prince. Le cas échéant, il s'immisce dans les affaires intérieures et les querelles de succession, notamment quand l'absence d'héritier naturel, palliée traditionnellement en Inde par l'adoption, donne le prétexte d'annexer les États tombés en déshérence. À la périphérie de l'Inde, l'armée du *Raj* s'attaque à des adversaires établis dans les réduits montagneux : au nord, les Gurkha, soldats du royaume népalais, sont vaincus en 1816, mais la Compagnie reconnaît l'indépendance d'un Népal diminué territorialement contre la promesse d'une fidélité constante manifestée par la fourniture à l'armée des Indes de contingents sans cesse renouvelés de soldats gurkha. À l'est, les troupes du *Raj* affrontent le royaume birman qui contrôle l'Assam, lequel sera conquis en 1824-26 ; la basse Birmanie et la haute Birmanie seront annexées dans la seconde moitié du siècle.

Mais c'est au nord-ouest de l'Inde que l'expansion britannique rencontre ses limites, face à l'activité guerrière des tribus pathanes et baloutches, contenue au début du siècle par le royaume du Panjab et ses soldats sikhs. L'Asie centrale, l'Afghanistan et le nord-ouest de l'Inde forment de l'Antiquité jusqu'à nos jours une région géostratégique homogène et particulièrement instable. Des forces nouvelles y sont apparues depuis le début du XIXe siècle, avec l'expansion de la puissance de la Russie tsariste en direction de la Sibérie et des oasis de l'Asie centrale, qui fait craindre aux stratèges britanniques une poussée vers l'Afghanistan. C'est ce qui conduit la Compagnie à intervenir préventivement dans les affaires afghanes. Les campagnes militaires menées contre Kaboul entre 1838 et 1842 se terminent de façon catastrophique. Vingt mille soldats de l'armée des Indes périssent dans une implacable guérilla. C'est la plus grave défaite subie par cette armée, qui va ternir durablement son prestige aux yeux des Indiens eux-mêmes, préparant en quelque sorte la grande mutinerie qui éclatera en 1857. Ce fiasco afghan modifie également les relations de la Compagnie britannique et du Panjab, dont le roi Ranjit Singh est mort en 1839. Les troubles qui accompagnent sa succession poussent les Britanniques, qui se sont déjà emparés du Sind, à intervenir contre Lahore, en 1845-46, à imposer au Panjab un statut de protectorat puis à l'annexer en 1848-49 à la suite d'une dure campagne militaire. Le Panjab devient dès lors l'un des points forts de la présence britannique en Inde, au même titre que les régions des trois grands ports, et va fournir la majeure partie de ses soldats, et une part appréciable de ses surplus agricoles. Cette conquête oblige le *Raj* à assurer directement le contrôle de la voie classique des invasions, et achève sa transformation en un État dans la tradition historique des grands empires du nord. L'annexion en 1856 de l'Oudh, situé entre le Bengale et le Panjab, semble être une affaire de pure forme : État client, où les Britanniques recrutaient depuis le XVIIIᵉ siècle une part appréciable de leurs cipayes et où ils faisaient librement leur commerce, il est considéré comme un antre de corruption par le gouverneur Dalhousie qui est soucieux d'imposer aux princes des règles de « bonne gouvernance », et qui contraint le *nawab* à abdiquer. Or cette annexion va servir de détonateur à la grande rébellion qui secoue un an plus tard l'ensemble de l'Inde du nord, à l'initiative des mercenaires de la Compagnie, les cipayes, dont un bon nombre était issu de cet État.

La rébellion de 1857, crise majeure du *Raj*

La rébellion est un événement traumatique dont la mémoire collective des Indiens a conservé des traces, et que les nationalistes ont interprété comme le premier chapitre de la lutte pour l'indépendance. Les Britanniques, tout en la réduisant à une mutinerie, en ont toujours souligné la gravité, qui les a conduits à infléchir leur politique. Les historiens y ajoutent une autre lecture, qui en fait une révolte d'Ancien Régime combinant des éléments populaires et « féodaux »[7].

Un siècle après l'annexion du Bengale, l'Inde du nord est affectée par des troubles graves qui touchent si profondément le système du *Raj* que les observateurs ont l'impression d'un retour à l'anarchie militaire du passé. C'est au cœur même de l'Inde du nord, dans la vallée du Gange, et au cœur même du système de domination britannique, l'armée indienne des cipayes, que se produit la rupture, entre mai 1857 et juillet 1859. L'armée de la Compagnie se compose de trois corps principaux : ceux du Bengale, de Madras, de Bombay, qui totalisent environ 240 000 soldats indiens, les cipayes, 45 000 européens dont 15 000 sous forme d'unités homogènes et 30 000 officiers et sous-officiers qui encadrent les cipayes. L'armée du Bengale, qui forme la moitié des effectifs, est principalement recrutée parmi les groupes de statut élevé de l'Oudh et des régions avoisinantes : des rajpoutes hindous, des musulmans souvent d'origine pathane, et des brahmanes, aussi surprenant que cela paraisse aux Occidentaux ayant une vision schématique de la société des castes. Elle offre en effet un débouché et des ressources assurées pour des cadets de famille de toutes origines. Le prestige attaché au statut de cipaye a diminué depuis que les guerres se sont espacées en Inde, depuis la défaite contre l'Afghanistan et depuis que la Compagnie a commencé à mettre son armée indienne au service d'opérations coloniales que les Britanniques mènent outre-mer à Aden, Singapour, voire en Chine. La baisse de moral qui en découle est aggravée par le changement d'attitude de l'encadrement britannique. Les jeunes officiers ou sous-officiers venus de métropole ou recrutés sur place dans la communauté européenne n'ont pas le respect des traditions indiennes ni la valeur militaire de leurs aînés, car la carrière d'administrateur civil attire désormais les meilleurs. Ils se montrent pleins de morgue envers des troupes engourdies dans l'inaction de la vie de caserne. Certains bafouent l'attachement aux traditions des brahmanes qu'ils dissuadent de pratiquer leurs coutumes alimentaires végétariennes. Des officiers lisent la Bible à leurs soldats musulmans. Les brimades physiques se multiplient dans certaines garnisons à la moindre tentative de résistance, ce qui provoque des mutineries isolées, vite réduites par des emprisonnements voire des exécutions pour l'exemple. Le malaise des troupes est alimenté par des rumeurs d'événements qui doivent survenir lors du centenaire de l'annexion du Bengale. C'est dans ce contexte de tension croissante qu'intervient l'épisode célèbre des cartouches graissées, qui est davantage qu'un simple prétexte. Un nouveau fusil requiert l'emploi de cartouches graissées qui, selon les instructions officielles, doivent être déchirées avec les dents. Une rumeur se répand selon laquelle la graisse employée est un mélange de graisses animales : bœuf et porc, ce qui conduirait les soldats hindous et musulmans à enfreindre des interdits alimentaires fondamentaux. Le commandement réagit en retirant ces cartouches, mais ce retrait est interprété par les cipayes comme un aveu.

En juin 1857, la principale garnison située à proximité de Delhi, à Meerut, se mutine en bloc contre un commandant particulièrement brutal : les soldats abattent leurs officiers et foncent sur la ville de Delhi dont ils s'emparent facilement. L'exemple est suivi dans les deux mois par les cipayes de toutes les villes de garnison de la moyenne vallée du Gange : Agra, Lucknow, Kanpur, où des Européens sont assiégés et massacrés. La Compagnie perd donc le contrôle de toute la zone située entre le Panjab et le Bengale, d'autant plus nécessaire à ses communications que l'administration est installée à Calcutta mais que le gouverneur et son état-major civil et militaire ont pris leurs quartiers d'été à Simla, dans les montagnes qui surplombent le Panjab. Au cours du second semestre de 1857, ce qui n'était initialement qu'une mutinerie militaire se double d'une insurrection civile qui prend le caractère d'une restauration des autorités que le *Raj* avait cru éliminer : les mutins de Delhi poussent le dernier descendant des empereurs moghols, Bahadur Shah, qui réside encore dans le

Fort Rouge, à proclamer la déchéance de la Compagnie, à qui ses prédécesseurs avaient confié officiellement le gouvernement du Bengale (c'était la seule légitimité symbolique dont disposait le *Raj*). Un peu plus tard, les mutins de Lucknow font de la capitale de l'Oudh le centre de la rébellion et y rétablissent sur le trône le fils du souverain détrôné l'année précédente. Enfin, des aventuriers marathes se réclamant de la tradition de Shivaji, menés par Nana Sahib et Tantia Topi, entreprennent de rétablir leur pouvoir aux marches de la vallée du Gange et de lancer des raids comme leurs ancêtres sur les villes de la plaine. C'est dans ce contexte que se situent des événements que l'historiographie ultérieure a reconstruits pour leur donner une dimension épique : la chevauchée de Lakshmi Bhai, veuve du dernier *râja* de la principauté de Jhansi, qui avait été annexée à sa mort. Chassée de Jhansi, elle rejoint Nana Sahib et entraîne ses vassaux à l'attaque de la forteresse voisine de Gwalior, qui avait des vues sur Jhansi, avant de périr les armes à la main face aux troupes anglaises devant Gwalior en juin 1858. Cette « Jeanne d'Arc indienne », comme la qualifient les journaux français de l'époque, friands d'épisodes de la « révolte des cipayes », fait revivre des pratiques fréquentes dans les combats féodaux.

Mais l'insurrection civile prend aussi le caractère d'une vaste rébellion paysanne dans l'Oudh et dans les régions avoisinantes, qui sont pendant plus d'un an le théâtre d'une chouannerie menée par les représentants des groupes dominants : brahmanes, rajpoutes, jats et aristocrates musulmans établis dans les petites villes de la région. Ces dominants entraînent les paysans à chasser les nouveaux venus qui ont profité de l'établissement du *Raj* pour jeter leur dévolu sur les campagnes de la vallée du Gange : il s'agit d'usuriers, notamment de prêteurs marwari venus du Rajasthan qui tirent parti du système fiscal imposé par les Britanniques pour pressurer les paysans, et de tous les agents subalternes de l'administration, souvent des Bengalis de Calcutta, qui empiètent sur les prérogatives des notables locaux. Il faudra plus d'un an aux troupes de la Compagnie restées fidèles pour venir à bout de cet ensemble de révoltes. La répression est aveugle et impitoyable. Elle fait des dizaines de milliers de victimes, peut-être davantage, exécutées sommairement. Des colonnes infernales détruisent les villages rebelles, et des confiscations de grande ampleur ont lieu, au bénéfice des Indiens restés fidèles.

Cette révolte a donné lieu à des interprétations divergentes. Les uns la qualifient de mutinerie militaire pure et simple, d'autres d'insurrection nationale. Certains y voient l'effet d'une conspiration minutieusement préparée, d'autres un mouvement spontané et sans direction. On a pu aussi la rapprocher de la grande révolte contemporaine des Tai Ping en Chine (1850-1864). La mutinerie révèle en un sens la nature foncièrement militaire du *Raj*, la faiblesse de sa légitimité, et les limites de son emprise sur la société et sur les réseaux de pouvoir qui la structurent. Elle met en doute aux yeux des Indiens le mythe de son invincibilité, et de ce point de vue prépare l'émergence des mouvements nationalistes. Cela ne suffit pas à en faire la première guerre d'indépendance nationale, comme le soutiennent les nationalistes indiens qui en ont célébré le centenaire en 1957, dix ans après l'indépendance : les rebelles n'expriment pas de sentiment conscient d'appartenance à une patrie commune, et les motivations qui les animent sont souvent contradictoires : dès 1857, des conflits opposent les Marathes, les Rajpoutes, les Jats et les Rohilla. Certes, des hindous comme des musulmans se sont impliqués dans le mouvement. Certes, les masses paysannes de la vallée du Gange ont suivi l'appel à la révolte de leurs seigneurs contre les collaborateurs du *Raj*. Mais aucun mouvement d'ampleur ne s'est produit, ni au Bengale, ni au Panjab, ni dans l'ensemble de l'Inde de l'ouest et du sud, ce qui a permis aux Britanniques de l'emporter. Peut-on y voir une entreprise de restauration de l'autorité moghole ? La rébellion a pu être préparée ou anticipée dans l'entourage de l'empereur moghol, foyer d'intrigues tissées par d'anciens dignitaires musulmans influencés par les mouvements qui se réclament du fondamentalisme des wahhabites. Mais cette interprétation qui avait cours dans les milieux de Calcutta obsédés par la phobie du complot n'explique que très partiellement l'événement.

La révolte pose la question de la légitimité du *Raj* : les Indiens l'avaient accepté parce qu'il leur apportait la paix civile sans bouleverser leurs traditions. À partir du moment où les Britanniques s'engagent dans une politique volonta-riste qui touche à l'ordre social établi et qui implique les Indiens dans des entreprises qui ne les concernent pas, ils outrepassent cette sorte de contrat tacite. Les leçons de la crise sont tirées par les militaires et par les politiques. L'armée est réorganisée sur le principe de l'homogénéité des unités, du respect de leurs traditions (souvent inventées pour l'occasion). On tarit le recrutement dans les provin-ces rebelles et on leur préfère le Panjab et ses prétendues « classes martiales ». On accélère les projets de construction des chemins de fer, qui doivent permettre de transporter rapidement des troupes à travers le continent. Selon leurs convictions politiques, les responsables civils tirent de la rébellion des leçons divergentes. Les conservateurs en déduisent qu'il faut cesser de porter atteinte aux traditions et chercher à les ranimer. Les progressistes en concluent qu'il s'agit du dernier sursaut d'un ordre condamné qu'il faut désormais laisser mourir en paix. Tous s'accordent sur la nécessité de mettre fin à la double fiction de l'empire moghol et du gouvernement de l'Inde par la Compagnie, et d'y substituer un système impérial faisant des Indiens des régions administrées directement les sujets du souverain britannique (la reine Victoria, proclamée impératrice des Indes), et des princes protégés, ses vassaux. Mais il n'est pas question de leur accorder des droits politiques. Les conservateurs cherchent à établir une sorte de rapprochement entre les aristocraties indienne et britannique, par la nomination de membres de la noblesse britannique comme administrateurs en Inde, et par l'organisation de grandes cérémonies officielles appelées *darbar*, comme au temps moghol, qui flattent la vanité des *rôjas* et des princes musulmans.

Ultime paradoxe, ce changement de politique a pour effet d'écarter du *Raj* ceux qui étaient ses collaborateurs les plus fidèles, les milieux occidentalisés de Calcutta, désormais considérés comme incapables d'exprimer les intérêts d'un « pays réel » que les administrateurs britanniques prétendent mieux comprendre. Cette désaffection, qui aura des parallèles dans bien d'autres pays colonisés, est à la source de la mobilisation nationaliste de l'intelligentsia indienne. Expression de forces et d'intérêts enracinés dans la tradition, la rébellion a ainsi ouvert involontairement les voies de la modernité.

CHAPITRE 10

L'« invention » de la nation indienne

L'idée de nation dans le contexte indien [1]

Le concept de nation s'est développé dans l'Europe du XIXe siècle sous l'influence de la Révolution française qui a substitué la légitimité de la nation souveraine à celle de la royauté de droit divin. Il s'y est transformé dans le contexte de la remise en cause des grands empires dynastiques (Habsbourg, Romanov, Ottomans), et de la réalisation des unités italienne et allemande par agrégation de petits États. Pour les uns (notamment les romantiques allemands), la nation était une réalité primordiale, pour les autres (notamment les penseurs et activistes italiens), c'était le produit d'une histoire, d'une action mobilisatrice. Ces débats qui mobilisaient les intellectuels européens ont été suivis de près par leurs homologues indiens, qui se sont passionnés en particulier pour les écrits de Mazzini. Mais leur expérience commune de la domination britannique les conduisait aussi à observer avec attention les manifestations du nationalisme irlandais. L'« invention » de la nation indienne est l'œuvre d'Indiens dont le cheminement et les expériences de vie ont été divers, mais qui se sont retrouvés autour de la conviction que leur pays pouvait réaliser son unité et se libérer de la domination étrangère, et que ces deux éléments étaient liés. Les uns ont adopté une posture intellectuelle, cherchant dans une grandeur passée des raisons d'espérer dans une proche renaissance. D'autres ont entrepris d'expérimenter dans le présent des formes nouvelles de mobilisation, de forger la nation par l'action. Tous sont habités par la préoccupation de l'unité : c'est dire que la Partition de 1947 entre l'Union indienne et le Pakistan sera vécue comme un échec.

Au XIXe siècle, les puissances coloniales européennes refusent aux peuples qu'elles dominent le statut de nations. À l'instar de Metternich qui proclamait au début du siècle que l'Italie était une expression purement géographique, l'influent colonial anglais John Strachev, chargé d'initier aux réalités de l'Inde les futurs hauts fonctionnaires de l'*Indian Civil Service*, écrit dans un ouvrage intitulé sobrement *India*, publié l'année même de la fondation du Congrès national indien, en 1885 : « Il n'y a pas et il n'y a jamais eu d'Inde [...] pas de nation, pas de peuple de l'Inde digne de ce nom. » Ce propos fait écho à celui déjà cité de James Mill qui affirmait en 1817 que l'Inde n'avait pas d'histoire. Se plaçant dans une perspective « primordialiste », il exprime haut et fort une certitude partagée par l'ensemble des Britanniques, convaincus que la cohésion de l'Inde ne peut résulter que d'une contrainte extérieure – en l'occurrence, celle du *Raj* britannique. Face à cet arrogant déni, les intellectuels indiens ont déployé différents arguments. La réponse traditionaliste a consisté à invoquer une culture indienne unitaire et intemporelle fondée sur l'hindouisme, la réponse gandhienne à élaborer une unité morale fondée sur une approche sans exclusive de la diversité des cultures, la réponse nehruvienne à se tourner vers l'avenir en construisant l'idée nationale sur le dépassement des particularismes.

« Pourquoi les idées de nation et de nationalisme ont-elles

reçu une adhésion si forte dans un pays faiblement indus-
trialisé et très peu alphabétisé, connu pour la multiplicité de
ses langues et la pluralité de ses ethnies[2] ? » se demande
J. Assayag. Il n'y a pas de réponse simple à cette question.
Le succès de l'idée de nation panindienne n'était pas acquis
d'avance. En effet, presque tous les ingrédients sont présents
(langue, littérature, histoire commune) pour donner naissance à des nations bengali, panjabi, tamoule, marathi, et
conduire à une balkanisation de l'Inde. Des deux mouvements de révolte majeurs contre le *Raj* avant 1920, l'un, la
révolte de 1857, reste confiné à l'Inde du nord, et l'autre, le
mouvement *swadeshi* de 1905, affecte presque exclusivement le Bengale. Contrairement à ce qu'on lit souvent, le
système administratif britannique lui-même ne joue pas un
rôle unificateur décisif, ne serait-ce que parce qu'il garantit
la survie des États princiers et entretient une conception seg-
mentaire de la société. Par contre, l'usage de la langue
anglaise fournit un instrument de communication si décisif
qu'il a été préservé après l'indépendance, la survie d'une
monnaie commune et la création d'un système de communication moderne facilitent les échanges, l'essor de l'enseignement et de la presse permet la diffusion multilingue de
concepts et d'images à l'échelle de l'ensemble du continent.
Enfin, les nations se construisent contre un ennemi
commun : le *Raj* fournit cet adversaire clairement identifiable. L'argumentaire nationaliste accorde une grande place
aux effets économiquement destructeurs de la domination
britannique. Ce thème sera repris ultérieurement par l'historiographie marxiste et par Nehru : le *Raj* est illégitime non
seulement parce qu'il domine politiquement mais plus
encore parce qu'il exploite économiquement. L'impératif de
la libération nationale s'impose au nom du développement.
    Par ailleurs, les thèmes mobilisateurs de l'imaginaire

national puisent très tôt dans le fonds culturel hindou, ce qui contribue à en écarter les musulmans : la triple image de la vache, de la mère et de la déesse guerrière a été utilisée pour exalter les esprits dès 1882, date de parution d'*Ananda Math*[3]. L'Inde est représentée comme une divinité féminine nourricière, donnant force à ses enfants, mais chassée hors de l'espace public par la puissance des pouvoirs étrangers. La divinisation de la mère, et la hantise du viol de la mère qui traduit une profonde insécurité identitaire, sont très présentes dans certains écrits comme ceux d'Aurobindo Ghose, qui, à la génération suivante, après une phase nationaliste révolutionnaire, se consacre à une œuvre de régénération spirituelle. L'idée de Renaissance est l'autre leitmotiv du discours nationaliste : il contribue, on l'a vu, à faire de l'Antiquité un âge d'or et à entretenir une image négative de la période « médiévale » en général, et des régimes politiques musulmans en particulier. L'invention de la nation par référence au passé remet en cause d'emblée une approche panindienne, non pas en activant les particularismes régionaux, mais en entretenant une vision antagonique des relations entre les hindous et les musulmans.

L'intelligentsia indienne et les mouvements de renaissance

Ce n'est pas dans la rébellion de 1857 que se trouve la source du mouvement national qui a fait de l'Inde un précurseur, le premier de tous les pays colonisés d'Asie et d'Afrique à donner naissance à des formes organisées de réaction à la domination étrangère. Il faut la chercher dans les réponses des élites indiennes à la suprématie culturelle imposée par les Britanniques, dans les exemples de mobilisation politique qu'offre l'actualité européenne, et dans les bouleversements qui ont affecté les masses urbaines et rurales sous l'impact du système impérial. Il est utile de garder à l'esprit la chronologie parallèle des mouvements nationalistes dans l'ensemble du monde. Si l'on met à part les mouvements d'indépendance nord et sud-américains, qui sont des processus de décolonisation mais ne résultent pas à proprement parler de dynamiques nationalistes, les pays dont l'expérience historique possède quelques similitudes avec l'Inde sont l'Allemagne et l'Italie, dont la construction nationale s'achève en 1870, seulement quinze ans avant la fondation du parti du Congrès national indien, ainsi que l'Irlande et les pays de l'Europe médiane, de la Pologne aux Balkans, où les mouvements nationaux sont à peine plus précoces qu'en Inde.

Les Européens ont eu des attitudes contrastées à l'égard des cultures de l'Inde. Les premiers orientalistes, comme le Français Anquetil-Duperron, venu chercher en Inde les textes avestiques de l'Iran ancien, qui finit par diffuser en Europe en traduction latine les premiers textes sanskrits, et le Britannique William Jones, fondateur de l'Asiatic Society de Calcutta en 1784, révèlent à l'Europe une culture qu'ils considèrent comme l'égale de l'Antiquité grecque. Leurs successeurs, en particulier les érudits germaniques, coupés des réalités de l'Inde contemporaine, perpétuent cette admiration désintéressée. Par contre les Britanniques, à partir du début du XIXe siècle, sont affrontés à la nécessité de gouverner un pays qu'ils connaissent mal : ils accumulent un savoir descriptif et utilitaire de type juridique et ethnographique qui les conduit à adopter des attitudes de supériorité culturelle. En outre, la Compagnie, cédant aux pressions des parlementaires britanniques, ouvre l'accès de l'Inde aux entreprises missionnaires souvent issues des mouvements de renaissance protestante. Avec la bienveillance des autorités, baptistes et méthodistes se consacrent à la création d'écoles, à la diffusion de la Bible dans les langues indiennes, et font preuve de beaucoup plus d'énergie que les missionnaires catholiques de Goa et de Madurai dans la lutte contre les pratiques idolâtriques. Leur projet rejoint celui des penseurs utilitaristes issus de la tradition des Lumières qui, au nom de l'idée de progrès, condamnent les pratiques qu'ils qualifient d'obscurantistes, et considèrent, avec le gouverneur William Bentinck (1828-1835), que la Grande-Bretagne a un grand devoir moral et civilisateur à accomplir en Inde. Ils dénoncent le sacrifice des veuves et les activités réelles ou imaginaires d'une secte d'assassins nommés Thugs [4], et proclament les vertus de l'éducation et de la culture britanniques. Cette attitude s'exprime d'une façon particulièrement crue dans un texte qui est un classique du colonialisme, la note rédigée en 1835 par le jeune Thomas Macaulay, chargé de l'Instruction publique auprès du gouverneur, avant de faire une carrière parlementaire en métropole, qui plaide en faveur de l'adoption de l'anglais comme langue d'enseignement [5].

Bien avant Macaulay, un brillant intellectuel du Bengale, Râm Mohan Roy (1772-1833), avait puisé une inspiration humaniste dans les deux cultures, sanskrite et anglaise, qui l'avaient formé. Sensible aux critiques des missionnaires et des utilitaristes, il avait cherché à épurer l'hindouisme de ce qu'il considérait comme des sédiments accumulés par les âges : l'esprit de caste, le culte des idoles, le sacrifice des veuves, au nom d'un retour à un védisme des origines. Il avait fondé pour mettre en pratique ses convictions une Association de Brahma (Brahmo Sabha devenue Brahmo Samaj), qui prônait les mariages intercastes et le monothéisme, choses qui ne sont pas tout à fait nouvelles dans le monde de l'hindouisme, mais qui prenaient un caractère résolument moderne. Cette secte d'un nouveau genre regroupait des adeptes issus de familles riches et influentes du Bengale, comme les Tagore, dont le descendant le plus célèbre, le poète Rabindranath, allait exprimer un siècle plus tard cette alliance des deux cultures.

D'autres mouvements de renaissance culturelle, moins novateurs, mais aussi fondés sur l'idée d'une réforme par retour à une forme primordiale de religion et de culture, voient le jour dans le courant du XIXe siècle, en réponse au défi porté par l'action missionnaire protestante, qui développait elle-même un discours fondamentaliste. Dans le sud, Arumuga Navalar (1822-1879), lettré tamoul originaire de Ceylan, s'attache à rénover le shivaïsme en se référant aux textes et aux pratiques du passé pour y rétablir la tradition supposée originelle (le Shaivasiddantha), à développer des institutions d'enseignement, et à défendre et illustrer par ses écrits une langue tamoule épurée des apports étrangers. Son contemporain Dayananda Sarasvati (1824-1883), brahmane savant de l'Inde occidentale, versé dans les écritures sanskrites et adepte de pratiques ascétiques, jouit d'un prestige qui attire des sanskritistes européens, ce qui rejaillit sur ses orientations. Il se fait le défenseur de la doctrine védique, dont les brahmanes de son époque ne sont à ses yeux que les héritiers infidèles, et soutient la thèse selon laquelle les cultures étrangères introduites par l'islam, puis par le christianisme, auraient perverti les valeurs qui avaient cours dans un âge d'or originel où dominait la « virile civilisation indo-âryenne[6] ». Il fonde en 1875 une nouvelle association, l'Ârya Samaj, qui sous ses successeurs va exercer une influence considérable sur les milieux de fonctionnaires et de marchands, confrontés à la domination britannique et à la concurrence des musulmans. Le mouvement s'implante fortement au Panjab, où est fondé à Lahore, vieille capitale musulmane et sikh, un collège anglo-védique en 1886, qui sera longtemps animé par un des principaux idéologues du mouvement, Lajpat Rai. Ce collège organise des rituels de purification (*shuddhi*) visant à « reconvertir » à l'hindouisme les membres des hautes castes qui s'en sont écartés. Cette action socio-religieuse militante fait de l'Ârya Samaj un mouvement de masse particulièrement visible, qui revendique une centaine de milliers de membres au début du XXᵉ siècle.

À cette date, une troisième génération de créateurs occupe le devant de la scène. Elle a pour point commun de s'inspirer des méthodes introduites par les missionnaires chrétiens pour diffuser un message qui se présente comme traditionnel (même s'il s'agit bien souvent d'une tradition réinventée). Le mouvement de la mission de Râmakrishna, lancé par Vivekânanda (1863-1902), s'inspire de l'enseignement bhaktique d'un gourou bengali très influent auprès des intellectuels de l'époque, Râmakrishna Paramahamsa, mais développe une forme de pratique socio-religieuse fondée sur l'action plus que sur la contemplation, qui attire la bourgeoisie moderniste. Il séduit aussi les intellectuels occidentaux, qui invitent Vivekânanda à représenter l'hindouisme au Congrès mondial des religions organisé à Chicago en 1893. Il y rencontre son contemporain, le bouddhiste ceylanais Dharmapala (1864-1933), qui cherche à moderniser le message du bouddhisme *theravada* et à ranimer son passé indien, avec l'appui initial des théosophes occidentaux venus en Asie du sud à la recherche d'une sagesse universelle.

Chez les musulmans du monde indien, les tendances fondamentalistes sont l'expression d'une évolution interne à l'islam. Elles préexistent à la domination culturelle de l'Occident, mais rencontrent au cours du XIXᵉ siècle le mouvement général de renaissance culturelle. L'impulsion initiale vient du mouvement de retour aux sources coraniques lancé au XVIIIᵉ siècle en Arabie par Mohammed ibn

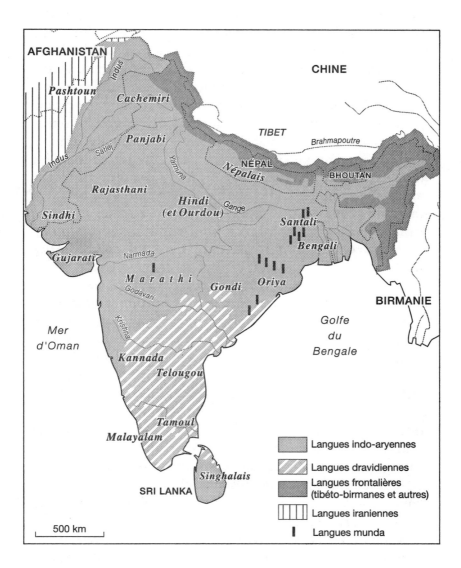

AFGHANISTAN

Pashtoun

Cachemiri

CHINE

Panjabi

Indus

Satlej

TIBET

Brahmapoutre

Rajasthani

NÉPAL

Népalais

BHOUTAN

Yamuna

Sindhi

*Hindi
(et Ourdou)*

Gange

Santali

Bengali

Gujarati

Narmada

Bengali

M a r a t h i

Godavari

Gondi

Oriya

BIRMANIE

Mer
d'Oman

Krishna

Kannada

Telougou

Golfe
du
Bengale

Tamoul

Malayalam

Langues indo-aryennes

Langues dravidiennes

Singhalais

Langues frontalières
(tibéto-birmanes et autres)

SRI LANKA

Langues iraniennes

500 km

Langues munda

10. Les langues de l'Inde vers 1930

Abdul Wahhab, qui dénonce des pratiques soufies comme le culte des saints. Le wahhabisme se répand en Inde du nord-ouest dans la région de Delhi. L'un des disciples d'Abdul Wahhab, Sayyed Ahmad Barelwi (1786-1831), y crée une confrérie qui prêche une forme d'islam purifié de tout ce qui est censé résulter d'influences hindoues, et qui prône la pratique du *haj* et du jihad, notamment contre les sikhs. Barelwi fonde une principauté dont il se proclame l'émir à Peshawar, avant d'être vaincu par Ranjit Singh. Sa mort lui vaut d'être considéré comme un martyr par ses fidèles. Les mouvements fondamentalistes prennent à la génération suivante une forme plus organisée, à travers l'action missionnaire d'une grande madrasa fondée en 1867 dans la petite ville de Deoband, au nord de Delhi. Ce séminaire forme des oulémas réformés qui vont animer un dense réseau d'écoles coraniques. Il diffuse à travers l'Inde des brochures en ourdou mettant à la portée de tous une version standard des fondements de l'islam, fort éloignée des pratiques soufies alors très populaires. Dans un esprit différent, des intellectuels musulmans, inscrivant leur réflexion et leur action dans une logique analogue à celle de Râm Mohan Roy, s'interrogent sur le rapport de leur culture à la modernité. Le personnage clé de cette approche nouvelle est Sayyid Ahmad Khan (1817-1898), qui fonde en 1875 à Aligarh, au sud de Delhi, un collège musulman où l'enseignement est donné en anglais. Il se fixe pour but de former une élite musulmane ouverte aux idées modernes venues de l'Occident, mais imperméable au prosélytisme chrétien développé dans les écoles missionnaires.

À travers ces mouvements d'une très grande diversité, on constate à quel point le monde indien est dès le XIXe siècle le foyer d'une intense activité culturelle qui soulève les questions essentielles du contact de la tradition et de la modernité : seule, à l'époque, la Russie connaît un bouillonnement intellectuel analogue. Une telle activité est facilitée par les moyens modernes de circulation du savoir, en tout premier lieu par l'imprimerie, qui révolutionne les formes de transmission de la pensée en Inde. L'essor exceptionnel de l'institution scolaire et de la presse écrite en est le corrélat. L'Inde est entrée tardivement mais résolument dans l'ère de Gutenberg, celle de sa Renaissance et de sa Réforme. C'est aussi celle de l'universalisme humaniste, des échanges intellectuels à l'échelle mondiale et de la diffusion instantanée de l'information, au moins pour la minorité de la population qui a accès à la langue anglaise. À partir des années 1870, cette minorité s'étoffe : on voit se multiplier les écoles privées anglaises ou anglo-indiennes fondées par des Indiens, alors qu'elles étaient jusqu'alors des créations missionnaires ou gouvernementales. L'engouement est tel que les autorités coloniales s'en inquiètent, craignant qu'elles ne forment des intellectuels déracinés, graines de chômeurs et de révoltés.

Les débuts du nationalisme face au pouvoir colonial

Initialement, il n'y a pas de liens étroits entre les courants de renaissance culturelle et les mouvements de revendication politique. Le Congrès national indien est créé en 1885 à l'initiative des milieux les plus occidentalisés de l'élite indienne, liés aux courants libéraux britanniques et déçus par les promesses non tenues de l'administration coloniale. Dès 1876, S. Banerjee, membre du corps des hauts fonctionnaires dont il avait été renvoyé injustement, fonde une association qui critique l'autoritarisme des vice-rois. Au début des années 1880, marquées par la généralisation des entreprises impérialistes européennes à l'échelle de la

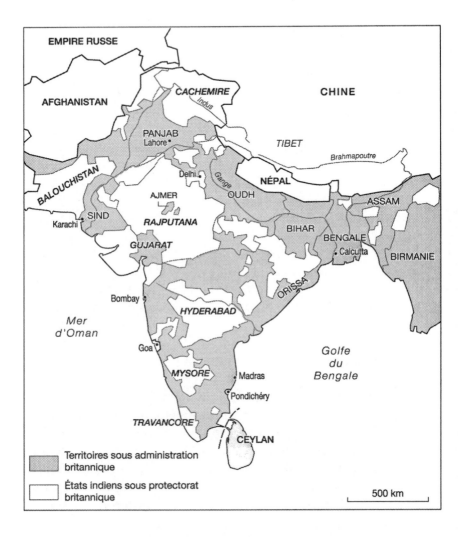

11. L'empire des Indes vers 1900

planète, le vice-roi, Lord Ripon, libéral critiqué par les hauts fonctionnaires conservateurs qui l'entourent et par les milieux d'affaires de Calcutta, rétablit la liberté totale de la presse, et envisage de promulguer une ordonnance mettant sur pied d'égalité les juges indiens et européens, et rendant possible le jugement d'un Européen par un Indien. Les milieux coloniaux exercent une telle pression sur Ripon qu'il cède. Les libéraux indiens réagissent en fondant à Bombay en 1885 l'Indian National Congress dont ils confient la présidence à un Britannique, Allan Hume, ancien membre de l'*Indian Civil Service* (ICS). Organisation modeste et légaliste, le Congrès élabore un catalogue de revendications qui sont loin d'être anodines : l'élection d'une partie des conseils du vice-roi sur la base d'un suffrage censitaire restreint aux Indiens éduqués et aisés ; l'organisation de concours d'entrée à l'*Indian Civil Service* en Inde même, et l'accès pour les Indiens aux plus hauts grades de l'armée ; le retour à l'égalité juridique ; la réduction des transferts en métropole d'une part des impôts perçus en Inde ; l'abolition des taxes sur le sel ; la défense des coolies employés sur les plantations des colonies britanniques. Au cours de la décennie suivante, le Congrès est rejoint par des militants moins modérés, influencés par des mouvements comme l'Ârya Samaj. B.G. Tilak, un brahmane qui s'inscrit dans la tradition des brahmanes politiques du pays marathe, s'en fait le porte-parole. Il mène à la marge du Congrès des actions qui visent à mobiliser contre l'administration britannique les hautes castes hindoues plus que les Indiens dans leur ensemble, sur des thèmes tels que la protection de la vache, ou le respect de la vie privée face aux intrusions des inspecteurs sanitaires chargés de lutter contre les épidémies. Emprisonné pour ses articles incendiaires, Tilak perd de son influence au profit de leaders plus modérés comme Gokhale, issu comme lui d'une caste brahmanique de l'Inde occidentale.

Ce qui est remarquable, c'est la convergence de mouvements très divers dans le cadre il est vrai fort souple du Congrès, qui n'est pas un parti à proprement parler, et où n'existe pas de discipline interne. Il fédère, tant bien que mal, des positions et des intérêts souvent divergents, et il présente vite un caractère véritablement national, dépassant le niveau des intérêts locaux, sans les ignorer. Il y a un nationalisme indien qui englobe un nationalisme bengali, par exemple. Mais le Congrès en lui-même n'impulse guère les luttes. Son autorité est de l'ordre du symbolique. Rien de comparable n'existe dans aucun autre pays et à plus forte raison aucun continent soumis à la domination occidentale. Cette spécificité indienne ne tient pas, comme on a facilement tendance à l'affirmer, à la seule personnalité de Gandhi et à son ascendant sur le Congrès à partir de 1917, elle est inscrite dans les origines mêmes du mouvement.

La dynamique du nationalisme indien doit se comprendre dans sa confrontation avec un *Raj* dont les méthodes et les finalités se sont transformées après 1857. Alors qu'en métropole la démocratie progresse à grands pas, en Inde triomphe un système autocratique. Ce paradoxe colonial est l'une des clés essentielles pour comprendre l'émergence du nationalisme indien : c'est en quelque sorte le défaut de la cuirasse. L'administration de l'Inde comprend un dispositif politique en métropole, l'India Office, distinct du Colonial Office, et un dispositif exécutif en Inde, coiffé par le vice-roi, le poste le plus élevé auquel puisse prétendre un grand serviteur de la monarchie britannique, qui dispose d'un personnel d'élite, les hauts fonctionnaires de l'*Indian Civil Service*. Recrutés par concours, leur nombre ne dépasse guère un millier d'hommes, dont une cinquantaine d'Indiens seulement. Le refus de l'indigénisation est une caractéristique du *Raj* britannique, qui le distingue nettement des pouvoirs de jadis. Ces agents disposent de moyens considérables : de nombreux subordonnés indiens, des systèmes de communication modernes, des données statistiques, celles de recensements réguliers et d'innombrables enquêtes. Leur vision de l'Inde, issue pour l'essentiel de la collaboration des élites lettrées, est assez largement biaisée et présente une image faussement immuable des sociétés indiennes. Cette illusion va rendre l'administration britannique incapable de percevoir les transformations qui affectent l'Inde, les réduisant à des phénomènes qu'elle qualifie de « microscopiques ». Elle ignore les effets de la mobilité qu'elle a elle-même rendue possible, tend à mépriser la société urbaine, et se complaît dans ce qu'elle affirme être l'Inde réelle, celle du monde rural de la caste, une Inde sans histoire, dont elle encourage l'immobilisme. Mais derrière ces images iréniques se profile la force coercitive du *Raj*, garante de la paix civile : une armée d'une loyauté désormais indéfectible, une police nombreuse mais discrète, des services de renseignements infiltrant tous les secteurs de la société.

Dans ces conditions, en temps de paix, un mouvement d'opposition n'a qu'une option : la non-violence, et qu'un instrument : la parole. L'invention de la nation indienne passe par l'élaboration d'un discours unitaire qui puisse répondre au discours colonial. Face aux arguments paternalistes voire racistes d'un John Strachey, d'un Lord Curzon ou d'un Rudyard Kipling, pour qui l'Inde est une expression géographique, un pays habité d'une multitude de peuples divers, plus ou moins primitifs, incapables de se gouverner eux-mêmes, les nationalistes dessinent le portrait d'une Inde originelle dont les divisions seraient le produit d'une politique machiavélique de domination. Tout l'effort de reconsti-

243

tution d'une histoire de l'Inde, que nous avons évoqué en ouvrant ce livre, vise à imaginer cette unité perdue.

Un épisode précurseur : le partage et la révolte du Bengale

C'est dans ce contexte que surviennent au début du XXᵉ siècle deux événements dont la convergence fortuite va donner un tour nouveau au mouvement nationaliste. Le premier est la décision prise par le vice-roi Lord Curzon de diviser la province du Bengale, qui en raison de sa taille était devenue difficilement gouvernable. Présentée comme une mesure purement administrative, elle s'inscrit dans une perspective politique claire. Le but est de mieux contrôler l'activisme des Bengalis et d'affaiblir le parti du Congrès, dont Curzon disait en 1900 qu'il était près de s'effondrer. Une telle décision heurte de plein fouet l'aspiration unitaire de l'intelligentsia indienne et justifie sa dénonciation du machiavélisme britannique, d'autant plus que la province est divisée selon une ligne de partage qui manifeste une volonté de séparation des communautés sur une base religieuse et ethnique : à l'ouest, le Bengale à majorité hindoue, avec la capitale Calcutta, le Bihar et l'Orissa ; à l'est, le Bengale à majorité musulmane, avec Dhaka pour capitale, regroupé avec l'Assam, terre d'élection des planteurs britanniques et de multiples minorités tribales. Et c'est précisément à Dhaka qu'est fondée dès 1906, avec la bénédiction de *Raj* et sous la présidence de l'Aga Khan, la Ligue musulmane qui deviendra ultérieurement le promoteur de l'idée de Pakistan. Ce partage de 1904 préfigure et annonce la Partition de 1947.

Dans leur dimension internationale aussi, les événements de 1905 préfigurent ceux qui vont conduire à l'indépendance et à la Partition. La victoire du Japon dans la guerre qui l'opposait à la Russie est perçue par l'ensemble de l'intelligentsia indienne, et plus généralement asiatique, comme la victoire sur une puissance impérialiste européenne d'un pays d'Asie qui a su préserver son indépendance en se modernisant. La première révolution russe, qui en est pour partie la conséquence, offre un modèle à suivre, l'exemple d'une juste lutte contre un autoritarisme borné et inefficace. L'admiration apparemment contradictoire pour le militarisme japonais et pour l'esprit révolutionnaire russe devient dès lors un élément important du nationalisme indien, et particulièrement bengali, qui s'incarnera dans la figure de Subhas Chandra Bose dans les années 1930-1940, et qui se perpétue à travers la place prééminente des mouvements communistes dans le Bengale contemporain. Et c'est bien l'internationalisation de la lutte nationale indienne, ou plutôt son insertion dans le contexte géopolitique asiatique de la Seconde Guerre mondiale marqué par l'apogée puis la chute du Japon, qui accélère le mouvement pour l'indépendance.

Les Bengalis (mais davantage les hindous que les musulmans) entretiennent un fort sentiment identitaire régionaliste, fondé sur une langue commune à toutes les communautés, sur un passé culturel brillant, et sur le sentiment d'être à la pointe de tous les combats et de toutes les avancées, notamment dans le domaine éducatif, qu'a connus l'Inde depuis un siècle. Le régionalisme bengali devient ainsi le laboratoire du nationalisme indien. Dès 1905 se développe à Calcutta un mouvement de grande ampleur, animé par des étudiants et des membres des professions libérales, et où s'impliquent de nombreux employés des services de l'État, des ouvriers des usines britanniques et beaucoup de petits commerçants, caractéristique que l'on retrouve dans nombre de mouvements politiques asiatiques de l'époque. Les membres du Congrès y sont présents mais n'en prennent pas la direction, et parmi les militants les plus actifs on trouve des étudiants qui s'organisent en sociétés secrètes, à l'image des révolutionnaires et anarchistes russes. Ce qui donne à ce mouvement un caractère de masse, ce sont les formes qu'il emploie, souvent inspirées des méthodes des nationalistes irlandais : les manifestations de rue non violentes, le boycott des marchandises (notamment les tissus) et des institutions britanniques, la mobilisation en faveur de l'achat de produits fabriqués en Inde, la désertion organisée des établissements d'enseignement britannique et la création d'écoles parallèles. Plus généralement, il s'agit pour les Indiens de se prouver qu'ils peuvent se suffire à eux-mêmes, compter sur leurs propres forces, ce qu'exprime de façon explicite le qualificatif donné au mouvement : *swadeshi* (« du pays lui-même »). Le nationalisme indien n'a pas attendu Gandhi, qui était à l'époque en Afrique du Sud, pour expérimenter des méthodes d'agitation de masse et de conscientisation : à cet égard aussi, le mouvement du Bengale préfigure le mouvement national. Il ne se limite d'ailleurs pas au Bengale, même si Calcutta en reste le foyer principal : la région de Bombay et Pune, et le Panjab travaillé par l'Ârya Samaj, sont aussi concernés. Ce risque de contagion inquiète le *Raj*, qui parvient à calmer le jeu sans employer de moyens répressifs violents, mais en combinant fermeté et concessions. Cette politique à deux visages va devenir une constante de la méthode de *Raj* au cours des décennies suivantes.

À partir de 1909, les autorités du *Raj* envisagent des concessions politiques limitées de façon à diviser le mouvement nationaliste en attirant les Indiens modérés, mais les milieux conservateurs de la métropole restent réticents. Le résultat est un système représentatif très restreint, élisant sur le principe censitaire et sur la base de collèges électoraux séparés selon l'appartenance religieuse, des conseils provinciaux et une assemblée centrale où les membres désignés par le vice-roi gardent la majorité. Cette conception de la représentativité, fondée sur la vision qu'ont les Britanniques de la société indienne, ouvre la porte au communautarisme politique (en anglais, *communalism*). Par ailleurs, l'Inde orientale est redécoupée différemment, Calcutta redevenant la capitale d'un Bengale réunifié mais amputé du Bihar, de l'Orissa et de l'Assam. La ville perd en 1912 sa fonction de capitale de l'Inde britannique, transférée à Delhi, ancienne métropole des sultans et des empereurs moghols, ce qui apparaît comme un geste de compensation symbolique à l'égard des musulmans. Dans la tradition des empires médiévaux, le *Raj* entreprend d'y bâtir une cité nouvelle pour y déployer ses fastes et y loger ses services : New Delhi, dont la construction dure près de vingt ans, est achevée en 1931.

La Première Guerre mondiale, accélératrice de l'histoire

Le conflit mondial, bien qu'il ne touche pas le territoire indien, va se révéler, selon une formule répétée par Lénine et souvent reprise par la suite, un accélérateur de l'histoire. Mais contrairement aux anciens empires eurasiatiques, ceux des tsars Romanov, des Habsbourg et des Ottomans, l'empire britannique des Indes, de constitution récente, n'impose pas sa loi à des nationalités qui s'efforcent de le démembrer, mais à une nation en devenir qui cherche son unité. En 1914, le mouvement nationaliste est encore très minoritaire en Inde et les modérés y ont le vent en poupe. En 1919, il s'est transformé en un mouvement de masse panindien, et les modérés sont débordés. La rapidité de l'évolution a surpris ses acteurs eux-mêmes, qui sous-estimaient la force des revendications populaires. Comment expliquer que l'impact du conflit mondial ait été aussi sensible, alors que jamais l'Inde ne lui fut directement exposée ? La guerre modifie les données sur lesquelles reposait la politique du *Raj*, sur certains points particulièrement sensibles. Elle bouleverse les équilibres économiques en Inde comme chez tous les belligérants, et avec les mêmes effets. Elle entraîne un débat politique sur les buts de guerre qui pose à la face du monde le problème de la légitimité du *Raj*. Elle permet enfin une convergence momentanée entre le mouvement nationaliste et les intérêts des musulmans, la Grande-Bretagne et ses alliés étant dans le camp adverse de celui de l'empire ottoman, et poursuivant un objectif de démembrement du dernier grand État musulman dont le chef portait encore le titre de calife.

En 1914, l'union sacrée n'est pas un phénomène exclusivement métropolitain : alors que Gandhi, de passage à Londres, s'emploie à recruter une unité d'auxiliaires médicaux indiens, les autorités militaires en Inde parviennent sans difficulté à recruter 800 000 soldats en quelques mois, et les Indiens souscrivent massivement aux emprunts de guerre. L'Inde devient une source cruciale d'approvisionnements pour les Alliés. En fin de compte, 1 300 000 Indiens se portent volontaires (environ la moitié du total des volontaires britanniques), 146 millions de livres sont prélevés sur le trésor indien, et près de 40 millions de livres d'emprunts sont souscrits par des Indiens. Cette implication se traduit par une hausse annuelle des impôts de 10 % à 15 %, par des pénuries et par une inflation considérable : le prix des grains alimentaires double entre 1910 et 1920, et celui des produits industriels importés triple, mais les salaires ne suivent pas : d'où un mécontentement croissant dans les villes. En revanche, la guerre profite à l'industrie textile et à la métallurgie naissante. L'entrée en guerre des États-Unis sur la base des Quatorze Points du président Wilson ouvre la porte à une légitimation des demandes nationalistes, tandis qu'en 1917 la prise de pouvoir des bolcheviks montre que tout est possible à des leaders déterminés dans un contexte de guerre. Ces différents éléments contribuent à la radicalisation du Congrès où s'affirme à nouveau Tilak, secondé d'Annie Besant, venue en Inde avec ses amis du mouvement théosophique au tournant du siècle, qui donne une caution européenne radicale au militantisme indien. Le rapprochement entre le Congrès et la Ligue musulmane est scellé par un pacte signé à Lucknow en 1916. L'opération a une forte portée symbolique, car le Congrès accepte le principe d'une représentation séparée et garantie de la minorité musulmane. De son côté, le *Raj* promulgue en 1915 un régime de loi martiale, appliqué au Bengale et au Panjab. Dès 1917, l'administration cherche les moyens de conserver en temps de paix cette législation d'exception, dans les zones potentiellement révolutionnaires, alors que Londres multiplie les promesses : les déclarations publiques du libéral Lord Montagu, annonçant l'association progressive des Indiens à l'exercice du pouvoir, seront couvertes par les protestations des Indiens contre les mesures prônées par les projets de lois de Rowlatt.

Dès lors, la mobilisation de masse des Indiens se fait sur le thème de la duplicité britannique. À l'issue du conflit, la plus grande partie des volontaires indiens sont démobilisés : on leur a promis des terres au Panjab, d'où beaucoup d'entre eux sont originaires, mais ces promesses tardent à se concrétiser, et un malaise s'installe dans la région où errent ces anciens soldats désœuvrés que les autorités militaires tentent de maîtriser. La promulgation des lois Rowlatt, au début de 1919, entraîne une agitation générale qui échappe au contrôle du Congrès, et qui culmine avec des manifestations de masse, notamment à Amritsar, la cité sainte des sikhs, où elles sont matées avec la plus grande violence : sur l'ordre d'un officier britannique, le général Dyer, la foule désarmée rassemblée sur la place du Jallianwala Bagh est mitraillée par les Gurkha le 13 avril 1919 : l'on dénombre au moins 400 morts et 1 500 blessés. Parallèlement, le Parlement britannique promulgue le *Government of India Act*, qui élargit le droit de vote à environ 10 % de la population masculine adulte, multiplie les collèges séparés et institue un système qualifié de dyarchie, dans lequel les pouvoirs des conseils législatifs provinciaux élus sont accrus, tandis que les autorités centrales du *Raj* conservent le contrôle de la défense, de la fiscalité, de la monnaie, des communications et de la justice criminelle. Mais ces mesures ne sont pas en phase avec les revendications radicales de la jeune génération nationaliste, mobilisée par le message et le style politique de Gandhi.

L'impact économique du *Raj* et l'entrée des masses en politique

L'historien Jacques Pouchepadass applique à l'analyse de l'histoire de l'Inde au XXe siècle une utile distinction entre le mouvement nationaliste, conçu comme phénomène précurseur, œuvre d'élites, et le mouvement national, dans lequel s'engagent les masses[7]. Plus récemment, les chercheurs indiens qui se réclament de l'école « subalterniste » ont consacré une large part de leurs travaux à reconstituer l'histoire des mouvements populaires qui, principalement entre la rébellion de 1857 et l'indépendance, ont mobilisé des groupes sociaux dits subalternes dans des actions qui ont contribué à donner une dynamique au mouvement national[8]. Il faut une génération, trente années de luttes et de négociations, d'avances et de reculs, pour que l'Inde parvienne à l'indépendance. Ces phénomènes d'accélération et de décélération proviennent de l'entrée en jeu de mouvements de masse plus ou moins bien contrôlés, notamment par leur principal instigateur, Gandhi, qui tend à les stopper dès qu'il en perd la maîtrise. La première vague, qui s'enfle en 1919, s'arrête en 1922. Une seconde vague, qui reprend en 1928, retombe en 1933. Une troisième vague, née en 1942, va durer, d'une certaine façon, jusqu'à l'indépendance en 1947. La question de la participation des masses à cette lutte est de celles qui font débat en Inde, tout particulièrement dans les milieux intellectuels façonnés par l'approche marxiste et obnubilés par la comparaison avec la révolution rurale chinoise. Le mouvement de masse indien prend souvent un tour très violent, mais jamais un caractère révolutionnaire. Est-ce à dire que la condition des masses populaires n'a pas fourni les conditions d'une mobilisation de cet ordre, ou que le mouvement national mené par le Congrès a su capter ces énergies à son profit et les détourner d'une lutte à caractère social ?

Un siècle et demi de domination britannique sur l'économie de l'Inde, si l'on en croit le bilan qu'en dressent les premiers historiens nationalistes indiens, aurait pu conduire à une vaste révolte sociale contre le *Raj*. Au début, la Compagnie britannique ne transforme pas l'économie indienne : elle se contente d'en capter les profits. L'exemple du *permanent settlement* est éloquent : il fixe une fois pour toutes en 1793 le montant de l'impôt agraire dû par les paysans du Bengale. C'est un expédient pour financer les grandes guerres de conquête du sud de l'Inde, que les Britanniques appliquent avec toute la rigueur de la loi des contrats et sans égards pour les circonstances climatiques et autres. Selon les nationalistes, ces ponctions de la Compagnie auraient vidé l'économie indienne des métaux précieux qu'elle avait attirés depuis trois siècles, créant les conditions d'une sévère déflation. L'abolition du monopole, puis de la fonction commerciale de la Compagnie des Indes orientales entre 1813 et 1833, démantèle l'organisation en tant qu'agent économique, mais sa place est immédiatement occupée par des agences de gestion (*managing agencies*). Établies pour la plupart à Calcutta, ces sociétés britanniques reprennent les pratiques antérieures de la Compagnie, héritant en quelque sorte de sa tendance au monopole. Elles contrôlent l'import-export, les transports maritimes, l'information économique et financière. Le commerce avec la Chine tend à compenser les éventuelles pertes du commerce avec l'Europe, et l'opium a une place considérable dans ces trafics, à côté du coton brut. Beaucoup de firmes britanniques et quelques firmes indiennes comme celles des parsis de Bombay y font fortune : c'est le cas en particulier de la famille Tata, qui se lance à la fin des années 1860 dans l'industrie textile. En revanche, au Bengale, on investit de préférence dans la terre et non dans le grand commerce : à cette époque, le capitalisme britannique ne laisse guère de chances aux initiatives indiennes à Calcutta et ses alentours.

La question du devenir de l'artisanat indien sous l'impact colonial a fait l'objet de nombreuses controverses opposant les tenants des thèses nationalistes et ceux que l'on peut qualifier de révisionnistes. La thèse nationaliste postulait que la Grande-Bretagne avait inversé en sa faveur ses échanges avec l'Inde, la submergeant de textiles industriels, ce qui avait entraîné la ruine brutale de son artisanat, notamment au Bengale. En parts de marché mondial, si l'on suit les calculs de l'économiste Paul Bairoch, la valeur des productions indiennes serait passée de 25 % au XVIIIe siècle à 10 % en 1850 et moins de 3 % en 1880. Il est certain qu'entre 1800 et 1830, le marché européen des cotonnades est perdu pour l'Inde, en raison de l'effacement de la Compagnie des Indes, de l'essor de l'industrie anglaise qui s'approvisionne en fibres américaines, résistantes et bon marché car produites dans le cadre du système des plantations esclavagistes, et des changements de mode qui privilégient désormais les tissus lourds et unis au détriment de la couleur et du luxe : le triste style victorien succède à la fantaisie des fêtes galantes. Mais les mutations que connaît l'économie textile indienne sont complexes. La Grande-Bretagne impose d'abord ses tissus de coton sur un segment du marché indien, celui des produits consommés par la nouvelle classe dirigeante, qui s'aligne sur les modes de la métropole coloniale. Elle vend ses fils de bonne qualité aux artisans indiens. Puis, au milieu des années 1860, l'abolition de l'esclavage et les retombées de la guerre civile américaine redonnent une chance aux cotonniers indiens, qui dans la région de Bombay et du Gujarat mécanisent la filature et se lancent dans l'exportation vers le reste de l'Asie. Par contre, les tissus anglais continuent de progresser : ils représentent en 1914 55 % de la consommation indienne, contre 30 % pour les produits de l'artisanat local et 15 % pour ceux de l'industrie indienne. L'industrie britannique constitue de puissants lobbies pour empêcher le marché indien de se protéger par des droits de douane élevés. Cela dit, la question de la contraction de l'emploi artisanal reste ouverte : les statistiques disponibles n'indiquent pas une chute nette du nombre des artisans, ni d'ailleurs une croissance marquée de l'emploi industriel.

Jamais l'Inde n'a connu une telle unification économique, grâce au réseau ferré. Mais son fonctionnement est en partie à la charge du contribuable indien (le trésor colonial assure une garantie d'intérêts de 5 % aux actionnaires), et les chemins de fer n'ont pas d'effet d'entraînement car ils commandent leur matériel en métropole et s'y fournissent en partie en charbon. La présence d'une monnaie unique est également un atout. L'abondance mondiale de l'argent métal permet de frapper assez de roupies pour généraliser le paiement en espèces de l'impôt, mais elle entraîne une dépréciation de la roupie par rapport à la livre sterling qui est basée sur un étalon-or, ce qui alourdit les charges qui pèsent sur le trésor colonial qui doit payer en sterling les retraites des fonctionnaires et militaires et d'autres charges affectées (25 millions de livres par an à la fin du siècle). En fin de compte, l'Inde n'équilibre sa balance des paiements que grâce à des exportations agricoles accrues, où le thé de l'Assam et le riz birman prennent une place croissante. À partir des années 1850, les prix des produits agricoles montent. Le jute, qui est cultivé au Bengale, supplante le chanvre russe, le coton indien se vend bien, ainsi que le sucre et l'indigo, au moins jusqu'à l'invention des teintures chimiques à la fin du siècle. Le prix des terres augmente de 4 % par an en moyenne. La terre présente moins de risques et rapporte davantage que la manufacture, au moins jusqu'à la Grande Dépression des années 1930.

Or la condition de la paysannerie ne s'en trouve nullement améliorée. Sans entrer dans l'extrême complexité des systèmes fiscaux, qui varient d'une région à l'autre, la domination britannique a pour effet de rendre plus rigides les processus de perception, en leur donnant une base juridique. Les opérations de fixation contractuelle des droits sur la terre et du montant de l'impôt (*settlements*) reconnaissent l'entière propriété sur la terre, soit des cultivateurs

254

(*rayat*), soit de maîtres du sol (*zamindar*), en échange du versement de l'impôt. Elles ignorent les droits collectifs coutumiers fondés sur les échanges de services dans le cadre du système des castes. Les défaillances fiscales se traduisent donc par des mises en vente par autorité judiciaire, alors que jadis, par exemple, une série de mauvaises récoltes contraignait le pouvoir à différer la perception des taxes. Un marché des terres se développe, qui tend en période de crise à concentrer la propriété entre les mains de nouveaux détenteurs du sol extérieurs à la communauté villageoise, sans qu'il y ait nécessairement éviction. L'endettement paysan s'aggrave et l'essor d'une classe de prêteurs ruraux qui pratique l'avance sur récoltes à des taux usuraires contribue à lui donner un caractère structurel.

Les disettes chroniques liées à l'irrégularité du climat prennent des proportions de famine à grande échelle lorsque s'y ajoutent des facteurs humains[9] : c'est le cas dès 1769-70 au Bengale, victime des exigences fiscales de la Compagnie des Indes, qui aurait perdu près d'un tiers de sa population. La récurrence des famines sous le *Raj* britannique donne la mesure de la condition matérielle de la masse de la population rurale. Il ne s'agit pas d'un phénomène nouveau dans l'histoire de l'Inde, mais il devient particulièrement fréquent, ravageant régulièrement l'Inde du nord entre 1782 et 1837, et atteignant un pic meurtrier dans le dernier quart du XIXe siècle dans le Deccan. La stagnation des productions vivrières destinées à l'autoconsommation et les fluctuations des prix des produits commercialisés sont largement responsables de la gravité de ces catastrophes. A contrario, les effets de l'infléchissement de la politique britannique après les famines du Deccan sont parlants : les allégements fiscaux, la mise en place de moyens de transport pour approvisionner les zones déficitaires, et la lutte contre l'accaparement et le prêt usuraire ont contribué à la disparition des famines dans ces régions après le début du XXᵉ siècle, et la dernière grande famine de l'histoire de l'Inde, qui survient en 1943 au Bengale, est l'effet d'une désorganisation liée à la politique de guerre du gouvernement colonial.

Au regard de ces conditions générales de misère et d'exploitation, les historiens se sont interrogés sur ce qui apparaissait comme une absence de révolte ouverte du monde rural, la réaction paysanne se limitant à des formes quotidiennes de résistance passive. Le contraste semblait frappant entre cette apparente inaction et la fréquence des rébellions paysannes dans les pays d'Asie orientale tels que la Chine et le Vietnam. Certains y voyaient l'effet du système des castes qui aurait segmenté la société rurale, empêchant l'apparition de solidarités globales, et d'une idéologie fataliste véhiculée par les systèmes religieux dominants en Inde. Des recherches plus poussées [10] ont conduit à réviser cette approche. En réalité, les campagnes indiennes ne cessent d'être agitées par des révoltes sporadiques menées, au moins dans leur phase initiale, par des membres des castes dominantes locales qui entraînent derrière eux l'ensemble de la société villageoise avec laquelle ils entretiennent des relations de clientèle, les attirant dans des actions dirigées contre l'État, contre les agents du fisc, et contre les usuriers et intermédiaires étrangers à la communauté villageoise. Certaines de ces révoltes prennent de l'ampleur quand elles sont relayées par des motivations politiques. Ainsi, c'est toute la paysannerie du centre de Ceylan qui se soulève en 1817-18 contre les Anglais établis depuis peu dans l'île, et qui proclame la restauration de la monarchie. C'est toute la population tribale des Santal, aux confins du Bengale et du Bihar, qui entre en rébellion en 1855-56 contre les exactions de la police et des usuriers. C'est l'ensemble des cultivateurs d'indigo du Ben-

gale, soumis aux exigences des négociants et des manufactu-
riers britanniques, qui refusent d'obéir en 1860. Ce sont des
villages entiers de cultivateurs de coton du pays marathe,
ruinés au début des années 1870, qui refusent de payer leurs
dettes et leurs taxes avec l'appui de quelques leaders urbains.
C'est précisément ce type de mobilisation populaire derrière
des chefs issus des castes dominantes qui explique les caractéristiques des mouvements de masse du début du XXᵉ siècle,
leur contrôle par le Congrès et leur potentiel limité en termes de révolution sociale.

Une dernière composante de l'impact colonial exerce
une influence indirecte sur l'histoire du mouvement national indien. Le système des plantations a été initialement
formé en Amérique et dans les îles de l'océan Indien pour
répondre à la demande de masse de produits tropicaux
en Occident. L'abolition de l'esclavage dans les colonies
britanniques (1833) puis françaises (1848), qui coïncide
avec l'affermissement du *Raj*, conduit les planteurs à
rechercher en Inde une main-d'œuvre de substitution pour
leurs domaines, et à développer de nouvelles plantations à
la périphérie immédiate du monde indien, notamment en
Assam et à Ceylan, à partir des années 1840. Le recrutement massif de travailleurs sous contrat, dans les plaines
du Gange, les collines peuplées d'aborigènes et les confins
du Népal fournit des travailleurs qui sont transportés par
bateau dans des conditions d'hygiène désastreuses depuis
Calcutta vers Maurice, les Antilles britanniques et les îles
Fidji, ou qui plus tard sont envoyés vers les plantations de
thé de l'Assam. À partir de Madras (et accessoirement de
Pondichéry), ce sont des Tamouls, en majorité de caste
intouchable, qui émigrent dans des conditions analogues,
tandis que les planteurs de café puis de thé de Ceylan
attirent et retiennent des travailleurs tamouls par l'intermé-

diaire d'agents, les *kangani*, qui les lient par le nœud de la dette et non par la signature d'un contrat. Les conditions de travail et d'existence de ces millions de coolies (le mot, d'origine tamoule, désigne celui qui vend sa force de travail) ne se distinguent de celles des esclaves qu'ils remplacent que par le caractère en principe temporaire de leur servitude. Les paysans des régions de plantations refusent généralement de s'employer sur ces grands domaines parce que les travailleurs y sont astreints à résidence, souvent maltraités, et privés de droits personnels : seuls des immigrés coupés de leurs racines acceptent ces conditions.

Or le sort des coolies émeut à la fois les milieux métropolitains qui s'étaient mobilisés pour l'abolition de l'esclavage, et les premiers nationalistes indiens qui y voient la forme la plus abominable de la domination britannique, d'autant qu'elle s'exerce à l'encontre d'une population arrachée à la mère patrie. Sur place se forme une diaspora indienne libre, composée de marchands, rejoints par ceux des travailleurs déliés à la fin de leur contrat qui choisissent de tenter leur chance hors des grands domaines. Sur le pourtour de l'océan Indien, et notamment sur les côtes d'Afrique orientale, les commerçants gujarati anciennement établis contribuent à entretenir des liens avec la métropole indienne. C'est dans ce contexte que Mohandas Gandhi expérimente durant de longues années en Afrique du Sud les méthodes de mobilisation qui le font connaître à la fois des nationalistes indiens et des progressistes européens. Il est significatif que l'une des sources de la dynamique nationale indienne se situe en diaspora : le « nationalisme à longue distance », pour reprendre l'expression de Benedict Anderson, est encore un trait précurseur que l'Inde partage avec l'Irlande et bien d'autres nations en devenir.

CHAPITRE 11

Indépendance et Partition : la mémoire éclatée

La période de l'histoire de l'Inde qui s'ouvre en 1920 et qui se ferme en 1947 a fait l'objet de tant de descriptions, d'études et d'analyses qu'il serait présomptueux d'en présenter ici la synthèse en quelques pages. Elle est d'ailleurs relativement bien connue du public français qui dispose de bons ouvrages à ce sujet[1]. L'intérêt nouveau qu'elle suscite dans le sous-continent réside dans les débats que soulève la remise en cause des discours convenus sur la marche vers l'indépendance. Concernant leur histoire récente, les Indiens d'un côté et les Pakistanais de l'autre ont été longtemps nourris de récits plus ou moins hagiographiques, qui faisaient de Gandhi, de Nehru et de Jinnah les héros ou les vilains d'un drame historique conduisant de manière inéluctable à l'indépendance et à la Partition[2]. Avec la disparition progressive de la génération des acteurs de l'indépendance et l'affaiblissement du Congrès et de la Ligue musulmane, le rôle historique de ces figures a été réexaminé. Les courants intellectuels inspirés de Foucault et de Derrida, influents dans les universités américaines, ont conduit de nombreux chercheurs indiens qui y ont été formés à déconstruire systématiquement les discours dominants. D'autre part, les mouvements politiques et sociaux en essor dans l'Inde de la fin du XXe siècle projettent au premier plan l'image de personnages comme Ambedkar, leader des intouchables, ou Savarkar, théoricien de l'*hindutva* et de l'action violente. Les historiens indiens inspirés par l'école subalterniste introduisent dans la pièce de nouveaux acteurs collectifs, insistant sur l'autonomie des mouvements populaires. Les groupes écologistes et altermondialistes font de Gandhi un apôtre de la postmodernité. Enfin, les Indiens et les Pakistanais qui militent pour un rapprochement de leurs deux pays et une redécouverte de leur histoire commune s'efforcent de relire d'une façon différente l'histoire de la Partition. Dans cet esprit, des chercheurs s'attachent à recueillir et à analyser des histoires de vie pour reconstituer le vécu collectif de la génération de leurs parents ou de leurs aïeux. Pour situer ces récits dissidents, ou plutôt, pour reprendre l'expression employée par certains de leurs auteurs, ces fragments de récits, afin d'en montrer les mobiles, l'intérêt et les limites, il est nécessaire de présenter le récit de référence, qui a longtemps fait autorité, caractérisé par sa cohérence et sa lisibilité, mais que ses critiques stigmatisent comme un récit de révérence, comme un discours hégémonique.

Vers l'Indépendance : le récit de référence

L'action de Gandhi

Mohandas Karamchand Gandhi est né en 1869 : il a cinquante ans lorsqu'il se lance en politique à l'issue de la Première Guerre mondiale, et près de quatre-vingts ans lorsqu'il est assassiné le 30 janvier 1948. Issu d'une famille de caste marchande qui gère les affaires de la petite principauté de Porbandar, dans l'actuel Gujarat, il reçoit en héritage de sa lignée maternelle un hindouisme de tradition vishnouïte, mais marqué par le jaïnisme et ouvert aux dimensions mystiques de l'islam ; de sa lignée paternelle, des liens avec les communautés marchandes tant musulmanes qu'hindoues, et une ouverture sur le monde. La jeunesse de Gandhi, telle qu'il la raconte dans son *Autobiographie*[3], peut se résumer à une série de semi-échecs, après la période idyllique de son enfance. Gandhi ne répond pas à l'attente de sa famille qui voudrait le voir succéder au poste de ministre de son père, mort alors qu'il est encore fort jeune. On l'envoie en Angleterre pour y obtenir un diplôme de droit et y perfectionner son anglais, et il s'adapte mal au milieu des étudiants indiens car il n'a pas reçu l'éducation britannique des fils de grands bourgeois et de princes qu'il y croise. Il s'y replie sur des lectures (la *Gîtâ*, la Bible, le Coran, les œuvres de Thoreau), et sur des expériences (notamment végétariennes), qui vont façonner sa personnalité. De retour en Inde, sa timidité l'empêche d'exercer le métier d'avocat à Bombay. Il décide alors de saisir une occasion qui s'offre à lui, et s'embarque pour Durban afin d'y défendre les intérêts des hommes d'affaires gujarati musulmans expatriés en Afrique du Sud. Il y passe vingt ans de son existence, y découvre l'exploitation et l'humiliation dont sont victimes les Indiens (particulièrement les coolies), et entreprend de lutter contre les mesures d'apartheid qui commencent à se mettre en place. Il y expérimente les méthodes de « conscientisation » et d'action qu'il appliquera plus tard en Inde, et qu'il qualifie de *satyagraha* (« saisie de la vérité ») : la grève de la faim en est l'arme suprême, dans la tradition indienne du *dharnâ* (qui consiste pour un homme se sentant lésé à jeûner ostensiblement sur le seuil de celui qui lui a fait tort jusqu'à ce qu'il obtienne justice). À son retour en Inde en janvier 1915, Gandhi est peu connu, il n'appartient pas à l'establishment du Congrès, et ne semble pas destiné à devenir un personnage de premier plan du mouvement national. Son expérience d'outsider ayant su obtenir des concessions des Britanniques et ses bonnes relations avec les musulmans représentent néanmoins des atouts aux yeux des congressistes. Son apparente marginalité, son physique, son langage vont contribuer à son succès auprès des masses hindoues qui ne se reconnaissaient pas dans l'intelligentsia urbaine occidentalisée de l'époque. Idéaliste, perçu comme proche du peuple mais exempt de toute attitude démagogique, il obtient l'adhésion enthousiaste d'une nouvelle génération de militants, qui inclut des jeunes gens de familles influentes (tel le jeune Jawaharlal, fils du congressiste Motilal Nehru [4]), mais qui est issue en général de milieux ruraux. Les paysans aisés, qui se mobilisaient déjà sur des mots d'ordre de lutte antifiscale, rejoignent Gandhi dans la mesure où ils peuvent faire confiance à un leader foncièrement modéré qui prêche la collaboration de classe : leurs enfants qui ont fait des études mais peinent à trouver un emploi adhèrent au Congrès et mettent leur réseau de relations au service de Gandhi.

Gandhi manifeste une aptitude à mobiliser les foules sur la base de l'invention de symboles et de rituels accessibles à tous : ainsi la filature au rouet dont il fait le symbole de l'indépendance économique, mais qui évoque en même temps le thème de la roue de Dharma, sans parler de l'état second que peut susciter son fonctionnement lorsque Gandhi, interdit de parole par les autorités, file à la face du public. Lorsqu'il peut s'exprimer, son langage messianique est celui de tous les porteurs de messages de libération. À l'instar du Bouddha, il apporte une révélation, qui se compose de trois éléments : une prise de conscience de ce qui est cause de souffrance, l'humiliation de l'Inde ; une voie proposée pour y porter remède, la réforme intérieure ; un but suprême, l'avènement de la liberté et de la justice dans ce qu'il appelle « le royaume de Râm ». Sur ce schéma traditionnel, Gandhi greffe des éléments modernes hérités des mouvements de réforme de la fin du XIXe siècle ou de son invention, à commencer par une contestation permanente de l'ordre brahmanique et de l'ordre britannique, dénoncés comme contraires aux principes de la morale naturelle : il condamne l'intouchabilité, ainsi que l'humiliation de la femme. Il se démarque nettement des activistes hindous, et tout particulièrement de Savarkar, maître à penser d'un groupe préparant des attentats terroristes contre les représentants du *Raj*, qu'il a rencontré à Londres en 1909 : selon Savarkar, dont le radicalisme attire de nombreux jeunes Indiens, l'Inde doit s'affirmer par la violence, pour faire face à la violence du *Raj*. C'est précisément contre cette approche que Gandhi définit la non-violence comme instrument privilégié de son action politique, réutilisant dans un contexte nouveau les conceptions des bouddhistes qui avaient inspiré en son temps Ashoka, cet autre *Chakravartin* (« celui qui fait tourner la roue » en sanskrit, titre donné aux souverains indiens). Mais il ne cherche pas le pouvoir pour lui-même, se posant d'emblée comme un renonçant, et comme un « accoucheur d'esprits ». Sa maïeutique politique apparemment naïve est en réalité fondée sur une intuition stratégique réaliste : dans une Inde quadrillée par l'armée, face à un *Raj* tout-puissant, seule la non-violence de masse est efficace. Enfin, Gandhi a su jouer du prestige que lui donnait son discours moral auprès des héritiers de l'Angleterre puritaine, pour attirer à ses côtés des idéalistes européens (Madeleine Slade, le pasteur Andrews et l'avocat Polak), se faire reconnaître d'hommes aussi influents que Léon Tolstoï puis Romain Rolland, et finalement retourner contre la puissance coloniale l'argumentation morale victorienne en dénonçant la trahison par le *Raj* de ses principes éthiques.

Le mouvement de non-coopération et son reflux

On a vu précédemment comment les circonstances de la fin de la Première Guerre mondiale avaient rendu possible l'explosion du sentiment national indien, à l'issue du massacre d'Amritsar, en avril 1919. Cette agitation anti-impérialiste, parallèle à celle que connaît la Chine en mai 1919, se déclenche dans un contexte mondial dominé par l'émergence de la Russie bolchevique, mais contrairement à ce qu'imagine la presse conservatrice qui rapproche Gandhi de Lénine, il n'y a aucun lien organique entre les deux mouvements. Le Congrès ne s'ébranle que sous la pression des militants qui n'ont pas attendu ses mots d'ordre pour multiplier des actions de grève au début de 1920, à Bombay, Calcutta et Kanpur, et pour se mobiliser en milieu rural. Le démembrement de l'empire ottoman en mai 1920 est à l'origine d'une forte mobilisation chez les musulmans de l'Inde, et un mouvement pour la défense du califat appelle à la non-coopération et porte Gandhi à sa tête. L'activisme gandhien [5] donne à ces initiatives spontanées et dispersées une unité a posteriori : c'est plus d'un an après le massacre d'Amritsar, en septembre 1920, que le Congrès adopte le principe d'un mouvement de non-coopération lors d'une réunion où la moitié des délégués s'abstiennent. Les notables politiques sont peu enthousiastes, mais ils se rendent compte que la caution de Gandhi peut leur permettre de contrôler la vague d'agitation populaire qui s'est déjà gonflée, et d'en tirer des dividendes politiques. La campagne, qui reprend les méthodes déjà expérimentées au Bengale en 1905, permet d'élargir la base géographique du Congrès, qui acquiert une audience dans toute l'Inde, y compris dans les États princiers, et qui s'organise de façon plus systématique. Il patronne ainsi la création d'associations paysannes, les *kisan sabha*, ce qui donne un cadre à l'activisme des jeunes militants ruraux.

À la fin de 1921, le mouvement de non-coopération commence à échapper au contrôle du Congrès. L'aventurisme prend de l'ampleur. Les incidents violents se multiplient, souvent à l'initiative d'agents provocateurs, et la police du *Raj* arrête des dizaines de milliers de militants qu'elle a pu repérer à loisir. Un incident particulièrement spectaculaire, le massacre de Chauri-Chaura, en février 1922, à l'occasion duquel des policiers sont brûlés dans un commissariat, décide Gandhi, suivi par le Congrès, à mettre fin officiellement au mouvement. Gandhi, qui reconnaît son échec, est arrêté six mois plus tard. Vite libéré en raison de son état de santé, il se retire dans son ashram de Sabarmati, près d'Ahmedabad, où il déclare se consacrer au travail social et ne plus s'occuper de politique. La retombée du mouvement est aussi l'effet d'une désaffection croissante des minorités vis-à-vis des actions du Congrès. La mobilisation des musulmans en faveur du califat n'a plus de raison d'être, l'institution ayant été abolie à la suite de la révolution d'Atatürk. Beaucoup de musulmans s'écartent du Congrès, où leur pourcentage passe de 11 à 4 %, suivant l'exemple d'Ali Jinnah, qui était en désaccord profond avec les méthodes de Gandhi et qui ranime l'activité de la Ligue musulmane. Des partis régionalistes se développent, à la faveur du système de dyarchie mis en place par les Anglais, qui donne des pouvoirs accrus aux assemblées locales. Chez les activistes hindous, déçus par l'échec de Gandhi, une organisation distincte du Congrès, la *Hindu Mahâsabha* (le Grand Conseil hindou), commence à attirer des militants sous la houlette de

Savarkar. Puis, en 1925, Hedgewar fonde sur le modèle des faisceaux mussoliniens une Association des serviteurs de la patrie (Râshtriya Swayamsevak Sangh, RSS) qui se propose d'organiser et d'entraîner moralement et physiquement la jeunesse hindoue pour faire face au *Raj*, mais aussi aux musulmans, accusés d'avoir détruit l'unité de la nation indienne. La débandade politique se poursuit avec la prise de distance des modérés vis-à-vis du Congrès : un parti du Swaraj est créé, qui choisit de jouer le jeu des institutions octroyées par les Britanniques. Quelques années plus tard, en 1928, les marxistes indiens, qui jusque-là étaient restés proches du Congrès, fondent un parti communiste qui va d'emblée condamner les méthodes de Gandhi en le traitant de collaborateur de classe. À la veille de la Grande Dépression, le recul du mouvement national est tel que l'on s'accorde à proclamer l'échec des méthodes gandhiennes.

La décennie décisive (1930-40)

En même temps que les mouvements d'agitation retombent, des transformations profondes se sont amorcées. La reprise du mouvement de décolonisation dans les années 1930, ce que l'historienne Judith Brown a appelé la « décennie décisive », ne tient pas qu'à des données conjoncturelles. L'essor de l'enseignement et de la presse, l'accélération et l'intensification des communications, de la circulation des personnes et des idées contribuent à une politisation de masse qui commence aussi à se manifester dans les autres pays colonisés. L'amélioration de la situation sanitaire du pays produit des effets démographiques spectaculaires : la population de l'ensemble de l'Inde passe entre 1921 et 1941 de 251 à 318 millions d'habitants. Cette croissance démographique soudaine n'aurait pas été possible sans une amélioration des circuits de distribution des produits alimentaires, même si la masse de la production vivrière n'a pas augmenté aussi vite que celle de la population. Mais l'essor de la commercialisation comporte un risque : celui d'exposer davantage l'ensemble d'une économie désormais mieux intégrée aux effets des fluctuations économiques. Aux crises de subsistance vont se substituer des crises conjoncturelles : la Dépression des années 1930 affecte sévèrement l'agriculture commerciale indienne, entraînant une chute du prix des terres qui conduit les investisseurs à se tourner enfin vers l'industrie.

La cause immédiate de la reprise du mouvement national est la visite en Inde d'une commission d'enquête britannique chargée d'évaluer le fonctionnement du système de représentation mis en place dix ans auparavant. Cette commission est boycottée par une bonne partie de la classe politique indienne, qui lui reproche de ne pas avoir été associée à son fonctionnement. Ses travaux suscitent la rédaction d'un contre-rapport par Motilal Nehru, le père de Jawaharlal, ce qui remobilise le Congrès et les libéraux sur un projet politique précis : il s'agit de réclamer la mise en place d'une Fédération indienne ayant le statut de dominion, avec un pouvoir central fort et l'abandon des collèges électoraux séparés. Le nouveau vice-roi, Irwin, est ouvert aux réformes, et le gouvernement Macdonald, où les travaillistes sont fortement représentés, pousse au dialogue. Le gouvernement du *Raj* engage des négociations avec les différentes forces politiques indiennes, à l'occasion de conférences dites de « la Table ronde », tenues en 1930. Mais il ne parvient pas à désamorcer l'opposition des Congressistes, qui s'appuie sur une nouvelle vague de mécontentement populaire. Cette contestation se manifeste d'abord par l'action spectaculaire et fortement médiatisée de Gandhi et de ses disciples, qui en mars-avril 1930, au terme d'une longue marche de 350 kilomètres qui les mène au bord

de la mer, bravent symboliquement le monopole gouverne-
mental en ramassant du sel de mer à Dandi. La gabelle ne
représente que 4 % des ressources de l'État colonial, mais elle
est aussi impopulaire en Inde qu'elle l'était dans la France de
l'Ancien Régime : l'action de Gandhi, relayée par la presse
indienne et internationale, relance l'agitation.

Les mots d'ordre du Congrès sont suivis comme s'ils éma-
naient d'un gouvernement bis : dorénavant, l'enjeu de la
lutte contre le *Raj* est le rassemblement unitaire de la nation.
Les manifestations impliquent des secteurs de plus en plus
larges de la société indienne : des paysans affectés par la chute
des prix résultant de la dépression, des citadins hindous dans
toutes les régions de l'Inde, beaucoup de femmes, ce qui est
tout à fait nouveau en Inde. Les grands hommes d'affaires
marwari (originaires du Rajasthan), qui se tournent vers l'industrie, appuient l'action de Gandhi, en dépit de son hostilité à la modernité : son langage religieux et son opposition à
la lutte des classes les séduisent. Dans la province du nord-
ouest, un chef pathan, Abdul Ghaffar Khan, fait du *satyagraha* le véhicule inattendu de l'agitation chronique des
tribus de la frontière. Mais à cette exception près, les musulmans s'abstiennent de manifester, et beaucoup s'inquiètent
des projets du Congrès visant à l'abandon des collèges séparés. Au cours de l'année 1931, fort de cet appui populaire,
Gandhi, au nom du Congrès, cherche à s'imposer comme le
seul porte-parole des intérêts de la nation indienne, tandis
que les Britanniques sont soucieux de ménager les intérêts
particularistes. Ils encouragent les musulmans, les sikhs, mais
aussi les intouchables, les régionalistes et les princes, à affirmer séparément leurs revendications. La conférence de Londres de décembre 1931 à laquelle participe Gandhi n'aboutit
à rien. Dès 1932, le dialogue est rompu, la plupart des diri-

geants congressistes emprisonnés et le mouvement populaire brisé en apparence.

C'est le moment choisi par le Parlement britannique pour relancer le processus constitutionnel, encouragé par la réussite apparente du système de représentation octroyé en 1931 à Ceylan, qui sert en quelque sorte de vitrine du parlementarisme aux portes de l'Inde. Après de longues discussions où s'exprime l'hostilité des conservateurs à toute atteinte à l'édifice impérial, une nouvelle loi constitutionnelle pour l'Inde (*Government of India Act*) est adoptée en 1935. Il est vrai qu'elle conserve un système électoral censitaire (13 % de la population adulte), le vote par collèges séparés, et qu'elle n'accorde pas à l'Inde un statut de dominion indépendant, ce qui la fait qualifier par le Congrès de charte de l'esclavage. Mais elle pose les jalons d'une évolution possible vers un système démocratique, qu'il suffira au Congrès de mener à son terme : ce texte est la matrice de la constitution de l'Union indienne, qui sera élaborée entre 1947 et 1950. C'est bien la prise de conscience de ce potentiel qui conduit le Congrès, après beaucoup d'hésitations, à parier sur la participation, et à gagner haut la main les élections organisées en 1937.

L'Inde comprend alors onze provinces britanniques, dominées directement par la Couronne, qui regroupent un peu plus de 250 millions d'habitants, et 662 États princiers, les uns minuscules, d'autres très vastes, qui regroupent environ 80 millions d'habitants ; sans compter les zones frontalières ou insulaires qui sont généralement sous administration militaire. La loi de 1935 ne concerne immédiatement que les provinces, qui sont dotées d'un exécutif responsable devant des assemblées dotées de pouvoirs législatifs. À Delhi, le vice-roi reste responsable devant le cabinet britannique et non pas devant une assemblée indienne, mais un parlement bicaméral représentant l'ensemble de l'Inde doit être formé ultérieurement, quand les princes choisiront d'y participer. Parallèlement se produit une évolution profonde des pratiques du *Raj* : les Indiens représentent une proportion croissante de l'appareil dirigeant (environ 40 % des membres de l'*Indian Civil Service*, et une majorité des juges) ; les grades les plus élevés de l'armée sont enfin ouverts à des officiers indiens. Dans le domaine économique, la prédominance du capital britannique se réduit, et dans les secteurs où s'opposaient les intérêts britanniques et les intérêts indiens, la concurrence vient désormais du Japon. La création d'une Banque de réserve indienne vient concrétiser ce nouveau cours. Globalement, l'Inde a cessé d'être rentable pour le *Raj*.

De son côté, le Congrès est devenu un véritable parti, nombreux (il affiche quatre millions de membres mais ce chiffre est contesté), organisé, capable de continuité dans l'action. À côté de la machine congressiste, les autres partis politiques comme l'Hindu Mahâsabha ou la Ligue musulmane ne font pas le poids. Forts de cette organisation, les militants du Congrès font pression pour que leur parti se présente aux élections. Le résultat est à la mesure de leurs espérances : le Congrès l'emporte dans toutes les provinces sauf au Panjab, au Bengale et au Sind, où il est distancé par des partis régionalistes, et non par la Ligue, qui subit une cuisante défaite dans le collège électoral musulman. Il forme des gouvernements régionaux, mais gère sa victoire en négligeant de nouer des alliances avec les forces politiques minoritaires : beaucoup de musulmans se tournent vers la Ligue que Jinnah cherche à reconstituer après sa défaite, et les princes refusent d'adhérer à un système dominé par le Congrès. Le parti se divise sur la ligne politique à adopter dans le contexte de la tension internationale croissante : au courant majoritaire incarné par Jawaharlal

Nehru, qui penche du côté des démocraties européennes, Grande-Bretagne comprise, s'oppose un courant mené par Subhas Chandra Bose, qui prône une stratégie de rupture.

L'impact de la Seconde Guerre mondiale

La Seconde Guerre mondiale représente un événement crucial pour l'histoire de l'Asie en général, et de l'Inde en particulier. L'impérialisme japonais met en position défensive, pour la première fois, les impérialismes européens ; en dépit de son échec final, il précipite les décolonisations de l'Inde, de l'Indonésie, de l'Indochine, et l'arrivée au pouvoir du régime communiste en Chine. Le territoire indien n'a pas été un théâtre d'opérations, mais la Birmanie toute proche l'a été, et l'Inde a joué un rôle essentiel de base arrière des Britanniques, leur fournissant des combattants, des matières premières et des armes. D'autre part, les alignements idéologiques qu'appelle la polarisation politique des belligérants suscitent des contradictions à l'intérieur du mouvement national indien. Le vice-roi proclame en 1939 l'entrée en guerre de l'Inde aux côtés de la Grande-Bretagne, sans consultation préalable des assemblées provinciales élues en 1937. Cette décision place en porte-à-faux les dirigeants les plus démocrates du Congrès, qui, comme Nehru, soutiennent en leur for intérieur la lutte du Royaume-Uni contre les puissances totalitaires. Elle donne aux plus radicaux l'occasion de dénoncer la duplicité anglaise, et dès les premiers succès du Japon à la fin de l'année 1941, elle les conduit à envisager une collaboration pour obtenir en cas de succès militaire l'indépendance immédiate. C'est la position de Subhas Chandra Bose, qui se rend en Allemagne, puis au Japon, et enfin à Singapour, tombée aux mains de l'armée japonaise en février 1942 : cette chute est perçue comme un désastre pour l'armée des Indes qui en assu-

271

rait la défense, d'autant qu'elle est suivie d'une avance rapide des Japonais en Birmanie. Une Armée nationale indienne est formée par les Japonais à l'aide de prisonniers de guerre indiens, que Bose va réorganiser. Beaucoup sont persuadés en Inde que les jours de l'empire britannique sont comptés et l'on s'attend à une attaque contre le Bengale. Pour reprendre l'initiative politique, le Parlement britannique envoie en mission en mars 1942 le leader travailliste des Communes, Stafford Cripps, avec la promesse d'un statut de dominion, mais sans accorder au Congrès dans l'immédiat la perspective de constituer un gouvernement central, et en laissant planer l'éventualité d'un droit des provinces à faire sécession : ces propositions se heurtent au scepticisme de l'ensemble des politiciens indiens.

Les équilibres politiques, très favorables au Congrès jusqu'en 1939, se modifient : les gouvernements provinciaux congressistes ont démissionné pour ne pas cautionner une entrée en guerre qui leur a été imposée. Jinnah a saisi l'occasion pour proclamer à Lahore, en mars 1940, l'ambition de la Ligue musulmane à représenter seule les intérêts des musulmans de l'Inde, et à obtenir pour eux, dans la perspective du retrait britannique, des foyers nationaux séparés, au nom d'une conception qui considère que la communauté musulmane constitue une nation distincte. Cette conception a été développée une décennie plus tôt par le poète Mohammed Iqbal, mais le mot Pakistan n'est cependant pas prononcé (le terme avait été forgé en 1935 par un étudiant panjabi à Cambridge, Rahmat Ali, qui imaginait un partage territorial accompagné de transferts de population, idée jugée chimérique à l'époque). Le but de Jinnah est d'apparaître comme le seul porte-parole des musulmans, comme l'interlocuteur privilégié des Britanniques, et il est prêt à des concessions, mais de leur côté la plupart des dirigeants du

Congrès sont résolus à ne laisser aucune place à ses calculs. C'est dans ce contexte que le Congrès décide de durcir le mouvement, à l'initiative de Gandhi. En août 1942 est adoptée une résolution qui débute par ces mots adressés aux Britanniques : « *Quit India as masters* » : la vague d'agitation révolutionnaire qui s'ensuit échappe au contrôle du Congrès et va être impitoyablement réprimée par le pouvoir colonial, qui, selon un scénario bien rodé, arrête tous les dirigeants du Congrès, établit la loi martiale et réquisitionne tous les services essentiels. Les autres mouvements politiques vont en profiter pour accroître leur audience auprès du pouvoir en dénonçant l'aventurisme de Gandhi, qu'il s'agisse de la Ligue musulmane, du parti communiste (avec l'entrée en guerre de l'URSS aux côtés des Alliés), des régionalistes du Panjab et du Bengale, et des modérés. Par ailleurs, les autorités, pour paralyser une éventuelle avance japonaise vers le Bengale et couper court à une jonction avec les éléments révolutionnaires de l'Inde orientale, y bloquent les moyens de communication, ce qui occasionne, en dépit de récoltes suffisantes, la famine la plus dramatique depuis le début du siècle.

La fin de l'année 1943 est marquée par un redressement stratégique des Alliés qui laisse présager à terme une défaite du Japon ; les partisans d'une restauration de l'empire britannique après la guerre, tel Churchill, reprennent espoir. Le Congrès semble à première vue perdant : mais c'est compter sans le capital de confiance dont il dispose toujours auprès des masses hindoues, chez les notables ruraux et dans la petite bourgeoisie urbaine de haute caste. Il va s'écouler exactement deux ans entre la capitulation japonaise (14 août 1945) et la double indépendance de l'Inde et du Pakistan (14-15 août 1947), durant lesquels le cours de l'histoire s'accélère, avec le redressement de la position du Congrès et l'affirmation irrésistible de la revendication pour la création d'un Pakistan indépendant.

Le bilan du conflit contribue à éclairer les conditions de cette évolution accélérée. Le coût de la guerre a été considérable : l'Inde a dû payer la moitié de l'entretien d'une armée dont elle a fourni l'essentiel des effectifs. L'armée des Indes est passée de 200 000 à 850 000 hommes en 1942, dont 60 000 ont été faits prisonniers et 20 000 ont rejoint l'armée dirigée par Bose. À la fin du conflit, les effectifs dépassaient 2 millions et demi de volontaires. Certes, le développement d'une économie de guerre a largement profité à certains secteurs de l'industrie indienne et à toutes sortes de fournisseurs. Mais il a entraîné une inflation de grande ampleur que le gouvernement colonial n'a pu maîtriser, et qui a créé un grave mécontentement populaire, comme à l'issue de la Première Guerre. Ces bouleversements économiques et sociaux ne suffisent cependant pas à expliquer la marche vers l'indépendance, dont il faut aussi chercher les facteurs en Grande-Bretagne. L'originalité de l'expérience historique indienne à ce stade de son évolution tient à la rencontre d'un mouvement national ayant atteint sa maturité et d'un désenchantement en métropole à l'égard de l'idéologie impériale. L'entreprise britannique en Inde a cessé globalement d'être une affaire rentable, en termes commerciaux et eu égard au coût du maintien de l'ordre (même si les profits financiers ne sont pas négligeables). Elle est désormais perçue comme une charge insupportable par une classe politique nouvelle, désireuse de construire en métropole un État-providence. Le *Raj* perd ses justifications économiques et idéologiques. La victoire travailliste aux élections de 1945 reflète ce changement des idées et permet de l'inscrire dans les faits. On a par la suite fait de nécessité vertu, et habillé l'opération de désengagement de l'Inde sous les couleurs d'une réussite du réalisme politique, qu'on oppose volontiers à l'enfantement douloureux des indépendances indonésienne, vietnamienne et nord-africaines. L'accès aux sources et le recul du temps conduisent aujourd'hui à une vision plus sobre du cours des choses. Les acteurs, Nehru, Jinnah, Mountbatten, ont été dépassés par les événements, voire pris à leur propre jeu par l'accélération de l'histoire. Les violences extrêmes qui ont endeuillé le partage, l'exode brutal de plus de dix millions de personnes au Panjab et au Bengale sont le signe non d'un plan réfléchi et méthodiquement exécuté, mais d'actions improvisées dans l'urgence [6].

« Divide and Quit » [7]

Avant la capitulation du Japon, le vice-roi, Wavell, réunit les représentants des différentes forces politiques, dans l'espoir assez chimérique d'une solution de consensus (conférence de Simla, juin 1945). Puis il se résout à organiser des élections à l'Assemblée centrale prévue par la constitution de 1935 (fin 1945-début 1946), qui donnent à la Ligue une victoire sans précédent : elle obtient la totalité des sièges du collège musulman. Cette montée en puissance contraste avec l'échec des élections provinciales de 1937, et marque le déclin des partis régionalistes du Panjab et du Bengale, dont la force empêchait jusqu'alors la Ligue de prétendre représenter les intérêts musulmans et de promouvoir de façon convaincante le projet de Pakistan. C'est ce fait essentiel qui pousse Jinnah à des revendications maximalistes. Dans le même temps, le malaise grandit au sein de la marine, qui se mutine à Bombay et à Karachi en février 1946, et de l'armée qui prend fait et cause pour les officiers qui s'étaient engagés sous les ordres de Subhas Chandra Bose et que les Britanniques veulent faire condamner pour l'exemple. En mars 1946, le Parlement britannique renvoie en Inde Stafford Cripps, tandis que le nouveau premier ministre travailliste Clement Attlee annonce l'indépendance à bref délai, assortie d'un système préservant un minimum d'unité.

On envisage alors une structure de type confédéral sauvegardant le pouvoir des princes, comme dans la Constitution de 1935, mais rendant possible la création d'un Pakistan autonome. Le pouvoir central, émanant d'une assemblée représentant les provinces et les principautés, garderait le contrôle des affaires étrangères, de la défense et des communications ; les pouvoirs régionaux, démocratiques ou monarchiques selon les cas, exerceraient toutes les autres prérogatives ; mais ces unités régionales seraient libres de se regrouper par affinités de façon à former des ensembles plus vastes, ce qui permettrait l'existence d'un État musulman au sein de l'Union indienne. Ce projet, appelé plan A, dessinait l'image d'une Inde souple et multiple, conforme à un modèle traditionnel, où l'intervention de l'État serait réduite au minimum : elle pouvait convenir aux princes, à Gandhi peut-être, mais certainement pas aux leaders nationalistes, Nehru, Patel, Jinnah, qui croyaient aux vertus de l'État moderne, comme la plupart de leurs contemporains. Les initiateurs du projet sont assez conscients de ses chances limitées et proposent donc, en cas d'échec, un plan B, qui prévoit le partage du pays en une Inde et un Pakistan, entre lesquels les princes doivent choisir d'adhérer. Sous la pression britannique, les leaders de la Ligue et du Congrès font mine d'accepter le plan A, qui leur avait été présenté de façon ambiguë, avec l'intention d'en tirer parti chacun à leur manière ; les difficultés commencent dès qu'il s'agit de former un gouvernement provisoire (la Ligue voulait un nombre de ministres égal à celui du Congrès), et s'amplifient lorsque Nehru affirme en juillet 1946 que la future Constitution posera en principe la loi de la majorité. Elles prennent un tournant dramatique quand Jinnah, en août 1946, rompt toutes relations avec le Congrès en lançant une journée d'action directe – un type d'action dont il n'avait aucune expérience – qui aboutit à une tuerie monstrueuse à Calcutta et dans les environs, l'armée et la police régulière restant l'arme au pied, paralysées par les liens entre les chefs de gang et les politiciens locaux, et par l'indécision des autorités locales britanniques. Jinnah, qui n'avait pas prévu une telle issue, rejoint le gouvernement provisoire dirigé par Nehru, mais en paralyse le fonctionnement. Cette expérience convertit le Congrès et les Britanniques à la nécessité d'un partage, seul à même de maintenir l'autorité de l'État.

À partir d'octobre 1946, l'administration coloniale perd son autorité et les violences s'étendent au Bengale et au Panjab. Le gouvernement travailliste décide le retrait de la Grande-Bretagne avant juin 1948 et nomme pour l'exécuter un nouveau vice-roi, Louis Mountbatten, prestigieux chef de l'armée anglo-indienne dans la lutte antijaponaise et membre de la famille royale britannique, donc susceptible de se faire entendre des princes. Face à la rapide dégradation de la situation, il décide de brûler les étapes, la crainte d'un éclatement de l'armée jouant un rôle majeur dans sa décision. Mais les modalités pratiques, y compris territoriales, du partage ne sont pas véritablement anticipées. L'enjeu, tel que les protagonistes le perçoivent désormais, est simple. Soit le retour à l'« anarchie du XVIIIe siècle » avec la reconstitution de féodalités incontrôlables – le schéma du déclin de l'empire moghol était profondément inscrit dans l'imaginaire historique de l'époque, ainsi que la crainte du renouvellement de la révolte de 1857. Soit l'établissement de deux États « modernes » capables d'administrer la diversité géographique et sociale d'un quasi-continent et de préserver sous une forme nouvelle la *Pax britannica.* Dans une perspective historique de longue durée, on voit combien cet enjeu était vital dans le destin du monde indien : le seul point qui faisait la quasi-unanimité des Britanniques, du Congrès et de la Ligue était la croyance dans les vertus de l'État-nation. Dans le contexte mondial de l'immédiat après-guerre, le modèle universellement admis dans les pays en reconstruction était celui du centralisme démocratique, quelles que fussent les réalités et les pratiques qu'on pouvait cacher derrières ces étiquettes. En parlant le langage de la construction de l'État-nation, l'ensemble des acteurs du jeu politique (à l'exception de Gandhi taxé d'irréalisme et désormais sur la touche) ne faisait donc que se conformer au modèle dominant. Le paradoxe est que ce modèle allait donner naissance à un Pakistan ambigu, où le critère d'appartenance religieuse justifiait la création d'un nouvel État.

La fin de l'histoire est le sujet d'innombrables récits écrits sur le mode de l'épopée ou de la tragédie[8], qui mettent en scène Lord Mountbatten aux prises avec les princes réticents à céder leurs États : Jinnah défendant de façon inflexible son idée de Pakistan tout en refusant la perspective d'un territoire « mangé aux mites » ; Gandhi jeûnant pour calmer les violences opposant les hindous et les musulmans du Bengale, tandis que le Panjab est déchiré par les massacres entre sikhs et musulmans ; enfin Nehru se résignant à la Partition, et proclamant avec émotion et emphase la naissance de l'Inde libre aux douze coups de minuit, dans la nuit du 14 au 15 août 1947... Le moment est venu de ménager une pause pour écouter quelques voix dissonantes.

Fragments de récits dissidents

Sur un mode humoristique et provocant, Salman Rushdie fait entendre au monde une autre voix, dans *Les Enfants de minuit*, publié en anglais en 1981. Certes, dès les années 1950, des écrivains moins connus, comme Saadat Hasan Manto et Kushwant Singh, avaient déjà exprimé sous une forme littéraire le sentiment de l'absurde qui les saisissait au souvenir des événements de 1947[9]. Chez ces auteurs, et beaucoup de ceux qui leur ont succédé, la période de l'Indépendance et de la Partition est perçue comme un moment de perte de repères, d'inversion de valeurs : la nouvelle de Manto intitulée *Toba Tek Singh* fait de l'échange des aliénés entre l'Inde et le Pakistan l'allégorie de la Partition. Rushdie va plus loin : avec une verve irrépressible, il dynamite et réduit en miettes l'histoire de la naissance de l'Inde et du Pakistan, qu'il fait coïncider avec sa propre naissance. L'on sait à quel point sa plume iconoclaste, à l'occasion de la parution des *Versets sataniques*, a suscité de haines à son encontre, mais il faut admettre que cette affaire a davantage mobilisé les Indiens et les Pakistanais que la publication des *Enfants de minuit*, qui pourtant les concernait bien davantage, et qui reste de loin sa meilleure œuvre.

En effet, dans les années 1980-90, le combat politique qui met aux prises en Inde un parti du Congrès désorienté et une droite hindoue (le BJP et ses alliés) inspirée des idées de Savarkar se traduit par les débats qu'on a déjà évoqués concernant la place de l'islam dans l'histoire de l'Inde. Une fois au gouvernement en 1998, le BJP met en œuvre son projet de réécrire l'histoire de l'Inde, qu'il présente comme une opération salutaire de levée des tabous, visant ce qu'il décrit comme une histoire officielle écrite par les Congressistes et

279

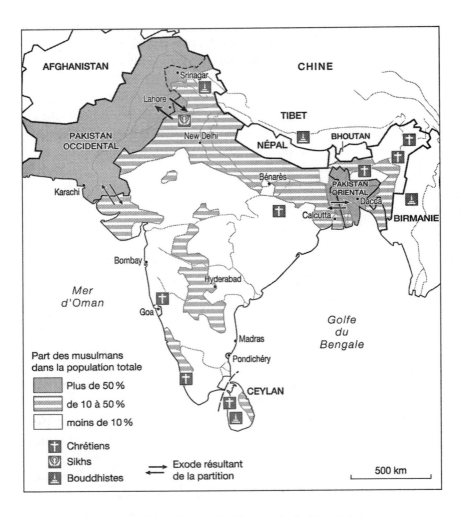

12. L'Asie du Sud à l'issue de la Partition

les marxistes. Pour ce qui concerne la période contemporaine, le résultat de cette épuration se lit dans les nouveaux manuels d'histoire à l'usage des élèves des grandes classes du secondaire, où le personnage de Nehru passe au second plan (au point que son portrait disparaît). Il est éclipsé par des partisans de l'*hindutva* comme Savarkar et Lajpat Rai, victime des violences de la police du *Raj*, par Bhagat Singh et d'autres auteurs d'attentats contre les Britanniques, et par Subhas Chandra Bose. Bien plus, dans une première édition, l'assassinat de Gandhi est passé sous silence, et la mention qui en est faite dans une édition ultérieure ne précise pas qu'il a été perpétré par un membre du RSS [10].

Autrement plus féconde est l'approche qui met en évidence les faiblesses et les contradictions des principaux acteurs du mouvement national. Contrairement à Nehru dont la carrière politique se situe pour l'essentiel après l'indépendance, Gandhi et Jinnah sont morts tous deux en 1948. Leur action est donc exclusivement liée à l'histoire de la lutte nationale, et la Partition peut être interprétée, au moins superficiellement, comme l'échec de l'utopie du premier et la concrétisation imparfaite de l'utopie du second. Mais leurs images idéalisées ont été façonnées par leurs successeurs dans le contexte de l'affirmation des deux États nés du partage. Celle du Mahâtma Gandhi, présenté comme le père de la nation, le héros de l'harmonie interreligieuse et la victime de l'extrémisme hindou, a servi à Nehru pour se poser comme son héritier, notamment face à l'aile droite du Congrès. Celle du Qaïd-i Azam (« le grand leader », c'est-à-dire Jinnah) a été élaborée par les dirigeants de la Ligue pour donner au Pakistan une référence qui ne soit pas explicitement religieuse.

La Partition et les violences qui l'ont accompagnée ont pu être analysées comme un échec personnel de Gandhi. Il déclarait lui-même, lors de sa réunion de prière du 1er avril

281

1947 : « Plus personne ne m'écoute. Je crie dans le désert », faisant explicitement référence à l'incompréhension qu'il rencontrait chez un nombre croissant de membres du Congrès. Remontant plus haut dans le temps, on a pu dénoncer sa méthode intuitive, qui l'avait conduit à lancer le mouvement *Quit India* dans un contexte où il avait toute chance d'échouer, et le pari intenable qu'il faisait en écrivant en mai 1942 : « Nous devons prendre le risque de la violence pour secouer le joug de l'esclavage. Mais recourir à la violence requiert la foi inébranlable d'un homme non violent. » Une autre ambiguïté maintes fois soulignée, notamment par les militants *dalit* qui qualifient sa position de paternaliste, réside dans les idées de Gandhi concernant la lutte contre l'intouchabilité, dont il avait fait l'une de ses priorités. Comme chez beaucoup de réformistes de son époque, l'intouchabilité était à ses yeux une perversion de l'hindouisme, qu'il croyait pouvoir faire disparaître par la seule bonne volonté des hautes castes. Ce qui lui valut d'affronter Ambedkar, qui faisait une analyse diamétralement opposée, considérant l'intouchabilité comme consubstantielle à la civilisation hindoue. Invité par les Britanniques à représenter les intérêts des intouchables, Ambedkar avait obtenu la promesse d'électorats séparés : en 1932, Gandhi, alors emprisonné, employa l'arme suprême du jeûne pour l'y faire renoncer [11]. De même, les marxistes ont toujours dénoncé son idéologie de collaboration de classes, mise en œuvre lors des grèves d'Ahmedabad de 1918, et une stratégie qui consistait à déclencher des mouvements de masse contre le *Raj*, pour les arrêter dès qu'ils remettaient en cause l'ordre social. Plus subtilement, les historiens appartenant au groupe « subalterniste » ont analysé les facteurs d'essence religieuse de la mobilisation paysanne autour de la personne du Mahâtma, la façon dont Gandhi a su utiliser cette aura, et les malentendus qui en ont résulté, notamment dans ses rapports avec les musulmans modernistes. Infléchissant ce type d'analyse dans un sens non plus critique mais positif, des intellectuels indiens se réclamant d'une approche à la fois indigéniste et postmoderne, tel Ashis Nandy, font de Gandhi l'incarnation de l'authenticité culturelle face à l'aliénation des milieux modernistes anglicisés (représentés par Nehru), et le précurseur de l'écologie, de l'altermondialisme et de la défense des valeurs indigènes [12].

La personnalité de Jinnah a été l'objet de jugements contradictoires, adulée comme celle d'un défenseur inflexible des musulmans, ou vilipendée comme celle du responsable de tous les malheurs de la Partition. Il a fallu attendre la publication, en 1985, du livre controversé d'Ayesha Jalal, pour entendre une voix dissonante : elle fait de Jinnah un Machiavel pris à son propre piège, incapable de se faire reconnaître comme le seul porte-parole des musulmans au sein d'une confédération indienne bicéphale, et souligne que tout l'effort de Jinnah a consisté à s'imposer comme leader légitime dans des régions où il n'avait aucune base de popularité, celles qui allaient former le territoire du Pakistan. Plus généralement, il apparaît aujourd'hui que l'utopie (au sens premier du terme : lieu idéal et non spécifié) du Pakistan s'est concrétisée territorialement d'une manière particulièrement paradoxale, puisque ses plus ardents défenseurs, l'intelligentsia musulmane moderniste de Delhi, de Lucknow et de Bombay, formée à l'université d'Aligarh et en Grande-Bretagne, allait devoir quitter le pays de ses origines pour une terre promise incertaine. L'un des meilleurs spécialistes de la Partition, Mushirul Hasan, estime que les contradictions de la stratégie de Jinnah reflètent le désarroi des élites musulmanes qui ont pris conscience que dans une Inde unie et démocratique ils perdraient leur position sociale et économique, que les Britanniques leur garantissaient dans le cadre des systèmes d'électorats séparés, pour être réduites au statut de minorités. Ces élites n'ont fait preuve d'aucune solidarité confessionnelle à l'égard des musulmans pauvres qu'ils laissaient derrière eux en Inde, et qui ont été les principales victimes (et parfois les acteurs) des violences de 1947-48 et de celles qui les ont suivies à la fin du XXe siècle [13].

Relectures de la Partition [14]

La Partition est un événement qui a laissé des traces indélébiles dans la mémoire collective, au moins au Panjab et au Bengale, les régions victimes de cette « vivisection », pour reprendre l'expression de Gandhi. Selon des estimations imprécises, au moins 500 000 personnes seraient mortes, victimes de massacres ou de tortures, près de 15 millions de personnes auraient été déplacées à terme (9 millions d'hindous et de sikhs réfugiés en Inde, dont 5 depuis le Pakistan occidental et 4 depuis le Pakistan oriental, aujourd'hui Bangladesh, 6 millions de musulmans réfugiés au Pakistan) dont environ 10 millions durant l'été 1947 : il s'agit du plus grand exode de l'histoire du XXe siècle. Mais la souffrance née des violences est longtemps restée inexprimée. À l'époque de la construction nehruvienne de l'État-nation, le rappel des douleurs de cet enfantement était mal venu. L'assassinat de Gandhi en janvier 1948 n'était pas perçu comme le dernier meurtre d'une longue série amorcée en 1946, mais comme le geste d'un déséquilibré et comme le sacrifice suprême du Père de la nation. On ne faisait pas mémoire de la Partition (sauf en privé dans certains familles sikhs réfugiées en Inde). C'est seulement depuis la fin du siècle que les Indiens ont commencé d'affirmer publiquement, selon les termes de

Sunil Khilnani, que « la Partition incarne l'indicible tristesse qui réside au cœur de l'idée de l'Inde : un *memento mori*, reconnaissant que ce qui a rendu l'Inde possible a dans le même temps profondément déprécié son idée[15] ». La remontée à la surface de ces souvenirs enfouis s'est faite en particulier à l'issue de l'année 1984, marquée par des violences dirigées contre les sikhs de Delhi après l'assassinat d'Indira Gandhi. Elle a pris une grande ampleur à partir des années 1990, dans le contexte de la crise d'Ayodhya, puis des massacres visant les musulmans du Gujarat. Comme le souligne une historienne militante qui s'est consacrée à ce travail de mémoire, Urvashi Butalia, « c'est notre implication dans le présent qui nous invite à revisiter le passé » : chaque émeute réactive le souvenir de la Partition et ses acteurs reproduisent les comportements d'un passé qu'on avait cru disparu, mais qui n'avait jamais été exorcisé. Les Indiens n'ont pas manqué d'établir des rapprochements avec le drame du démembrement de la Yougoslavie de Tito, pays dont l'Inde de Nehru avait été très proche : la théorie, la pratique, le terme même de « nettoyage » (*safa'i*) sont déjà présents dans l'Inde de 1947[16]. Les intellectuels indiens (et à un moindre degré pakistanais) sont partie prenante des débats engagés dans l'ensemble du monde au sujet du « devoir de mémoire », et soulignent que l'expression de la souffrance cachée peut jouer un rôle cathartique et rendre possible la reprise du dialogue entre les frères ennemis. Des militantes féministes ont montré à quel point les femmes, soumises dans le nord du sous-continent à une oppression ordinaire, qui se traduit par une disproportion numérique croissante entre les sexes, avaient été les victimes désignées de cette violence extraordinaire, dans une société où le prestige d'un groupe passe par la défense de l'honneur de ses femmes, et où l'humiliation des femmes de ses adversaires est considérée comme un comportement normal. Elles affirment que leur combat d'aujourd'hui pour la dignité et l'égalité passe par une exigence de vérité sur ces événements dramatiques [17].

Les violences qui accompagnent la naissance des deux nouveaux États ne sont pas inédites ; c'est leur ampleur, leur généralisation, le sentiment des contemporains d'être dépassés par les événements qui sont nouveaux. Les tensions opposant musulmans, sikhs et hindous en Inde du nord sont antérieures à l'établissement du *Raj*, et se perpétuent durant la période coloniale. Elles prennent une certaine gravité à partir des années 1880 dans les régions de la vallée du Gange, où la défense de la vache, qui rapproche brahmanes et Ahir (bouviers), devient un signe de ralliement antimusulman, repris plus tard par des militants politiques comme Tilak. Les campagnes du Bengale sont le théâtre d'incidents graves entre 1907 et 1930. Plus tard, en 1931, c'est la ville de Kanpur, métropole de l'industrie du cuir, qui est affectée par des violences entre communautés. Le sud lui-même est touché : au cours des années 1920, de très graves émeutes éclatent au Malabar (nord de l'actuel Kerala), où la population musulmane (les Moplah) lutte contre la domination économique des brahmanes. Au cours des années 1940, ces manifestations changent de caractère, elles apparaissent organisées, moins marquées par une dimension sociale de lutte contre les riches, et sont plus souvent tolérées par la police. Mais l'événement décisif est constitué par le retour au Panjab en 1945, à l'issue de la guerre, de centaines de milliers de soldats sikhs et musulmans démobilisés, qui ont souvent gardé leurs armes. Bien avant l'été 1947, les violences prennent en Inde du nord une extension incontrôlée : ainsi, en novembre 1946, des pèlerins hindous massacrent des marchands musulmans lors d'une fête locale, à Garmukhteshwar. En avril 1947, des sikhs de l'ouest du Panjab (à

Thoa Khalsa), se sentant menacés par les musulmans majoritaires dans la région, entraînent leurs femmes et leurs enfants dans des suicides collectifs.

Les témoignages d'observateurs et d'acteurs de l'époque, comme les études historiques récentes, suggèrent cependant que l'enchaînement des faits, en apparence inéluctable, résulte d'une accumulation de comportements irresponsables. Dès le mois d'avril 1947, les chefs de l'administration et des forces armées du Panjab britannique et les autorités des États princiers des environs connaissent parfaitement le potentiel explosif d'une opération de partage de la région, mais la force d'interposition mise en place pour y parer se révèle vite inefficace. L'incapacité du gouvernement à annoncer avant la proclamation de l'indépendance quel sera le tracé exact de la frontière, le commissaire chargé de l'opération n'ayant pas terminé ses travaux, crée une confusion et une angoisse meurtrières. L'annonce de la Partition représente un soulagement pour les principaux acteurs politiques qui n'ont pas anticipé l'exode qui va suivre : revenant en 1960 sur les événements de l'année 1947, Nehru le reconnaît : « Nous étions épuisés. Il fallait qu'on en finisse. Nous pensions que la Partition serait temporaire. » Mais sur le terrain, l'inverse se produit : cette annonce soudaine fait souffler un vent de panique, après un moment d'incrédulité et d'incompréhension. Nul ne sait où va passer la frontière, où est ce Pakistan d'utopie, ce pays de nulle part. Selon le témoignage d'un contemporain, originaire d'un village du Panjab, Dinanagar, « les gens sont devenus fous... en l'espace de deux jours cette vague sauvage nous a submergés, nous ne savions tout simplement pas ce que nous faisions... on nous a dit d'abord que Dinanagar allait revenir au Pakistan, les musulmans se sont mis à tuer les hindous, et puis deux heures et demie plus tard il y a eu un coup de téléphone disant que non, Dinanagar n'irait pas au Pakistan. À ce moment, la marée s'est inversée et les hindous se sont mis à tuer les musulmans. » Cette confusion se poursuit bien après le 15 août 1947, et accélère l'exode de millions de personnes. Le principe même d'une frontière définitive est à l'époque totalement étranger à la mentalité indienne. La violence est d'autant plus extrême que ces paysans déracinés, proches les uns des autres sociologiquement, sont dépassés par une logique absurde à leurs yeux : leur haine réciproque est à la mesure de l'éclatement incompréhensible des liens de voisinage qui les unissaient. Parfois d'ailleurs, c'est le sentiment de solidarité qui l'emporte, de manière tout aussi imprévisible. À Delhi, dont un tiers de la population était musulmane, et qui se gonfle à l'époque d'un demi-million de réfugiés sikhs et hindous venus du Pakistan, les violences continuent jusqu'à l'arrivée de Gandhi en septembre, et même jusqu'à son assassinat en janvier 1948. L'on voit à l'époque Nehru, chef du gouvernement provisoire, armé d'un bâton, tenter de stimuler une police qui refuse de protéger des musulmans.

L'assassinat de Gandhi, le 30 janvier 1948, par un extrémiste hindou issu du *Rashtriya Svayamsevak Sangh* (RSS), qui a pu opérer sans difficulté, est la violence ultime, après laquelle la tension retombe. C'est aussi un événement qui symbolise l'échec de l'espérance d'une Inde unie et pacifique, et qui, vu avec le recul du temps, pose les premiers jalons de l'affirmation de l'hindouisme militant sur la scène politique ; mais dans l'immédiat, il n'a aucune influence négative sur la construction de l'Inde nouvelle, qui s'édifie sur des bases très différentes de celles dont rêvait Gandhi. La disparition de Jinnah, mort de tuberculose moins de huit mois plus tard, laisse désemparé un entourage politique inconsistant et contribue largement à l'instabilité politique du Pakistan. Elle signe également l'échec d'un projet impossible, celui de protéger les musulmans d'Asie du sud en les rassemblant en un seul État : à l'issue d'une seconde partition, celle du Pakistan lui-même, intervenue moins de vingt-cinq ans plus tard, un tiers seulement des musulmans de l'Asie du sud vivent au Pakistan, un autre tiers dans le nouveau Bangladesh, et le troisième tiers dans l'Union indienne. La position de ces derniers, plus minoritaire qu'avant 1947, se trouve aggravée, à l'inverse de l'objectif affiché par les promoteurs de l'idée de Pakistan, face à des politiciens prétendant mener la Partition à son terme, c'est-à-dire achever le processus d'épuration engagé en 1947.

L'analyse des racines profondes et des circonstances immédiates du partage peut conduire à des conclusions fort divergentes. Les tendances de l'historiographie récente mettent l'accent sur le caractère relativement fortuit de l'événement, qui serait explicable principalement par la conjoncture de guerre. L'idée d'un État séparé pour les musulmans de l'Inde, forgée dans les années 1930, proclamée en 1940, ne serait devenue politiquement crédible qu'en 1945, sous l'effet d'une formidable accélération de l'histoire. Les régions qui vont former l'essentiel du Pakistan (Sind, Panjab, Bengale) étaient des régions très particularistes où ni la Ligue ni le Congrès n'étaient parvenus à s'implanter profondément, mais dont les organisations politiques locales s'étaient finalement déconsidérées par leur collaboration avec le pouvoir colonial ; et la Ligue était elle-même issue de régions du nord et de l'ouest de l'Inde où les musulmans étaient très minoritaires et le Congrès puissant, ce qui lui ôtait toute chance de les inclure dans le Pakistan. Tel est en tout cas le paradoxe qui a présidé à la naissance du Pakistan et qui explique la faiblesse congénitale de cet État volontariste.

Ces considérations ne doivent pas faire perdre de vue le jeu de facteurs de plus longue durée. De ce point de vue, le partage résulte de la convergence de trois mouvements distincts : la décolonisation, dont les Britanniques avaient cherché à ralentir le mouvement en misant sur la segmentation de la société indienne par le système des électorats séparés et en accordant un appui constant aux formations représentant les minorités ; la volonté des élites occidentalisées de construire à la place du *Raj* un système politique fort, disposant d'une légitimité populaire ; et l'affirmation des identités communautaires dans la logique des nationalismes européens, non point tant dans les masses que chez les élites. Sous l'influence de la culture européenne se fixent dans cette classe émergente des modes de pensée qui assimilent, contrairement à l'usage indien, construction politique et appartenance communautaire : proclamé en Europe au moment de la *Reconquista*, de la Réforme et de la Renaissance, le principe *cujus regio, ejus religio* – c'est le prince sous lequel on vit qui dicte l'appartenance religieuse – s'impose insidieusement dans ces milieux. À force de se répéter que les communautés n'ont rien de commun entre elles, on finit par s'en persuader et par en persuader les autres. C'est d'abord au niveau des leaders qu'est apparu un sentiment identitaire musulman, nourri par les mouvements de renaissance culturelle de la fin du XIXᵉ siècle, puis par le sentiment d'impuissance des groupes minoritaires dans la logique politique nouvelle qui fait prévaloir la loi du nombre – une logique totalement inconnue des systèmes traditionnels. La rationalité qui préside à l'acceptation en 1947 par les politiciens indiens de la formule du partage relève aussi d'une forme de modernité : comme Ambedkar l'avait exprimé dès 1941 dans une étude intitulée *Réflexions sur le Pakistan*, mieux vaut à leurs yeux une Inde amputée mais capable d'une politique résolue qu'une « Inde intégrale » amorphe.

CONCLUSION

Histoire de l'Inde, histoire universelle

L'histoire de l'Inde, depuis ses débuts, peut sembler aux Européens à la fois familière et surprenante. Tout comme l'Europe, cette autre péninsule de l'Asie, l'Inde n'a jamais été durablement unifiée par un pouvoir politique, mais une civilisation composite s'y est lentement élaborée à travers la circulation d'hommes et de femmes, de savoirs et de pratiques culturelles, de marchandises et de techniques. Mais à l'inverse de l'Europe, les pouvoirs politiques régionaux n'ont pas cherché ou ne sont pas parvenus à imposer aux peuples qu'ils dominaient une homogénéité religieuse ni linguistique. Tout comme dans le bassin méditerranéen antique, de grands systèmes de pensée se sont développés et des sagesses ont rayonné dans l'Inde du Ier millénaire avant l'ère chrétienne. Au millénaire suivant, la dévotion envers des divinités incarnées, porteuses de salut, s'est imposée en Inde, tout comme dans le monde chrétien, de l'Atlantique au Proche-Orient. L'Inde, à la pointe méridionale de l'Asie, comme l'Europe à sa pointe occidentale, a été au contact des mondes du Croissant fertile, de l'Iran et de l'Asie centrale depuis l'aube de son histoire, et de ce fait avec l'islam à partir de la période médiévale. Les échanges de l'Inde et de l'Europe se sont d'abord effectués à

291

travers ce truchement et le long de ces routes terrestres, jusqu'à ce que se mette en place un système mondial d'échanges économiques de grande ampleur, puis, au cours du XIXe siècle, un système mondial de circulation des idées portées par un langage tendant à l'universalité, où les routes terrestres perdaient de leur importance au profit des routes maritimes, puis aériennes, et aujourd'hui électroniques : c'est là que se situe la matrice de l'émergence mondiale de l'Inde.

Le XXe siècle aura été le siècle des utopies politiques, mais aussi celui des murs et des rideaux, des frontières tranchant à vif peuples et territoires, et celui du démembrement des empires. La planète Inde a vécu tout cela, gravitant dans l'orbe d'un univers rétréci, où elle occupe une place dont on a pris tardivement la mesure. Cette histoire nous est familière, à nous Européens, et peut nous donner matière à comparaison et à réflexion. Succombant à la tentation qu'elle avait combattue un siècle plus tôt en luttant contre l'impérialisme français, révolutionnaire et napoléonien, la classe politique britannique avait édifié sur la force du commerce et des armes et sur la puissance d'une idéologie dominatrice un empire qui ne résisterait pas mieux à la montée du nationalisme que l'Autriche-Hongrie et l'empire ottoman avant lui, et que l'empire soviétique après lui. Adoptant le modèle de l'État-nation, la classe politique nationaliste indienne allait se laisser entraîner par la tendance de l'esprit moderne à élaborer des définitions mortifères, à sanctifier les identités, à utiliser le passé pour légitimer le présent – Gandhi seul, archaïque ou précurseur, échappant à ce penchant. Postérieur à celui de l'Irlande, le partage de l'Inde immense est contemporain de celui de la minuscule Palestine, et ses répercussions internationales ne sont pas moindres ; pour des raisons historiques totalement différentes, les juifs d'Europe et les musulmans de l'Inde ont réclamé et obtenu des Britanniques la création d'un foyer national, faisant pour la première fois de la religion le critère principal d'appartenance nationale. À la même époque, d'autres partages, liés à la guerre froide, allaient séparer l'Europe orientale de l'Europe occidentale, le nord et le sud de la Corée, puis du Vietnam. La fin du siècle et de la guerre froide a été marquée par un mouvement de réunification : on peut espérer qu'il en sera de même un jour pour l'Asie du sud, mais les conditions actuelles ne s'y prêtent guère. Pour revenir à l'histoire, ce « dangereux produit de l'intellect » selon le mot de Paul Valéry, un pas sera fait le jour où les historiens de l'Inde, du Pakistan et du Bangladesh sauront, comme leurs homologues français et allemands depuis un demi-siècle, élaborer ensemble un livre commun, dans lequel Indiens, Pakistanais et Bangladais pourront regarder en face leur histoire commune.

Notes

Préambule. Une Inde temporelle ouverte sur le monde

1. Paul Mus, dans son introduction à *La Lumière sur les six voies* (Paris, Institut d'ethnologie, 1939), affirme qu'il n'y a pas sauf par un véritable abus de langage de « peuples sans histoire ». Simone Weil exprime un point de vue analogue quand elle écrit dans *L'Enracinement* (publication posthume, Paris, Gallimard, 1949) : « Il était de mode avant 1940 de parler de la France éternelle. Ces mots sont une espèce de blasphème. La France est une chose temporelle. »

2. Sous diverses versions, essentiellement orales, ce texte a été proposé depuis de longues années à un public d'étudiants de premier cycle de l'Inalco, riche de sa diversité d'origines, d'âges et de formation : c'est naturellement à ce public, qui en est en quelque sorte le coauteur, que ce livre est dédié, ainsi qu'à la mémoire d'Alice Thorner, qui a inspiré et encouragé des générations de jeunes chercheurs travaillant sur l'Asie du Sud, et à celle de Lokenath Bhattacharya, poète bengali trop tôt perdu mais toujours présent. Dans la tradition lettrée des brahmanes, la transmission écrite est moins valorisée que la tradition orale, l'écrit étant considéré comme un aide-mémoire : espérons que ce passage de l'oral à l'écrit ne se traduira pas par une trop forte déperdition de sens.

3. Voir Edward W. Saïd, *L'Orientalisme : l'Orient créé par l'Occident*, Paris, Le Seuil, 1980, et Ronald Inden, *Imagining India*, Oxford, Blackwell, 1994.

4. Roger-Pol Droit, *L'Oubli de l'Inde, une amnésie philosophique*, Paris, PUF, 1976.

5. On peut comparer à cet égard le sérieux des ouvrages collectifs publiés chez Fayard sous la direction de Claude Markovits en 1994 (*Histoire de l'Inde moderne*), et de Christophe Jaffrelot en 1996 (*L'Inde contemporaine*) revu et enrichi en 2006, avec le best-seller souvent contestable d'Alain Daniélou paru chez le même éditeur en 1971 (*Histoire de l'Inde*).

1. L'Inde et sa mémoire

1. On trouve dans les ouvrages classiques de Vincent Smith une approche de ce type (*The Early History of India from 600 BC to the Mohammedan Conquest*, Oxford, Clarendon Press, 1904).

2. P. Veyne, *Comment on écrit l'histoire*, Paris, Le Seuil (1971), rééd. 1996, p. 111-116.

3. B. Stein, « Early Indian Historiography, a Conspiracy Hypothesis », *Indian Economic and Social History Review*, mars 1969.

4. Ch. Malamoud, « Noirceur de l'écriture », dans *Le Jumeau solaire*, Paris, Le Seuil, 2002, p. 127-149.

5. Son *Livre de l'Inde* a été partiellement traduit en français, par Vincent Monteil : Biruni, *Le Livre de l'Inde*, Sindbad-Unesco, 1996.

6. Sur ces sources, voir Peter Hardy, *Historians of Medieval India*, Londres, Luzac, 1960, et les traductions en anglais rassemblées par H.M. Elliot et J. Dowson, *The History of India as told by its own Historians*, Londres, Trübner, 1866-1877, 8 vol. On reviendra ultérieurement sur les conclusions de l'étude de Romila Thapar consacrée au temple de Somnath, *Somanatha, the Many Voices of a History*, Delhi, Penguin, 2004.

7. Le *Livre de Babur* a été traduit en français par J.-L. Bacqué-Grammont (Paris, Imprimerie nationale, 1985).

8. David Shulman, Sanjay Subrahmanyam et Velcheru Narayana Rao en fournissent de nombreux exemples dans *Textures du temps. Écrire l'histoire en Inde*, Paris, Le Seuil, 2004.

9. R. Thapar, *The Penguin History of Early India*, New Delhi, 2003, p. 1.

10. James Tod, *Annals and Antiquities of Rajasthan* (1832), rééd. Delhi, Motilal Banarsidass, 1971.

11. Voir Partha Chatterjee, *The Nation and its Fragments*, Princeton, Princeton University Press, 1993, chap. 4, et Sudipta Kaviraj,

The Unhappy Consciousness, Delhi, Oxford University Press, 1995, chap. 4.

12. Cette conception reste bien vivante. L'ouvrage de référence sur la civilisation de l'Inde ancienne d'Arthur Basham, constamment réédité, s'intitule dans sa version originale anglaise *The Wonder that was India*.

13. P. Van der Veer, « Monumental texts : the critical edition of India's national heritage », dans Jackie Assayag (dir.), *The Resources of History*, Paris-Pondichéry, EFEO-IFP, 1999.

14. L'un d'entre eux, S.A.A. Rizvi, composa une suite à l'ouvrage de Basham sous le même titre (*The Wonder that was India*, vol. 2).

15. Cité par Sunil Khilnani, *L'Idée de l'Inde*, Paris, Fayard, 2006, p. 242, qui fait une excellente analyse du rôle de l'histoire dans le mouvement national indien.

16. *Ibid.* On se reportera à la récente traduction en français du maître livre de Jawaharlal Nehru, *La Découverte de l'Inde*, Arles, Philippe Picquier, 2002, dont est extrait le passage suivant : « Tandis que je grandissais et que je m'engageais dans des activités qui promettaient de conduire à la libération de l'Inde, je devins obsédé par la pensée de l'Inde. Qu'était cette Inde qui me possédait et m'appelait à elle sans cesse ?

En-dehors de ses aspects physiques et géographiques, qu'avait-elle représenté dans le passé ? Qu'est-ce qui lui donnait alors sa force ? Comment avait-elle perdu sa force ? Et l'avait-elle perdue complètement ? Représentait-elle à présent quelque chose de vital en dehors du fait qu'elle était le foyer d'un nombre immense d'êtres humains ? [...] Comment s'adaptait-elle au monde moderne ? Bien que les livres, les monuments anciens et la culture du passé aident à une certaine compréhension de l'Inde, ils ne m'apportaient pas la réponse que je cherchais. Je voulais savoir s'il y avait un lien réel entre ce passé et le présent. »

17. On pourrait le qualifier de Lavisse indien. Voir *An Advanced History of India*, Londres, Macmillan, 1950, et la somme encyclopédique publiée sous sa direction sous le titre *History and Culture of the Indian People*, Londres, Allen & Unwin, 1954-1969, 10 vol.

18. Les travaux de ce groupe ont fait l'objet d'analyses détaillées, notamment celle de Jacques Pouchepadass, « Les *Subaltern Studies* ou la critique postcoloniale de la modernité », *L'Homme*, n° 156, 2000,

p. 161-186 ; certaines de leurs études ont été traduites en français à l'initiative de l'historien Mamadou Diouf, et publiées dans le recueil intitulé *L'Historiographie indienne en débat*, Paris-Amsterdam, Karthala-Sephis, 1999.

19. On trouve une version française de cette croisade dans les écrits du publiciste François Gautier, *Un autre regard sur l'Inde : une réécriture de l'histoire de l'Inde*, Genève, éd. du Tricorne, 1999.

20. Voir le numéro spécial de la revue *L'Homme*, n° 156, 2000, et Jackie Assayag, *La Mondialisation vue d'ailleurs : l'Inde désorientée*, Paris, Le Seuil, 2005.

2. *Espaces, nature et sociétés : l'Inde une et multiple*

1. On trouvera une excellente description de cet espace dans les ouvrages de Jos Gommans, notamment *Mughal Warfare, Indian Frontiers and Highroads to Empire 1500-1700*, Londres, Routledge, 2002.

2. Voir la belle analyse de Charles Malamoud, « Forêt et village dans l'Inde brahmanique », dans *Cuire le monde*, Paris, La Découverte, 1989.

3. *La quête des origines*

1. On en trouvera une description dans les publications de Jean-François Jarrige, par exemple dans la contribution qu'il a donnée au livre dirigé par H.G. Franz, *L'Inde ancienne, histoire et civilisation*, Paris, Bordas, 1990.

2. On préférera à l'ouvrage détaillé, mais touffu, de Bernard Sergent, *Genèse de l'Inde*, Paris, Payot, 1997, les publications savantes et sobres de Gérard Fussman, « Entre fantasmes, science et politique : l'entrée des Ârya en Inde », *Annales HSS* 58(4), juillet 2003, p. 781-814, et (en collaboration avec J. Kellens, H.-P. Francfort et X. Tremblay), *Ârya, Aryens et Iraniens en Asie centrale*, Paris, Collège de France-De Boccard, 2005. Les ouvrages généraux de Romila Thapar et d'Hermann Kulke cités en bibliographie en offrent une synthèse à jour. Voir aussi Edwin F. Bryant *et al.* (éd.), *The Indo-Aryan Controversy. Evidence and Inference in Indian History*, Londres, Routledge, 2005, qui donne la parole aux tenants des différentes théories.

3. Georges Dumézil présente les éléments de ce dossier complexe et les discute dans *Les Dieux souverains des Indo-Européens*, Paris, Gallimard, 1977, p. 23-51.

4. États et sociétés dans l'Antiquité

1. On trouvera dans l'atlas historique de J. Schwartzberg, *A Historical Atlas of South Asia*, New York, Oxford University Press, 2ᵉ éd. 1992, des cartes détaillées permettant de situer ces territoires. Les meilleures études concernant la formation de ces États sont celles de Romila Thapar, bien résumées dans son ouvrage récent cité en bibliographie (*Early India*, chap. 4 et 5).

2. Madeleine Biardeau, *Le Mahâbhârata, un récit fondateur du brahmanisme et son interprétation*, Paris, Le Seuil, 2 vol., 2002 ; voir notamment son introduction.

3. On se reportera à la traduction française des *Édits d'Ashoka* par Jules Bloch, Paris, Les Belles Lettres, 1950, et à l'ouvrage de Robert Lingat, *Ashoka et la royauté bouddhique à Ceylan*, Paris, EHESS, 1989 ; dans l'Antiquité occidentale, le seul texte comparable, mais bien plus tardif, et aux fonctions bien différentes, est *Pensées* de l'empereur romain Marc Aurèle. Il n'existe pas à ce jour de traduction française intégrale de l'*Arthashâstra* depuis l'original sanskrit ; les extraits traduits en 1971 par M. Dambuyant (Éd. M. Rivière) sont préférables à ceux qui sont parus en 1998 sous la responsabilité de Gérard Chaliand.

4. On trouvera en français, dans le livre de Jean Baechler, *La Solution indienne*, Paris, PUF, 1988, une approche théorique de ce que cet auteur appelle « l'échec de l'impérialisation ».

5. *Entretiens de Milinda et Nâgasena*, traduits du pâli par Édith Nolot, Paris, Gallimard, 1995.

6. Voir les histoires générales de l'Inde de Hermann Kulke citées dans la bibliographie, et un ouvrage détaillé d'André Wink, *Al Hind, the making of the Indo-islamic World*, vol. 1 : *Early Medieval India and the Expansion of Islam*, Leyde, Brill, 1990. Il n'existe rien de substantiel en français.

7. Les Pandit, dont est issue la famille Nehru.

5. Les dynamiques religieuses et culturelles dans l'Antiquité

1. On s'est librement inspiré pour ce chapitre des études de Madeleine Biardeau (notamment son *Mahâbhârata*) et de Romila Thapar (*Cultural Pasts, Essays in Early Indian History*, Delhi, Oxford University Press, 2000). Pour une approche des religions de l'Inde accessible au grand public, on se référera à Ysé Tardan Masquelier, *L'Hindouisme. Des origines védiques aux courants contemporains*, Paris, Bayard, 1999.

2. On trouvera dans les études de Charles Malamoud citées dans la bibliographie une initiation lumineuse à la pensée ritualiste de l'Inde ancienne.

3. Madeleine Biardeau, *Le Mahâbhârata*, Paris, Le Seuil, 2001, vol. I, p. 140.

4. *Ibid.*, p. 128-129, 139.

5. Le propos de ce livre ne permet pas de consacrer de longs développements au contenu du jaïnisme et du bouddhisme. La production d'ouvrages sur le bouddhisme en France est particulièrement abondante, pour deux raisons : l'existence d'une école d'études bouddhiques remontant au XIXe siècle avec les travaux d'Eugène Burnouf, et dont le dernier représentant était André Bareau ; et l'intérêt pour le bouddhisme, notamment tibétain, alimenté par un certain nombre de conversions récentes. Pour notre propos, qui est historique et non pas apologétique, on conseillera la lecture de quelques ouvrages : *Le Monde du bouddhisme*, dirigé par deux spécialistes éminents du bouddhisme, Heinz Bechert et Richard Gombrich (Thames & Hudson), réédité en traduction française en 1999 ; *L'Enseignement du Bouddha d'après les textes des plus anciens*, bon recueil de textes fondamentaux traduits par Walpola Rahula (Le Seuil) ; pour l'histoire du bouddhisme indien, l'ouvrage de référence est celui d'Etienne Lamotte, *Histoire du bouddhisme indien, des origines à l'ère shaka* (Louvain, Institut orientaliste, 1958) ; voir aussi les vues très pénétrantes de Robert Lingat dans *Royautés bouddhiques* (EHESS, 1989).

6. Les *Lois de Manou* sont disponibles en traduction française depuis le XIXe siècle (rééd. Paris, dans les classiques Garnier puis aux Éd. d'Aujourd'hui, 1976). Sur la sociologie de l'Inde, on renvoie une

fois pour toutes à Louis Dumont, *Homo hierarchicus, essai sur le système des castes*, Paris, Gallimard, 1967, nombreuses rééd.

7. Jan Houben (dir.), *The Ideology and Status of Sanskrit*, Leyde, Brill, 1996, notamment la contribution de Sheldon Pollock, « The Sanskrit Cosmopolis, 300-1300 ».

8. Voir les nombreuses études de Lyne Bansat Boudon (par exemple : *Pourquoi le théâtre ? La réponse indienne*, Paris, Mille et une nuits, 2004) et le volume collectif de traductions qu'elle a dirigé dans la collection La Pléiade (*Théâtre de l'Inde ancienne*, Paris, Gallimard, 2006).

9. Voir l'analyse des versions successives de l'histoire de Shakuntalâ dans le livre de Romila Thapar, *Shakuntala, Texts, Readings, Histories*, Delhi-Londres-Anthem, 2002, Kali for Women, 1999.

10. On trouvera dans l'ouvrage ancien mais régulièrement réédité de Georges Coedès (*Les États hindouisés d'Indochine et d'Indonésie*, Paris, De Boccard, éd. révisée, 1964) une excellente approche de l'histoire de ce que cet auteur appelle « l'Inde extérieure ».

6. Des conquêtes turques à l'empire moghol

1. Il est fort possible que l'émigration forcée de prisonniers de guerre, vendus et réduits en esclavage en Iran et en Asie centrale, soit en partie à l'origine de la communauté rom (appelée tzigane dans l'Europe de la fin du Moyen Âge), dont la langue et un certain nombre de pratiques sociales établissent l'origine nord-indienne de façon irréfutable (le terme Manouche, l'Homme, en fournit un exemple). Faute de pouvoir retourner en Inde, ils se seraient libérés de la servitude en partant sur les routes de l'ouest, atteignant l'Europe au XVe siècle, et formant ainsi la première diaspora d'origine indienne dans le monde. Les Roms furent appelés Égyptiens (d'où Gitans : l'Égypte représentait aux yeux des Européens de l'époque l'Orient par excellence) ou Bohémiens (le roi de Bohême avait fourni à certains d'entre eux des passeports) ; l'origine indienne fut redécouverte par les philologues du XVIIIe siècle, puis affirmée par les mouvements identitaires rom depuis le milieu du XXe siècle, qui tendent à faire de Kanauj leur lieu d'origine et à nouer des liens avec des érudits indiens.

2. Sunil Kumar, « La communauté musulmane et les relations

hindous-musulmans dans l'Inde du Nord au début du XIIIᵉ siècle »,
Annales HSS, mars-avril 2005, p. 239-264.

3. On lira avec intérêt les chapitres consacrés à l'Inde des Tughluk
par le célèbre voyageur tangérois Ibn Battuta, soit dans l'ancienne
traduction régulièrement rééditée de Defremery et Sanguinetti (Paris,
La Découverte, 1997), soit dans le volume des *Voyageurs arabes*
publié dans la collection La Pléiade (Paris, Gallimard, 1995) ; la
source la plus riche sur les règnes de ces sultans est la chronique de
Barani (*Tariq i Firoz Shahi*) : à certains égards, Ala ud-din Khalji y
apparaît comme un souverain suivant les préceptes de l'*Arthashâstra*,
dont la principale préoccupation est de conserver son pouvoir et de
renforcer sa richesse par tous les moyens à sa disposition.

4. On dispose à présent de nombreuses études sur le Deccan
médiéval et sur Vijayanagar, qui a fait l'objet de recherches épigraphi-
ques et archéologiques poussées, après avoir été seulement connu par
des récits de voyage tardifs et par des légendes locales. Le premier
livre qui lui fut consacré (en 1900) s'intitulait *L'Empire oublié*, et
cette « découverte » représenta pour les Indiens du sud un élément
aussi important (et historiquement plus sûr) d'assertion de leur identité dravidienne que la « découverte » de la civilisation de l'Indus. On
se reportera à la synthèse de l'historien Burton Stein, *Vijayanagara*,
Cambridge, 1989, à l'étude de l'archéologue Carla Sinopoli, *The Political Economy of Craft Production, Crafting Empire in South Asia,
1350-1650*, au passionnant ouvrage émaillé de biographies de
Richard Eaton, *A Social History of the Deccan : Eight Indian Lives*,
New York, Cambridge University Press, 2005, ainsi qu'aux récits de
voyage de Nicolo de Conti, Ludovico di Varthema, Domingo Paes
et Duarte Barbosa (les deux premiers ont été publiés en français aux
éditions Chandeigne en 2004 dans la collection « Magellane »).

5. Babur reçut une double formation, de guerrier et de lettré. Il
laissa une autobiographie en turc, le *Livre de Babur* (traduit en français par Jean-Louis Bacqué Grammont, Paris, Imprimerie nationale,
1980), document qui reflète l'image de l'Inde qu'avaient des étrangers cultivés, mais qui ne vaut pas en qualité d'analyse Biruni et Ibn
Battuta.

6. Le terme indien *mughal*, francisé en moghol, désigne cette
dynastie également appelée timouride, du nom de Timur Lam
(Tamerlan) dont elle se réclamait ; dans les langues indiennes, il est

significativement devenu synonyme de luxueux. On trouvera dans l'*Histoire de l'Inde moderne,* dirigée par Claude Markovits, une bonne synthèse sur l'histoire de la dynastie, mais la « modernité » de cet empire, thème favori des historiens de l'université musulmane d'Aligarh, est discutable, et l'on préférera, avec l'historien Burton Stein, y voir le point culminant de l'âge « médiéval ». La question de la nature de l'État moghol, instrument inexorable de centralisation politique, ou simple carapace, est traitée dans l'introduction du recueil de textes de Muzaffar Alam et Sanjay Subrahmanyam, *The Mughal State,* Delhi, Oxford University Press, 1998.

7. Abul Fazl, *Akbar Nama,* trad. angl de Beveridge, Calcutta, 1899-1918 ; *Aïn-i Akbari,* trad. angl. de Blochmann, rééd. Delhi, 1977.

8. Les *zamindar* étaient tout à fait distincts des anciens *jagirdar* (détenteurs de jagir) et des nouveaux *mansabdar* (gradés du nouveau système). Ce titre fut repris deux siècles plus tard par les Britanniques lorsqu'ils cherchèrent à créer au Bengale une classe de propriétaires terriens sur le modèle des *landlords* anglais.

9. Voir D. Shayegan, *Les Relations de l'hindouisme et du soufisme d'après le Majma al-Bahrain,* Paris, 1979 (rééd. Albin Michel, 1995, sous le titre *Hindouisme et Soufisme*).

10. Stuart Gordon, *The Marathas,* Cambridge, Cambridge University Press, 1993, fournit l'état le plus récent des travaux sur les Marathes. Les historiens bénéficient d'une documentation assez exceptionnelle par son volume et par la richesse des informations qu'elle contient sur les Marathes. C'est la première fois qu'un État non musulman en Inde accorde de l'importance à la préservation de son histoire et laisse une telle documentation, qui est loin d'avoir été exploitée de façon exhaustive.

11. L'étude de loin la plus perspicace à ce sujet est le livre passionnant de Dirk Kolff, *Naukar, Rajput and Sepoy,* Cambridge, Cambridge University Press, 1990.

7. Le « beau Moyen Âge » indien

1. On trouve ce thème dans l'*Histoire de l'Inde* d'Alain Daniélou déjà citée, pour qui, à partir du moment où les musulmans arrivèrent dans l'Inde, l'histoire de l'Inde n'a plus grand intérêt ; de façon moins

explicite, chez beaucoup de spécialistes avertis de la civilisation de l'Inde classique, comme Michel Angot qui sous-titre un de ses chapitres « Les invasions musulmanes et la disparition progressive de la civilisation indienne » ; et sous une forme polémique, dans les écrits du publiciste François Gautier, qui dénonce avec des arguments sommaires les travaux savants d'islamologues de renom, tels que Marc Gaborieau, auteur des chapitres sur l'empire moghol dans l'*Histoire de l'Inde moderne* dirigée par Claude Markovits, et d'un ouvrage dans la collection Planète Inde : *Un autre islam. Inde, Pakistan, Bangladesh*, Albin Michel, 2007.

2. K.N. Chaudhuri, *Asia before Europe, Economy and Civilization of the Indian Ocean from the Rise of Islam to 1750*, Cambridge, Cambridge University Press, 1990.

3. Voir l'analyse serrée des textes à laquelle elle s'est livrée : Romila Thapar, *Somanatha, the Many Voices of a History*, Delhi, Penguin, 2004.

4. Sur le soufisme, la meilleure étude disponible en français est le livre d'Anne-Marie Schimmel, *Le Soufisme ou les dimensions mystiques de l'Islam*, Paris, Cerf, 1996, dans la traduction d'Albert Van Hoa.

5. Muzaffar Alam *et al.*, *The Making of Indo-Persian Culture*, Delhi, Manohar, 2000.

6. Voir le très bel album d'Amina Okada, *Le Grand Moghol et ses peintres*, Paris, Flammarion, 1992.

7. Richard Eaton, *The Rise of Islam and the Bengal Frontier, 1204-1760*, Berkeley, 1993, a renouvelé l'étude de la question.

8. On se reportera aux traductions en français de ces grandes œuvres parues dans la collection « Connaissance de l'Orient » (Gallimard) par Charlotte Vaudeville (Kabir et Sour Das) avec ses remarquables introductions et études, par Guy Deleury (Toukaram et Namdev), ainsi qu'aux études de Françoise Mallison et de Nalini Delvoye, notamment celles qui ont été rassemblées dans l'ouvrage collectif sur les *Littératures médiévales de l'Inde du Nord* (Paris, EFEO, 1991).

9. Dans le cas de l'Europe, le phénomène a contribué à la formation des nations sur une base linguistique ; dans celui de l'Inde, Vijayanagar, puis l'empire moghol, enfin l'empire britannique, se constituent au détriment de ces États régionaux, ce qui les empêche d'évoluer vers des États nationaux, un peu comme les régions de

l'Europe orientale intégrées dans les empires austro-hongrois ou ottoman. Voir Sheldon Pollock (dir.), *Literary Cultures in History*, Berkeley, University of California Press, 2003, et « India in the Vernacular
Millenium : 1000-1500 », *Daedalus* 127 (3), 1998, p. 41-74. Voir
aussi le recueil dirigé par Ronald Inden, *Querying the Medieval*, New
York, Oxford University Press, 2000.

10. Voir en français les études de Charlotte Vaudeville sur Kabir
(et son admirable traduction des *Paroles* de Kabir), et de Denis
Matringe sur le sikhisme.

11. Il ne s'agit pas retracer ici les avatars du concept de caste et
les débats entre spécialistes en sciences sociales qu'il a suscités. On
lira à ce sujet l'ouvrage fondamental de Louis Dumont, *Homo hierarchicus* (Paris, Gallimard 1966), le « Que sais-je ? » de Robert Deliège
sur *Le Système des castes* (Paris, PUF, 1993), et les pages consacrées
par Olivier Herrenschmidt à la société de castes dans le volume d'*Ethnologie générale et régionale*, paru dans la collection La Pléiade.

12. La métaphore du corps social est au centre du texte de la
Révélation qui explicite la genèse de la séparation de la société védique en *varna* : l'hymne 10.90 du *Rig Veda*, dit Hymne au Purusha,
décrit le démembrement symbolique de l'homme cosmique et son
remembrement fonctionnel ; les *varna* classent les hommes d'après la
fonction tenue par chacun pendant le sacrifice, le monde étant représenté comme un immense sacrifice. Voir l'ensemble de ce texte dans
les *Hymnes spéculatifs du Véda*, traduits et annotés par Louis Renou,
dans la collection « Connaissance de l'Orient » (Gallimard, 1956).

13. Voir les livres de Ronald Inden (*Imagining India*, Oxford,
Blackwell, 1994, et *Text and Practice, Essays on South Asian History*,
Delhi, Oxford University Press, 2006) et les études plus nuancées de
Bernard Cohn et de Nicholas Dirks, notamment la monographie
consacrée à Pudukottai par ce dernier (*The Hollow Crown, Ethnohis-
tory of an Indian Kingdom*, Cambridge, Cambridge University Press,
1987) ; tous ces auteurs appartiennent à l'école anthropologique de
Chicago. Pour une approche de l'histoire du système des castes à la
période coloniale, on se reportera à l'ouvrage de Susan Bayly, *Caste,
Society and Politics in India from the 18th century to the Modern Age*,
Cambridge, Cambridge University Press, 1999.

8. L'Inde, atelier du monde : apogée et déclin

1. Irfan Habib, *The Cambridge Economic History of India*, vol. I, Cambridge, Cambridge University Press, 1982.
2. Jean Aubin et Denys Lombard (dir.), *Marchands et hommes d'affaires asiatiques*, Paris, Éd. de l'EHESS, 1988, regroupe une série d'études qui montrent le rôle de ces marchands ; sur Ibn Battuta, voir chapitre 6, note 3.
3. Carla Sinopoli, *The Political Economy of Craft Production* : *Crafting Empire in South India, c. 1350-1650*, Cambridge, Cambridge University Press, 2003.
4. L'image classique est développée par Irfan Habib dans la *Cambridge Economic History of India*, vol. I, Cambridge, Cambridge University Press, 1982 ; ses critiques ont rassemblé leurs travaux dans le livre de Muzaffar Alam et Sanjay Subrahmanyam, *The Mughal Empire*, Delhi, Oxford University Press, 1998. Le débat, très technique, porte notamment sur les modalités d'application du barème (*zabt*) qui définit le montant prélevé.
5. Voir les études de Sanjay Subrahmaniam, *The Political Economy of Commerce, Southern India, 1500-1650*, Cambridge, Cambridge University Press, 1990, et de Christopher Bayly, notamment *Indian Society and the Making of the British Empire*, Cambridge, Cambridge University Press, 1988 ; et dans une perspective purement descriptive, l'anthologie de récits de voyageurs français en Inde rassemblée par Guy Deleury (*Les Indes florissantes*, Paris, Laffont, 1991).

9. Les paradoxes du Raj britannique

1. J.-L. Racine : « L'Inde émergente ou la sortie des temps postcoloniaux », *Hérodote* 120, 1er trimestre 2006. La citation de Tagore est selon Manmohan Singh tirée de son introduction à la *Gitanjali*, mais ne figure pas dans la traduction française (*L'Offrande lyrique*) d'André Gide.
2. Christopher Bayly, *Indian Society and the Making of the British Empire, 1700-1857*, Cambridge, Cambridge University Press, 1988, a rénové l'approche des débuts du *Raj*. Voir en français l'article de synthèse de Sanjay Subrahmanyam, « L'Inde au XVIIIe siècle : politi-

que, société et culture », revue *Historiens et géographes*, n° 353, juin-juillet 1996. Pour l'ensemble de ce chapitre, le guide le plus sûr reste l'*Histoire de l'Inde moderne* dirigée par Claude Markovits.

3. L. de Modave, *Voyage en Inde du comte de Modave, 1773-1776*, Paris EFEO, 1971, p. 398.

4. Le récit de voyage de François Pyrard de Laval en fournit un passionnant témoignage : *Voyage aux Indes orientales, 1601-1611*, Paris, Chandeigne, 1998.

5. Voir le journal d'Ananda Rangapillai, *dubash* (agent) de Dupleix, dont des extraits sont parus en français, *Les Grandes Pages du journal d'Ananda Rangapillai*, Paris, L'Harmattan, 2003.

6. Susan Bayly, *Caste, Society and Politics in India*, Cambridge, Cambridge University Press, 1999.

7. Eric Stokes, *The Peasant and the Raj*, Cambridge, Cambridge University Press, 1978, et *The Peasant Armed*, Oxford, Clarendon, 1986.

10. L'« invention » de la nation indienne

1. Ces pages empruntent beaucoup d'éléments d'analyse au livre très suggestif de Sunil Khilnani récemment traduit en français (*L'Idée de l'Inde*, Paris, Fayard, 2005), ainsi qu'à l'essai de Jackie Assayag, *L'Inde, désir de nation* (Paris, Odile Jacob, 2001), à celui de Partha Chatterjee, *The Nation and its Fragments* (Princeton, 1993) et à l'étude de Sudipto Kaviraj, *The Unhappy Consciousness* (Delhi, Oxford University Press, 1995). Dans notre esprit, l'emploi du terme « invention de la nation » n'implique pas qu'il s'agisse d'une création inauthentique, mais d'une production culturelle datée et localisée : voir Benedict Anderson (*L'Imaginaire national, réflexions sur l'origine et l'essor du nationalisme*, Paris, La Découverte, 2002) et Ernest Gellner (*Nations et nationalisme*, Paris, Payot, 1999).

2. J. Assayag, *L'Inde, désir de nation, op. cit.*, p. 20.

3. Ce roman de l'écrivain bengali Bankim Chandra Chatterjee, traduit en français par F. Bhattacharya sous le titre *Le Monastère de la félicité* (rééd. Paris, Le Serpent à plumes, 2004) inclut l'« Hymne à la Mère » (*Bande Mataram*) qui est devenu le texte emblématique du nationalisme : ses connotations antimusulmanes manifestes sont

assez souvent gommées. Sur les thèmes mobilisateurs de l'imaginaire national, voir les auteurs cités note 1.

4. Catherine Weinberger Thomas, *Cendres d'immortalité : le sacrifice des veuves dans l'Inde des castes*, Paris, Le Seuil, 1996 ; Martine Van Woerkens, *Le Voyageur étranglé : l'Inde des Thugs, le colonialisme et l'imaginaire*, Paris, Albin Michel, 1995.

5. En voici quelques extraits significatifs : « Nous avons à notre disposition une somme destinée à promouvoir le niveau intellectuel de la population de ce pays. La question est de savoir comment l'employer au mieux. Tous semblent s'accorder sur un point : les dialectes couramment parlés par les indigènes de cette partie de l'Inde ne contiennent aucune information littéraire ou scientifique, et sont en outre si primitifs et si sommaires qu'à défaut d'être enrichis par quelque apport extérieur, il est impossible d'y traduire un ouvrage de valeur [...]. J'ai lu des traductions des ouvrages arabes et sanskrits les plus célèbres, j'ai conversé avec les orientalistes les plus distingués, je n'en ai jamais rencontré qui nient qu'une simple étagère d'une bonne bibliothèque européenne vaut toute la littérature de l'Inde et de l'Arabie réunies [...]. Il est à peine nécessaire de récapituler les qualités de notre propre langue : elle occupe une position prééminente parmi les langues de l'Occident, elle abonde en œuvres d'imagination qui ne le cèdent en rien à celles que la Grèce nous a léguées, en œuvres historiques qui ont été rarement surpassées, et qui, considérées du point de vue de l'éducation morale et politique, n'ont jamais été égalées, en informations exactes et complètes concernant toutes les sciences expérimentales qui ont pour but de préserver la santé, d'accroître le confort ou d'élargir les horizons intellectuels de l'homme. Ce n'est pas tout : en Inde, l'anglais est parlé par la classe dirigeante, il est parlé par les indigènes qui collaborent à l'administration, il va probablement devenir la langue commerciale de l'Orient [...]. Avec nos moyens limités, il nous est impossible de tenter d'instruire la masse de la population. Nous devons donc à présent faire de notre mieux pour former une classe qui joue le rôle d'interprète entre nous et les millions que nous gouvernons, une classe indienne de naissance et de couleur, mais anglaise de goûts, d'opinion, de mœurs et d'esprit. »

6. Ces thèses rejoignent celles que soutiennent les philologues allemands et qui seront ensuite exploitées par les idéologues du nazisme.

7. Dans un petit livre qui n'a pas vieilli : *L'Inde au XXe siècle*, Paris, PUF, 1975. En anglais, voir la synthèse de Sumit Sarkar, *Modern India, 1885-1947*, Delhi, Macmillan, 1983.

8. Voir l'ensemble des 11 volumes intitulés *Subaltern Studies*, publiés initialement sous la direction de Ranajit Guha à Delhi (Oxford University Press, puis Permanent Black), et dont une anthologie a été publiée en français sous la direction Mamadou Diouf, *L'Historiographie indienne en débat*. L'une des monographies les plus intéressantes émanant de cette école historique est celle de Shahid Amin, *Event, Metaphor, Memory : Chari-Chaura, 1922-1992*, Berkeley, University of California Press, 1997.

9. Amartya Sen, prix Nobel d'économie d'origine indienne, a démonté ces processus dans ses travaux sur la pauvreté et la famine. Sur l'histoire agraire de l'Inde du nord, on se reportera en français aux études de Jacques Pouchepadass, notamment *Paysans de la plaine du Gange, 1860-1950*, Paris, EFEO, 1989.

10. Celles des historiens subalternistes déjà cités, et avant eux d'Eric Stokes (*The Peasant and the Raj*, Cambridge, 1978).

11. Indépendance et Partition : la mémoire éclatée

1. À commencer par l'*Histoire de l'Inde moderne* dirigée par Claude Markovits (Paris, Fayard, 1996), et J. Pouchepadass, *L'Inde au XXe siècle*, Paris, PUF, 1975.

2. Nous emploierons cet anglicisme, d'usage courant dans le vocabulaire anglo-indien, d'où il est passé dans les langues indiennes, pour désigner le partage de l'empire des Indes en deux États indépendants, l'Union indienne et le Pakistan.

3. M.K. Gandhi, *Autobiographie, ou mes expériences de vérité*, Paris, PUF, 1950 [1931]. Sur les images de Gandhi, lire Claude Markovits, *Gandhi*, Paris, Presses de Sciences-Po, 2000 ; voir aussi Robert Deliège, *Gandhi*, PUF, coll. « Que sais-je ? », 1999.

4. Cet enthousiasme est restitué, avec le recul critique fourni par vingt ans de luttes, par Nehru lui-même dans son autobiographie traduite en français sous le titre *Ma Vie et mes prisons* (Paris, Denoël, 1952) : « Nous passâmes trois jours dans les villages de l'Oudh, loin de tout chemin de fer, et même loin de toute route praticable. Cette visite fut pour moi une révélation. Nous trouvâmes la campagne

entière pleine d'un fiévreux enthousiasme et d'une extraordinaire surexcitation. D'énormes concours de peuple se rassemblaient presque en un clin d'œil. On se passait le mot de bouche en bouche, de village en village, et dans l'instant les bourgades se vidaient, et partout dans les champs on croisait hommes, femmes, enfants, en marche vers le lieu de l'assemblée. Parfois même ces gens couraient à toutes jambes. Ils étaient en haillons, leur ardeur se lisait sur leurs visages, leurs yeux brillaient, ils avaient l'air de s'attendre à des miracles, qui mettraient fin du jour au lendemain à leur longue misère. Ils nous accablaient de marques d'affection et nous regardaient avec des yeux pleins d'amour et d'espoir comme des porteurs de bonne nouvelle ou des guides qui allaient les conduire à la Terre promise. »

5. Dans le même livre, Nehru définit bien ce type d'action : « Gandhi restait délicieusement dans le vague à propos de ce qu'était le swaraj. Pour la plupart de nos chefs, le swaraj était loin d'aller jusqu'à l'indépendance proprement dite. Gandhi n'encourageait personne à penser lucidement la chose. Mais enfin, on ne pouvait pas l'accuser de ne pas plaider la cause des pauvres et des opprimés, et c'était un réconfort pour beaucoup d'entre nous, même si parallèlement il prodiguait des assurances aux possédants. Il réussit, incontestablement et de façon stupéfiante, à vertébrer le peuple de l'Inde, à lui tremper le caractère. Les masses se roidirent à un point inouï, et cela seul nous emplit de confiance. Un peuple démoralisé, arriéré, brisé se redressait brusquement et participait à une action disciplinée, unanime, s'étendant à l'ensemble du pays. Et nous fermions les yeux sur la nécessité de penser l'action... »

6. Voir l'excellente mise au point de Claude Markovits dans son *Histoire de l'Inde moderne, op. cit.*, chap. 25.

7. Cette expression, dérivée du célèbre adage *Divide and rule*, est le titre d'une chronique des événements de la Partition écrite par un ancien administrateur colonial, Penderel Moon : *Divide and Quit*, Londres, Chatto and Windus, 1961, rééd. Delhi, Oxford University Press, 1998.

8. Le livre journalistique de Dominique Lapierre et Larry Collins, *Cette nuit la liberté*, Paris, Laffont, 1975, en fournit un exemple.

9. Salman Rushdie, *Les Enfants de minuit*, trad. fr., Paris, Stock, 1983. Kushwant Singh, *Un train pour le Pakistan*, Paris, Gallimard, 1957, rééd. Autrement, 1997. H.S. Manto, « Toba Tek Singh », tra-

duit de l'ourdou par Denis Matringe dans la revue littéraire *Siècle 21*, n° 1, 2002.

10. Voir Mushirul Hasan, « The BJP Intellectual Agenda : Textbooks and Imagined History », *South Asia, Journal of South Asian Studies*, 25.3, décembre 2002 ; le retour au gouvernement du Congrès en 2004 a entraîné le retrait de ces manuels. Des sites internet liés au RSS glorifient Nathuram Godse, l'assassin de Gandhi, comme un héros et un martyr.

11. Voir les ouvrages déjà cités de Claude Markovits et de Robert Deliège ; Christophe Jaffrelot, *Ambedkar*, Paris, Presses de Sciences-Po, 2000, montre que le rôle d'Ambedkar dans le mouvement national a été largement sous-estimé.

12. Ashis Nandy, *At the Edge of Psychology. Essays in Politics and Culture*, Delhi, Oxford University Press, 1980 (trad. fr. partielle dans R. Lardinois éd., *Miroir de l'Inde*, Paris, Éd. de la MSH, 1989) ; sur la mobilisation populaire, voir les travaux déjà cités de Shahid Amin, *Event, Metaphor, Memory : Chauri-Chaura, 1922-1992*, Berkeley, University of California Press, 1997, et son article traduit en français « Gandhi déifié », dans Mamadou Diouf, *L'Historiographie indienne en débat, op. cit.*

13. Ayesha Jalal, *The Sole Spokesman. Jinnah, the Muslim League and the Demand for Pakistan.* Cambridge, Cambridge University Press, 1985. Mushirul Hasan, *Legacy of a Divided Nation*, Delhi, Oxford University Press, 1997 ; voir aussi les collections d'études et de textes sur la Partition que Mushirul Hasan a rassemblées et préfacées chez le même éditeur en 1993 (*India's Partition*), en 2000 (*Inventing Boundaries*), et en collaboration avec David Page, en 2002 (*The Partition Omnibus*) : le nombre et la qualité de ces publications témoignent de l'intérêt grandissant en Inde pour l'histoire de la Partition.

14. Voir en français Urvashi Butalia, *Les Voix de la Partition Inde-Pakistan*, Arles, Actes Sud, 2002, et le récit de Kushwant Singh, *Un train pour le Pakistan* ; en anglais, outre les ouvrages de Mushirul Hasan cités plus haut, Gyanendra Pandey, *Remembering Partition. Violence, Nationalism and History in India*, Cambridge, Cambridge University Press, 2001. Un film pakistanais récent (2002) diffusé en France, *Khamosh Pani*, restitue avec une grande justesse de ton le vécu de la Partition.

15. Sunil Khilnani, *L'Idée de l'Inde, op. cit.*, p. 288.

16. Selon le témoignage d'officiers au service d'une principauté de la région de Delhi cités par Urvashi Butalia : « On avait décidé de débarrasser l'État d'Alwar de tous ses musulmans. L'ordre venait du Sardar. Il avait parlé au téléphone avec Son Excellence le Rajah. On devait chasser au Pakistan tous les Meo pour faire de la place aux réfugiés qui affluaient. Les Meo n'étaient pas de vrais musulmans, ils étaient à moitié hindous et ne voulaient pas aller au Pakistan, mais nous avions des ordres. »

17. On estime que plus de 75 000 femmes ont été enlevées, et que plusieurs dizaines de milliers d'enfants sont nés de ces viols. Après la Partition germe dans l'esprit des législateurs indiens l'idée de « récupérer » ces femmes. Le RSS parle de « défi à notre virilité », les politiciens proclament que « en tant que descendants de Râma, nous devons ramener toute Sîtâ encore en vie ». Une loi est votée et un accord signé avec le Pakistan, qui organise entre 1949 et 1954 l'échange des femmes, au besoin contre leur volonté. Dans le même temps, les deux pays décident aussi d'échanger les malades mentaux enfermés dans les asiles d'aliénés...

Bibliographie sélective

Le choix qui suit est nécessairement très limité et arbitraire. On a privilégié les ouvrages généraux en langues européennes, les ouvrages récents en langue française, et quelques études particulières spécialement suggestives. D'autres titres ont été référencés dans les notes. On trouvera une bibliographie exhaustive dans le catalogue informatisé (http ://catalogue.bulac.fr) de la nouvelle Bibliothèque universitaire des langues et civilisations du monde (Bulac), couplée à l'Inalco (Institut national des Langues et civilisations orientales), dont l'ouverture est prévue en 2010 sur le site Tolbiac (Paris 13e).

Ouvrages généraux

Angot (Michel), *L'Inde classique*, Paris, Les Belles Lettres, 2001.
Basham (Arthur L.), *La Civilisation de l'Inde ancienne*, Paris, Arthaud, 1976.
Boivin (Michel), *Histoire de l'Inde*, Paris, PUF, coll. « Que sais-je ? », 1996.
Dupuis (Jacques), *Histoire de l'Inde et de la civilisation indienne*, Paris, Payot, 1963 (2e édition revue, Paris, Kailash, 1996).
Franz (Heinrich G.), dir., *L'Inde ancienne, histoire et civilisation*, Paris, Bordas, 1990.
Frédéric (Louis), *Dictionnaire de la civilisation indienne*, Paris, Laffont, 1987.

Frédéric (Louis), *Histoire de l'Inde et des Indiens*, Paris, Criterion, 1996.

Johnson (Gordon), *Atlas de l'Inde*, Amsterdam, Éd. du Fanal, 1995.

Kosambi (Damodar), *Culture et civilisation de l'Inde ancienne*, Paris, Maspéro, 1970.

Kulke (Hermann) et Rothermund (Dietmar), *Geschichte Indiens*, Stuttgart, Kohlhammer, 1982 ; trad. anglaise, *A History of India*, Londres, Routledge (4ᵉ éd., 2004). Voir aussi H. Kulke, *Indische Geschichte bis 1750*, Munich, Oldenbourg, 2005.

Ludden (David), *India and South Asia, a Short History*, Oxford, Oneworld, 2002.

Markovits (Claude), dir., *Histoire de l'Inde moderne, 1480-1950*, Paris, Fayard, 1996.

Parlier Renault (Édith) et al., *L'art de l'Inde*, Paris, Flammarion, 2007.

« Perspectives sur l'Histoire de l'Inde », *Historiens et géographes*, n° 353, juin-juillet 1996.

Pouchepadass (Jacques), *L'Inde au XXᵉ siècle*, Paris, PUF, 1975.

Renou (Louis) et al., *L'Inde classique, manuel des études indiennes*, Paris-Hanoi, EFEO, 1947-1953, rééd. Paris, EFEO-Maisonneuve, 1996, 2 vol.

Renou (Louis), *La Civilisation de l'Inde ancienne d'après les textes sanskrits*, Paris, Flammarion, 1950, rééd. 1981.

Rotermund (Hartmuth O.), dir., *L'Asie orientale et méridionale aux XIXᵉ et XXᵉ siècles*, Paris, PUF, 1999.

Sarkar (Sumit), *Modern India, 1885-1947*, Delhi, Macmillan, 1983, rééd. 2002.

Sastri (K.A. Nilakanta), *A History of South India, from Prehistoric Times to the Fall of Vijayanagar*, Delhi, Oxford University Press, 1955, 4ᵉ éd. revue, 2002.

Schwartzberg (Joseph E.), *A Historical Atlas of South Asia*, New York, Oxford University Press, 2ᵉ éd., 1992.

Sellier (Jean), *Atlas des peuples d'Asie méridionale et orientale*, Paris, La Découverte, 2001.

Stein (Burton), *A History of India*, Oxford, Blackwell, 1998.

Thapar (Romila), *The Penguin History of Early India, from the Origins to AD 1300*, Londres-Delhi, Penguin Books, 2003 (paru sous le titre *Early India, from the Origins to AD 1300* en 2002 à Berkeley et Londres).

Historiographie

Assayag (Jackie), dir., *The Resources of History. Tradition, Narration and Nation in South Asia*, Paris-Pondichéry, EFEO-IFP, 1999.

Diouf (Mamadou), dir., *L'Historiographie indienne en débat, colonialisme, nationalisme et sociétés postcoloniales*, Paris-Amsterdam, Karthala-Sephis, 1999.

Hardy (Peter), *Historians of Mediaeval India*, Londres, Luzac, 1960.

Inden (Ronald), *Text and Practice, Essays on South Asian History*, Delhi, Oxford University Press, 2006.

Lal (Vinay), *The History of History. Politics and Scholarship in Modern India*, Delhi, Oxford University Press, 2005.

Rao (Velcheru Narayana), Shulman (David), Subrahmanyam (Sanjay), *Textures du temps : écrire l'histoire en Inde*, Paris, Le Seuil, 2004.

Philips (Cyril H.), dir., *Historians of India, Pakistan and Ceylon*, Londres, Oxford University Press, 1961.

Choix d'ouvrages spécialisés

Alam (Muzaffar) et Subrahmanyam (Sanjay), *The Mughal State, 1526-1750*, Delhi, Oxford University Press, 1998.

Alam (Muzaffar), Delvoye (Françoise), Gaborieau (Marc), *The Making of Indo-Persian Culture*, Delhi, Manohar, 2000.

Amin (Shahid), *Event, Metaphor, Memory : Chauri-Chaura, 1922-1992*, Berkeley, University of California Press, 1997.

Assayag (Jackie), *L'Inde, désir de nation*, Paris, Odile Jacob, 2001.

Bareau (André) *et al.*, *Les Religions de l'Inde*, vol. 3 : *Bouddhisme, jaïnisme, religions archaïques*, Paris, Payot, 1966.

Bayly (Christopher A.), *Empire and Information : Intelligence Gathering and Social Communication in India, 1780-1870*, Cambridge, Cambridge University Press, 1996.

Bechert (Heinz) et Gombrich (Richard), dir., *Le Monde du bouddhisme*, Paris, Thames & Hudson, 1998.

Bérinstain (Valérie), *L'Inde impériale des Grands Moghols*, Paris, Gallimard, coll. « Découvertes », 1997.

Bernard (Jean Alphonse), *De l'empire des Indes à la République indienne*, Paris, Imprimerie nationale, 1994.

Biardeau (Madeleine), *L'Hindouisme, anthropologie d'une civilisation*, Paris, Flammarion, coll. « Champs », 1981.

Butalia (Urvashi), *Les Voix de la Partition Inde-Pakistan*, Arles, Actes Sud, 2002.

Chakravarty (Gautam), *The Indian Mutiny and the British Imagination*, Cambridge, Cambridge University Press, 2005.

Coedès (Georges), *Les États hindouisés d'Indochine et d'Indonésie*, Paris, De Boccard, éd. révisée, 1964.

Cohn (Bernard), *An Anthropologist among Historians*, Delhi, Oxford University Press, 1990.

Colas (Gérard), *Vishnou, ses images et ses feux*, Paris, EFEO, 1996.

Deliège (Robert), *Intouchables. Entre révoltes et intégration*, Paris, Albin Michel, 2007.

Dumont (Louis), *Homo hierarchicus, essai sur le système des castes*, Paris, Gallimard, 1967, nombreuses rééditions.

Eaton (Richard), *The Rise of Islam and the Bengal Frontier, 1204-1760*, Berkeley, University of California Press, 1993.

Fussman (Gérard) *et al.*, *Ārya, Aryens et Iraniens en Asie centrale*, Paris, Collège de France-De Boccard, 2005.

Gaborieau (Marc), *Un autre islam. Inde, Pakistan, Bangladesh*, Paris, Albin Michel, 2007.

Garcin (Jean-Claude), *États, sociétés et cultures du monde musulman médiéval*, Paris, PUF, 1995-2000, 3 vol.

Gommans (Jos), *Mughal Warfare, Indian Frontiers and Highroads to Empire 1500-1700*, Londres, Routledge, 2002.

Hardy (Peter), *The Muslims of British India*, Cambridge, Cambridge University Press, 1972.

Hasan (Mushirul), *Legacy of a Divided Nation*, Delhi, Oxford University Press, 1997.

Hasan (Mushirul), dir., *India's Partition*, Delhi, Oxford University Press, 1993.

Hasan (Mushirul), dir., *Inventing Boundaries*, Delhi, Oxford University Press, 2000.

Hasan (Mushirul), dir., *The Partition Omnibus*, Delhi, Oxford University Press, 2002.

Haudrère (Philippe), *Les Compagnies des Indes orientales*, Paris, Desjonquères, 2006.

Houben (Jan), dir., *The Ideology and Status of Sanskrit*, Leyde, Brill, 1996.

Jaffrelot (Christophe), *Les Nationalistes hindous*, Paris, Fondation nationale des Sciences politiques, 1993.

Jalal (Ayesha), *The Sole Spokesman, Jinnah, the Muslim League and the Demand for Pakistan*, Cambridge, Cambridge University Press, 1985.

Kolff (Dirk), *Naukar, Rajput and Sepoy. The Ethnohistory of the Military Labour Market in Hindustan, 1450-1850*, Cambridge, Cambridge University Press, 1990.

Kulke (Hermann), dir., *The State in India, 1000-1700*, Delhi, Oxford University Press, 1995.

Mac Cearney (James), *La Révolte des cipayes*, Paris, Picollec, 1999.

Malamoud (Charles), *Cuire le monde, rite et pensée dans l'Inde ancienne*, Paris, La Découverte, 1989.

Malamoud (Charles), *Le Jumeau solaire*, Paris, Le Seuil, 2002.

Malamoud (Charles), *Féminité de la parole*, Paris, Albin Michel, 2005.

Malamoud (Charles), *La Danse des pierres*, Paris, Le Seuil, 2005.

Markovits (Claude), *Gandhi*, Paris, Presses de Sciences-Po, 2000.

Markovits (Claude), *The Global World of the Indian Merchant, 1750-1947. Traders of Sind from Bukhara to Panama*, Cambridge, Cambridge University Press, 2000.

Okada (Amina), *Le Grand Moghol et ses peintres*, Paris, Flammarion, 1992.

Pandey (Gyanendra), *The Construction of Communalism in Colonial North India*, Delhi, Oxford University Press, 1990.

Pollock (Sheldon), dir., *Literary Cultures in History*, Berkeley, University of California Press, 2003.

Pouchepadass (Jacques), *Paysans de la plaine du Gange, 1860-1950*, Paris, EFEO, 1989.

Schimmel (Anne-Marie), *Le Soufisme, ou les dimensions mystiques de l'islam*, Paris, Cerf, 1996.

Sergent (Bernard), *Genèse de l'Inde*, Paris, Payot, 1997.

Stokes (Eric), *The Peasant and the Raj*, Cambridge, Cambridge University Press, 1978.

Tardan-Masquelier (Ysé), *L'Hindouisme. Des origines védiques aux courants contemporains*, Paris, Bayard, 1999.

Thapar (Romila), *Cultural Pasts, Essays in Early Indian History*, Delhi, Oxford University Press, 2000.

Thapar (Romila), *Shakuntala, Texts, Readings, Histories*, Londres, Anthem, 2002.

Thapar (Romila), *Somanatha, the Many Voices of a History*, Delhi, Penguin, 2004

Tinker (Hugh), *A New System of Slavery. The Export of Indian Labour Overseas, 1830-1920*, Londres, Oxford University Press, 1974.

Wink (André), *Al Hind, the making of the Indo-Islamic World*, Leyde, Brill, 3 vol., 1990-2004.

Collections d'études

Lardinois (Roland), dir., *Miroir de l'Inde*, Paris, Éd. MSH, 1989 (articles de chercheurs indiens traduits en français).

Oxford in India Readings, une vingtaine de volumes parus (collection d'articles fondamentaux en anglais par grands thèmes à l'usage des étudiants). Delhi, Oxford University Press.

Purushartha, sciences sociales en Asie du sud, Paris, Éd. de l'EHESS, 25 vol. parus ; voir notamment :
Gaborieau (Marc), dir., *Islam et société en Asie du sud*, 1986.
Pouchepadass (Jacques), dir., *Caste et classe en Asie du sud*, 1982 et *De la royauté à l'État dans le monde indien*, 1991.
Vidal (Denis), Tarabout (Gilles), Meyer (Éric), dir., *Violences et non-violences en Inde*, 1994.

Subaltern Studies, publication d'un collectif de chercheurs indianistes en sciences sociales, 11 vol. parus. Delhi, Oxford University Press, puis Permanent Black, 1982-2000.

The New Cambridge History of India, Cambridge, Cambridge University Press, 20 vol. parus. Voir notamment :
Arnold (David), *Science, Technology and Medicine in Colonial India*, 2000.
Bayly (Christopher), *Indian Society and the Making of the British Empire 1700-1857*, 1988.
Bayly (Susan), *Caste, Society and Politics in India from the 18th century*, 1999.
Eaton (Richard), *A Social History of the Deccan 1300-1761 : Eight Indian Lives*, 2005.
Forbes (Geraldine H.), *Women in Modern India*, 1996.
Gordon (Stuart), *The Marathas, 1600-1818*, 1993.
Grewal (Jagtar Singh), *The Sikhs of the Punjab*, 1990.
Jones (Kenneth W.), *Socio-religious Reform Movements in India*, 1989.

Marshall (Peter J.), *Bengal, the British Bridgehead*, 1987.
Metcalf (Thomas R.), *Ideologies of the Raj*, 1994.
Pearson (M.N.), *The Portuguese in India*, 1989.
Ramusack (Barbara), *The Indian Princes and their States*, 2004.
Richards (John F.), *The Mughal Empire*, 1993.
Stein (Burton), *Vijayanagara*, 1989.

The Cambridge Economic History of India, Cambridge, Cambridge University Press, 1981-83 :
Habib (Irfan) et Raychaudhuri (Tapan), dir., vol. I : *c. 1200-1750*.
Kumar (Dharma), dir., vol. 2 : *1757-1970*.

The Oxford History of the British Empire, Oxford, Oxford University Press, 1998-99, 4 vol.

Textes et documents en traduction française

Collection « Connaissance de l'Orient » (séries indienne et persane), Paris, Gallimard ; voir notamment :
Entretiens de Milinda et de Nagasena, par Édith Nolot, 1995.
Gul Badan Baygam, *Le Livre de Humayun*, par Pierre Piffaretti, 1996.
Hymnes spéculatifs du Véda, par Louis Renou, 1956.
Kabir, *Au cabaret de l'amour*, par Charlotte Vaudeville, 1959.
Le Théâtre de Kalidasa, par Lyne Bansat Boudon, 1996.
Mir Taqi Mir, *Masnavis, poèmes d'amour de l'Inde moghole*, par Denis Matringe, 1993.
Namdev, *Psaumes du tailleur*, par Guy Deleury, 2003.
Sour Das, *Pastorales*, par Charlotte Vaudeville, 1971.
Tiruvalluvar, *Le Livre de l'amour*, par François Gros, 1992.
Toukaram, *Psaumes du pèlerin*, par Guy Deleury, 1956.

Anquetil-Duperron (Abraham), *Voyage en Inde, 1754-1762*, Paris, EFEO-Maisonneuve, 1997.
L'Arthashastra, extraits choisis, trad. par M. Dambuyant, Paris, M. Rivière, 1971.

Ashoka, *Les Inscriptions d'Açoka*, trad. et annotées par Jules Bloch, Paris, Les Belles Lettres, 1950.

Babur, *Le Livre de Babur*, traduit et annoté par J.-L. Bacqué-Grammont, Paris, Imprimerie nationale, 1985.

Bernier (François), *Voyage dans les États du Grand Moghol*, introd. par F. Bhattacharya, Paris, Fayard, 1981.

Biardeau (Madeleine), *Le Mahâbhârata, un récit fondateur du brahmanisme et son interprétation*, Paris, Le Seuil, 2002, 2 vol. ; voir les morceaux choisis traduits par Jean Michel Peterfalvi, *Le Mahabharata*, Paris, Flammarion, 1985-86, 2 vol.

Biruni, *Le Livre de l'Inde* (extraits traduits par V. Monteil). Paris-Arles, Sindbad-Actes Sud, 1996.

Deleury (Guy), *Les Indes florissantes. Anthologie des voyageurs français (1750-1820)*, Paris, Laffont, 1991.

Gandhi (Mohandas Karamchand), *Expériences de vérité, ou autobiographie*, Paris, PUF, 1950 (rééd sous le titre *Autobiographie, ou mes expériences de vérité*, Paris, PUF, coll. « Quadrige », 2004).

L'Inde du Bouddha vue par des pèlerins chinois sous la dynastie Tang (C. Meuwese, éd.), Paris, Calmann-Lévy, 1968.

L'Inde vue de Rome (J. André, éd.), Paris, Les Belles Lettres, 1986.

Kalhana, *Radjatarangini, ou histoire des rois du Kachmir*, trad. fr. A. Troyer, Paris, Imprimerie royale, 1840-1852, 3 vol.

Le Kamasutra de Vatsyayana, trad. Alain Daniélou, Paris, Flammarion, 1998 ; trad. de Jean Papin, Paris, Livre de poche, 2002.

Le Mahabharata, voir Biardeau (Madeleine).

Lois de Manou, trad. Loiseleur Deslongchamps, Paris, rééd. Éd. d'Aujourd'hui, 1976.

Mœurs et coutumes des Indiens [attribué à l'abbé Dubois] éd. Sylvia Murr, Paris, EFEO-Maisonneuve, 1987.

Nehru (Jawaharlal), *La Découverte de l'Inde*, Arles, Philippe Picquier, 2002.

Nehru (Jawaharlal), *Ma vie et mes prisons*, Paris, Denoël, 1952.

Le Ramayana de Valmiki (Madeleine Biardeau et Marie-Claude Porcher, dir.), Paris, Gallimard, La Pléiade, 1994.

Renou (Louis), *Anthologie sanskrite*, Paris, Payot, 1961.

Shayegan (Daryush), *Hindouisme et soufisme, une lecture du « Confluent des deux océans »*, le *Majma al-Bahrain*, Paris, Albin Michel, 1995.

Théâtre de l'Inde ancienne (Lyne Bansat Boudon, dir.), Paris, Gallimard, 2006, La Pléiade.

Voyageurs arabes (trad. Paule Charles-Dominique), Paris, Gallimard, La Pléiade, 1995.

Chronologie

Cette chronologie est très approximative pour les datations anciennes. En cohérence avec le propos du livre, on a sélectionné des dates d'histoire politique, sociale et culturelle, et on a mis en regard de l'histoire de l'Inde quelques repères chronologiques comparatifs. Les dates d'histoire politique sont celles des règnes ou des dynasties, et non de naissance et décès.

INDE	MONDE
entre −15000 et +1000 : peintures pariétales d'animaux en Inde centrale (Bhimbetka)	entre −30000 et −15000 : grotte Chauvet, Lascaux
vers −7000 : premiers signes d'agriculture et d'élevage au Balouchistan (Mehrgarh)	−8000 à −5000 : « révolution néolithique » dans les pays du Croissant fertile puis en Chine
vers −5000 : domestication des bovins ; poterie et tissage du coton (Mehrgarh)	
vers −3500 : poterie tournée ; début du bronze ; habitat concentré dans le nord-ouest	−3100-2100 : Égypte ancienne (Ire-Xe dynasties)

vers −3000 : agriculture irriguée dans la vallée de l'Indus ; sites rizicoles dans le nord-est	−2700-1700 : Sumer, Akkad
−2600 à −1700 : civilisation urbaine de la Mésopotamie indienne	−2500-1500 : Bactriane
entre −1800/1500 et −1000 : composition du *Rig Veda* ; présence des Ârya en Inde du nord ; apparition du fer	−1760-1060 : Chine (Shang)
entre −1000 et −600 : sédentarisation des Ârya ; mise en valeur de la vallée du Gange, usage du fer ; cultures mégalithiques dans le Deccan	− xvᵉ-xiiiᵉ s. : Mitanni
	−xᵉ s. : royaume d'Israël
entre −800 et −300 : composition des Upanishads majeures	vers le viiiᵉ s. : épopées homériques
entre −600 et −400 : essor de royaumes (Magadha) et de républiques aristocratiques en Inde du nord	−700 à −330 : empire perse achéménide
env. −563 à −483 : vie de Siddhartha Gautama (le Bouddha historique)	env. −600 : Zarathoustra
env. −540 à −468 : vie de Vardhamana ou Mahavira (fondateur du jaïnisme)	env. −570 à −490 : Lao tseu
entre −530 et −519 : conquête du Panjab par les Perses (Cyrus)	env. −555 à −479 : Confucius
env. −ivᵉ siècle : composition de la *Grammaire* de Panini	−490 à −480 : victoires grecques sur les Perses

324

env. –364 à –321 : dynastie nanda au Magadha	–475 à –221 : Royaumes combattants en Chine
–327 à –325 : expédition d'Alexandre le Grand	–470 à –399 : Socrate ; Thucydide
–321 : fondation de l'empire maurya (Inde du nord) par Chandragupta	–384 à –322 : Aristote
–269 à –232 : règne d'Ashoka, extension de l'empire au Deccan, diffusion du bouddhisme (notamment à Ceylan)	–IVᵉ-Iᵉʳ s. : royaumes hellénistiques
env. –IIIᵉ-IIᵉ s. (?) : composition du *Mahâbhârata* et du *Râmâyana* et des premiers *Purâna*	–249 à +226 : empire parthe en Iran
vers –200 : essor des royaumes indo-grecs au Panjab	–221 : règne de Huangdi
–185 : fin des Maurya, royaume shunga	–206 à +200 : empire chinois Han
vers –155-130 : règne de Milinda/Ménandre	–145 à –86 : Sima Qian, historien chinois
vers le –IIᵉ s. : commentaires de Patañjali	–60 : Jules César ; formation de l'empire romain
vers –90 : invasions scythes (shaka) dans le nord	–4 à +30 : vie de Jésus
vers –50 : affirmation des Satavahana (Andhra) au Deccan ; Kharavela, roi du Kalinga	58-76 : introduction du bouddhisme en Chine

Ier-IIe s. : Ier s. : invasions kushana dans le nord ; apogée du commerce de Rome avec l'Inde du sud ; début de la littérature tamoule (*Sangam*) ; apparition du judaïsme et du christianisme en Inde du sud

fin du Ier s. : fondation du royaume du Fu Nan au Vietnam

78 : début de l'ère shaka, avènement de Kanishka, roi kushana (entre 78 et 144)

70-135 : début de la diaspora juive

125 : Gautamiputra, roi andhra au Deccan

98-117 : Trajan

IIe s. : composition des *Dharmashâtrâs* (*Lois de Manou*)

fin du IIe s. : fondation du royaume du Champa au Vietnam

150 : premières inscriptions en sanskrit (Rudradaman, au Gujarat)

226-651 : empire sassanide en Iran

319/320 : fondation de l'empire gupta par Chandragupta

IIIe-IVe s. : essor du bouddhisme en Chine

335-375 : règne de Samudragupta, extension de l'empire au Deccan

380 : christianisme, religion officielle à Rome

375-415 : règne de Chandragupta Vikramaditya ; essor artistique ; Kalîdâsa (?)

395 : partage de l'empire romain

405-411 : voyage en Inde du pèlerin chinois Fa Xian

415-455 : règne de Kumaragupta

430-470 : raids des Huns en Europe

455-467 : règne de Skandagupta

476 : Aryabhata, astronome et
mathématicien

495-520 : raids des Huns en Inde

543-566 : règne de Pulakeshin Ier,
roi chalukya

531-579 : apogée de
l'Iran sassanide

env. 550 : temples chalukya (Aihole,
Badami, etc.)

574 : début de la dynastie pallava en Inde
du sud

570-632 : vie de
Mahomet

VIe-Xe s. : essor du commerce et
diffusion de la culture indienne en Asie
du Sud-Est

600-630 : Mahendravarman, roi pallava

606-647 : règne de Harsha, roi de Kanauj

618-907 : dynastie
Tang en Chine

609-642 : Pulakeshin II, roi chalukya

622 : Hégire

630-643 : voyage en Inde du pèlerin
chinois Xuan Zhang

641-645 : conquête
arabe du Moyen-
Orient

680 : mort
d'Hussein à Kerbela
(moharram)

VIIe s. : essor des cultes de dévotion
bhaktiques dans le sud et déclin du
bouddhisme

VIIIe s. : essor des clans rajpoutes en Inde du nord

VIIIe siècle : affirmation du pouvoir des Sailendra (Java) et de Srîvijaya (Malaisie)

712 : premier État arabe musulman au Sind (Mohammed ibn Qasim)

711 : conquête maure de l'Espagne

724-761 : règne de Lalitaditya au Cachemire

env. 725-755 : temple du Kailasa à Ellora

731 : victoire chalukya sur les Pallava

747 : cérémonie de purification des clans rajpoutes au mont Abu

753 : victoire des Rashtrakuta sur les Chalukya

754-1258 : califat abbasside à Bagdad

770 : fondation de la dynastie pâla par Gopala (Bengale)

762-814 : Charlemagne

780 : essor des Gurjara Pratihara à Kanauj

788-820 (?) : Shankara, théologien et philosophe

786-809 : règne d'Haroun al-Rachid à Bagdad

IXe au XIe siècle : essor du shivaïsme au Cachemire

824 : achèvement de Borobudur

814-965 : apogée des Rashtrakuta au Deccan

849 : fondation de Pagan (Birmanie)

907 : Parantaka, premier roi chola à Tanjore	907 : premiers temples d'Angkor
	922 : martyre d'Al-Hallaj
985-1014 : Rajaraja Chola unifie le sud et conquiert Ceylan	960-1279 : dynastie Song en Chine
1001-1027 : raids de Mahmoud de Ghazni en Inde du nord	
1014-1045 : Rajendra Chola (expansion vers le Gange puis vers le monde malais)	
1027-1032 : Biruni en Inde	
1040 : les plus anciens manuscrits connus du Véda	1050-1123 : Omar Khayyam
1050-1137 : Ramanuja, théologien et philosophe	1088 : fondation de l'université de Bologne
1077-1120 : Ramapala, apogée des rois bouddhistes du Cachemire	1096-1099 : 1re croisade
1148 : rédaction par Kalhana de la chronique du Cachemire (*Râjatarangini*)	1147-1270 : 2e à 8e croisade
1150-1210 : Jayadeva, auteur du *Gita Govinda*	
1175-1192 : raids de Mohammed de Ghor	1181-1226 : saint François d'Assise
1192 : défaite du Rajpoute Prithvi Raj à Tarain	

1192 : installation en Inde du soufi Muin ud-din Chishti	
1199 : conquête du Bengale par Mohammed Khalji, destruction des monastères bouddhistes	
1206 : fondation du sultanat de Delhi par Aibak	1206-1227 : Gengis Khan
	1208-1229 : Albigeois ; création de l'Inquisition
1250 ? : construction du temple du soleil à Konarak	1230-1285 (?) : Rutebeuf
Fin du XIIIe s. : Jñândev à Pandharpur	1254-1324 : Marco Polo 1265-1321 : Dante
1279 : fin de la dynastie chola	1271-1294 : Kubilaï Khan, empereur de Chine
1296-1316 : règne d'Ala ud-din, sultan de Delhi	
1309-1311 : raids de Malik Kafur jusqu'au sud du Deccan	1304-1377 : Ibn Battuta
1325-1351 : règne de Mohammed Tughluk, sultan de Delhi	
1327 : construction de Daulatabad, au Deccan	
1332-1342 : rébellions paysannes en Inde du nord	1332-1406 : Ibn Khaldoun

1336/1338 : sultanat indépendant du Bengale	
1336/1346 : établissement de l'empire de Vijayanagar au Deccan	
1347 : établissement du sultanat Bahmani au Deccan	1368-1644 : dynastie Ming en Chine
1357 : rédaction de la chronique de Barani	
1398 : prise de Delhi par Tamerlan	
1400-1470 : Râmânanda	XVe s. : arrivée des Roms dans les Balkans
1401/1404 : sultanat indépendant du Gujarat	1404-1433 : expéditions navales chinoises
1420-1470 : règne de Zain-ul Abidin au Cachemire	
1440-1518 (?) : Kabir	1439 : invention de la presse par Gutenberg
1451 : fondation du sultanat lodi à Delhi	1453 : Constantinople turque
1469-1539 : Nanak, fondateur du sikhisme	
1479-1531 : Vallabha	1483-1546 : Martin Luther

1486-1543 : Chaitanya	1492 : fin de la *Reconquista* 1492 : Christophe Colomb
1498 (?)-1547 : Mira Bai	
1498 : Vasco de Gama atteint les côtes indiennes	
	1502-1736 : dynastie safavide en Iran
1502-1510 : établissement à Ceylan (Colombo) et en Inde (Goa) de comptoirs portugais	1506-1552 : saint François Xavier
1509-1529 : Krishna Devaraya, roi de Vijayanagar	1519-1522 : voyage de Magellan
1526-1530 : Babur, premier empereur moghol en Inde	1519-1532 : conquête espagnole de l'Amérique
1530-1540 puis 1556-1556 : règne d'Humayun	
1532-1623 : Tulsi Das	
1533-1545 : Sher Shah s'impose en Inde du nord au détriment d'Humayun et organise l'administration impériale	1534 : création des jésuites
1556-1605 : règne d'Akbar	1562 : début de la traite des Noirs d'Afrique en Amérique

1565 : défaite finale de Vijayanagar à Talikota

1571 : fondation de Fatehpur Sikri

1596 : composition de l'*Akbar Nama* par Abul Fazl

1598-1649 : Toukaram

1600 : fondation à Londres de l'East India Company

1602 : fondation de la Compagnie néerlandaise des Indes (VOC)

1605-1627 : règne de Jahangir

1609 : chronique de Firishta

1628-1656/58 : règne de Shah Jahan

1630-1632 : grande famine au Gujarat ; construction du Taj Mahal

1638-1648 : construction de Shahjahanabad à Delhi

1564-1642 : Galilée

1587-1629 : Shah Abbas Ier en Iran

1596 : installation des Hollandais à Java

1642-1727 : Newton

1643-1715 : règne de Louis XIV

1644-1911 : dynastie Qing (mandchoue) en Chine

1639 : fondation de Madras (Fort Saint George)	1648-1660 : Angleterre républicaine, Cromwell
1646 : Shivaji établi à Pune	1652 : fondation du Cap
1658-1707 : règne d'Aurangzeb	
1664 : fondation de la Compagnie française des Indes	
1669 : grève des marchands de Surat	
1674 : fondation de Pondichéry et de Bombay	
1674-1680 : Shivaji, roi des Marathes	
1690 : fondation de Calcutta	
1699 : établissement du *Khalsa*, fraternité armée des sikhs	1710-1774 : la Russie l'emporte sur la Turquie
1720-1740 : Baji Rao, *peshwa* à Pune	1718-1720 : le Tibet tributaire de la Chine
1724-1748 : Nizam ul mulk indépendant à Hyderabad	1733-1785 : invention anglaise de machines textiles
1739 : sac de Delhi par Nadir Shah	
1742-1753 : Dupleix gouverneur de Pondichéry	

1747-1772 : dynastie durrani au nord-ouest de l'Inde	1751-1776 : *Encyclopédie* de Diderot et *Encyclopaedia Britannica*
1757-1764 : mainmise britannique sur le Bengale et fin de l'expansion française	1755-1763 : guerre de Sept Ans, le Canada devient britannique
1761-1794 : règne de Mahaji Sindhia à Gwalior	
1765 : la Compagnie britannique obtient de l'empereur moghol Shah Alam II la *diwani* du Bengale	1768-1779 : voyages de Cook
1769-1770 : famine au Bengale	
	1774-1779 : invention de la machine à vapeur
1782-1799 : règne de Tipu, sultan au Mysore	
1784 : fondation par William Jones de l'*Asiatic Society of Bengal*	1775-1783 : guerre d'indépendance des États-Unis
1793 : *Permanent settlement* au Bengale	1789-1799 : Révolution française
1796-1815 : mainmise britannique sur l'Inde du sud et Ceylan	1803-1815 : guerres napoléoniennes

1799-1839 : règne de Ranjit Singh au Panjab

1810-1822 : guerres d'indépendance en Amérique latine

1801-1803 : mainmise britannique sur la vallée du Gange

1817 :
James Mill compose l'*History of British India*

1818-1819 : annexion des États marathes, contrôle britannique de l'Inde centrale, répression de la révolte de Ceylan

1819 : fondation de Singapour

1826 : contrôle de l'Assam

1828 : fondation du Brahmosamaj par Râm Mohan Roy, interdiction de la crémation des veuves (*sati*)

1831-1837 : élimination de la secte des Thugs

1833 : abolition de l'esclavage dans les colonies anglaises

1839-1842 : guerre en Afghanistan

1839-1842 : guerres de l'opium

1845-1849 : guerres contre les sikhs ; annexion du Panjab

1848 : abolition de l'esclavage dans les colonies françaises

1848-1856 : Dalhousie gouverneur ; politique de modernisation (chemins de fer, textile)

1850-1864 : révolte des Tai Ping en Chine

1852 : annexion de la basse Birmanie

1855-1856 : insurrection des Santal (Bengale)

1856 : annexion de l'Oudh

1857-1858 : révolte antibritannique (dite des cipayes)

1858 : rattachement de l'Inde à la Couronne britannique (empire des Indes proclamé en 1877)

1859-1883 : mainmise française sur le Vietnam

1866-1877 : succession de famines

1861-1865 : guerre de Sécession aux États-Unis

1867 : fondation de la madrasa de Deoband

1868 : ère Meiji au Japon

1869 : ouverture du canal de Suez

1870 : achèvement des unités italienne et allemande

1875 : création de l'Arya Samaj par Dayananda Sarasvati

1875 : fondation du collège d'Aligarh

1876-1878 : famine en Inde du sud

1878-1886 : guerres aux frontières afghanes, annexion de la haute Birmanie

1885 : fondation du parti du Congrès	1884-1885 : partage colonial de l'Afrique
	1893 : congrès mondial des religions à Chicago
1898-1905 : Curzon, vice-roi	
1905 : partage du Bengale et mouvement *swadeshi*	1905 : défaite russe face au Japon, première révolution russe
1906 : fondation de la Ligue musulmane	
1909 : réformes constitutionnelles (« Morley-Minto »)	
1909-1913 : création des aciéries Tata à Jamshedpur	1911-1912 : fin de l'empire chinois
1913 : Tagore, prix Nobel de littérature	
	1914-1918 : Première Guerre mondiale
1916 : pacte de Lucknow entre le Congrès et la Ligue musulmane	
1917 : premières campagnes de Gandhi en Inde ; Montagu promet un régime d'autonomie	1917 : révolution bolchevique
1919 : massacre d'Amritsar ; *Government of India Act*	1919 : mouvement du 4 mai en Chine

1920-1922 : mouvement de non-coopération	1920 : démembrement de l'empire ottoman
	1921 : indépendance de l'Eire
	1922 : Mussolini au pouvoir
	1924-53 : Staline au pouvoir
1925 : fondation du RSS	1925 : Shah Reza Pahlevi en Iran
1927 : commission Simon	
1929-1930 : répression anticommuniste (procès de Meerut)	
1930 : Mohammed Iqbal propose un État musulman séparé	
1930-1931 : campagne de désobéissance civile	
1931 : système représentatif et autonomie interne à Ceylan	
	1933 : Hitler au pouvoir
1935 : Constitution élargissant le système représentatif	1934-1935 : « Longue Marche » en Chine
1937 : succès du Congrès aux élections provinciales	

1939 : entrée en guerre, démission des gouvernements congressistes	1939-1945 : Seconde Guerre mondiale
1940 : revendication par Jinnah d'un foyer national pour les musulmans de l'Inde (discours de Lahore)	1941 : Pearl Harbor
1942 : mouvement *Quit India* ; formation de l'Indian National Army	1942 : Singapour japonais
1943 : famine au Bengale	1943 : Stalingrad
1946 : constitution d'un gouvernement provisoire sous la présidence de Nehru	1945 : Hiroshima
1946-1947 : situation insurrectionnelle et violences intercommunautaires au Bengale et au Panjab	1945-1949 : guerre d'indépendance indonésienne
	1945-1954 : guerre d'Indochine
1947 (14-15 août) : indépendance et partition Inde-Pakistan	1947-1948 : partage de la Palestine et naissance d'Israël
1948 : assassinat de Gandhi (30 janvier) ; indépendance de Ceylan (4 février) ; mort de Jinnah (11 septembre) ; annexion du Cachemire et d'Hyderabad par l'Inde ; premier conflit indo-pakistanais	1948 : indépendance birmane
	1949 : prise de pouvoir communiste en Chine

Glossaire

Âdivasi : aborigènes, litt. : « ceux qui étaient en premier ».
Ahimsa : refus du sang ; par extension non-violence.
Bania : commerçant.
Bhajan : chant dévotionnel (hindou).
Bhakti : dévotion religieuse (hindoue).
Brahmi : écriture archaïque des langues indiennes.
Dalit : littéralement, opprimé, d'où intouchable.
Darbar : cérémonie d'audience publique.
Dharma : l'ordre cosmique et l'ordre social, en contexte hindou ;
    par extension la loi, le devoir religieux ; la doctrine, en contexte
    bouddhique.
Dukkha/duhkha : la souffrance (dans la doctrine bouddhique).
Hartal : grève générale.
Hindutva : littéralement, « hindouité », conception identitaire
    prônant l'exclusion des non-hindous.
Jagir : prébende, revenu assigné à un officier (*jagirdar*).
Jajmani : système de prestations liant un patron et ses dépendants,
    dans le cadre des spécialisations de castes.
Jati : litt., naissance ; par extension, espèce, groupe endogame,
    caste au sens sociologique du terme (voir *varna*).
Jauhar : suicide collectif par le feu.
Jiziya : taxe prélevée sur les non-musulmans.
Karma : actions déterminant les conditions d'une future incar-
    nation.

Khalsa : litt., « les Purs », communauté des sikhs rassemblée par serment.

Mandala : cercle, au sens territorial et au sens symbolique.

Matha, math : monastère hindou.

Mlechcha : barbare (au sens linguistique), et par extension, étranger, impur.

Nashtaliq : écriture arabo-persane.

Nawab, nabab : gouverneur de province.

Nikaya : ordre monastique dans le bouddhisme.

Nizam : titre donné aux gouverneurs puis princes d'Hyderabad (voir *nawab*).

Ourdou : litt. « langue militaire », langue de communication et de culture des élites musulmanes, se distinguant en partie de la langue hindi par son vocabulaire et sa graphie arabo-persane.

Pâli : langue de culture employée pour les écrits du bouddhisme *theravada*.

Pandit : brahmane lettré, plus précisément *jati* des brahmanes du Cachemire.

Peshwa : premier ministre brahmane (chez les Marathes).

pipal (ou arbre de la *bodhi*) : sorte de figuier (*ficus religiosa*) associé à la vénération bouddhique.

Pir : saint personnage, maître d'un ordre soufi.

Prakrit : langue « naturelle », vernaculaire, par opposition au sanskrit.

Pujâ : offrande sacrificielle.

Purana : textes ayant rapport au passé, récits des temps anciens.

Purdah : réclusion des femmes.

Samsara : cycle des renaissances.

Sangha : assemblée, église (en contexte bouddhique).

Sānt : mystique hindou du Moyen Âge.

Sati, suttee : sacrifice des veuves sur le bûcher funéraire de leur époux.

Satyagraha : litt. « étreinte de la vérité », méthode de mobilisation politique mise au point par Gandhi.

Sharia : loi coranique.

Shramane : religieux appartenant à une secte non brahmanique.

Shruti : litt. « ce qui est ouï », l'ensemble de la Révélation védique (voir *Smriti*).

Shuddhi : rituel de purification.

Smriti : litt. « ce qui est mémorisé », l'ensemble de la Tradition védique.

Swadeshi : litt. « du pays lui-même », mouvement nationaliste prônant l'autosuffisance.

Tariqa : « la voie », d'où ordre ou fraternité soufie.

Varna : litt. « couleur », catégorie sociale selon la conception brahmanique de l'ordre hiérarchique, les quatre grandes « classes » de la société védique : *brahmana*, les prêtres, *kshatriya*, les guerriers, *vaishya*, les producteurs, et *shûdra*, les serviteurs ; voir *jati*.

Zamindar : litt. « maître du sol », notable terrien chargé de prélever les impôts au temps des Moghols, propriétaire foncier en vertu d'un *settlement* sous les Britanniques.

Index

Table des cartes

Table

Composition Nord Compo
Impression : Imprimerie Floch, février 2007
Éditions Albin Michel
22, rue Huyghens, 75014 Paris
www.albin-michel.fr

ISBN : 978-2-226-17309-6
N° d'édition : 25001 – N° d'impression : 67794
Dépôt légal : mars 2007
Imprimé en France.